AUTRES ÉCRITS SUR LE JAZZ

(Tome II)

DU MÊME AUTEUR

chez le même éditeur

L'Arrache-cœur
Autres écrits sur le jazz (tome 1)
La Belle Epoque (variétés)
Cantilènes en gelée / Je voudrais pas crever
Le Chevalier de neige
Les Chroniques du menteur
Cinéma science-fiction
Dossier de l'affaire « J'irai cracher sur vos tombes »
Ecrits pornographiques
Elles se rendent pas compte (Sullivan)
Et on tuera tous les affreux (Sullivan)
L'Ecume des jours
Les Fourmis
L'Herbe rouge
J'irai cracher sur vos tombes (Sullivan)
Le Loup-garou
Les Morts ont tous la même peau (Sullivan)
Nouvelles inédites
Petits spectacles
Le Ratichon baigneur
Textes et chansons
Traité de civisme
Trouble dans les andains
Théâtre inédit : Tête de méduse, Série blême, le Chasseur français
Vercoquin et le Plancton

Les Vies parallèles de Boris Vian, par Noël Arnaud.

BORIS VIAN

AUTRES ÉCRITS SUR LE JAZZ

Tome II

Textes rassemblés, préfacés et annotés
par Claude RAMEIL

CHRISTIAN BOURGOIS EDITEUR
8, rue Garancière — Paris VIe

ISBN 2-267-00304-X.

Le premier tome des Autres Ecrits sur le jazz *rassemblait les articles publiés voilà, en gros, une trentaine d'années dans* Jazz-Hot *et dans* Combat, *les deux publications qui accueillirent la majeure partie des critiques de Boris Vian. Tout le reste se trouvait jusqu'alors disséminé dans des périodiques disparus et introuvables.*

Ces textes constituent le corpus du présent volume ; nous y ajoutons un choix de pochettes de disques et quelques inédits. Ainsi les amateurs (re)trouveront, entre autres, les textes publiés dans l'étonnant et rarissime Jazz-News *en 1949 et 1950, dans* Arts, Radio 49, Spectacles, *etc.*

*A l'exclusion d'éventuels articles publiés dans des revues inconnues des bibliographies ou signés de pseudonymes inhabituels, nous pensons avoir regroupé, dans les deux volumes d'*Autres Ecrits sur le Jazz, *la totalité de la production de Boris Vian en ce domaine.*

C.R.

SPECTACLES

Nous n'avons pu consulter la collection complète de ce journal bimensuel ; nous publions les chroniques que Boris Vian avait conservées.

Nous ignorons si la chronique du n° 9 (15 juin 1949) fut publiée : nous la reproduisons à partir d'une copie dactylographiée. Le ton de cette chronique nous permet de penser qu'elle fut la dernière de cette série !

C.R.

★

SPECTACLES, n° 2
1er mars 1949

LES DISQUES

Diverses cires américaines paraissent ces temps-ci sous des étiquettes françaises.

Nous en citerons deux aujourd'hui, deux que tout amateur digne de ce nom doit posséder dans sa collection.

La première, chez Blue Star, a été à l'origine éditée chez Dial. C'est le BS.106 : *Round about midnight*, par Dizzy Gillespie et son sextette, couplé avec *Thermodynamocs*, par Howard McGhee et son quartette.

Round about midnight est sans doute un des plus beaux thèmes qui aient jamais été enregistrés. Il est interprété par Gillespie (trompette), Lucky Thompson (saxo ténor), Al Haig (piano), Milton Jackson (vibraphone), Ray Brown (basse) et Stan Levey (drums).

Le disque s'ouvre par une introduction de Dizzy qui consiste en une phrase familière aux auditeurs du grand chef des be-boppers — elle se retrouve à peu près analogue à la fin de *I cant get started,* en Manor, par le même Dizzy, phrase qu'il répète deux fois en descendant, pour aboutir à l'exposé du thème, soutenu en douceur par Lucky Thompson dont le contre-chant délicat s'harmonise à merveille avec le jeu dépouillé de Dizzy. Milton Jackson enchaîne sur un solo de vibraphone intéressant — et lancinant même... Ecoutez-le deux ou trois fois, vous ne pourrez plus l'oublier. Lucky Thompson (ceux des amateurs de jazz qui étaient au festival de Nice se souviendront de son style sobre et intelligent) prend ensuite un chorus dont la douceur rappelle étrangement le Ben Webster de certains enregistrements d'Ellington (*What am I here for,* par exemple). Lucky a cependant une sonorité plus cotonneuse, plus voilée. Vient ensuite un bon passage au piano et Dizzy reprend la fin. Le verso de ce disque met en vedette les qualités de vélocité de McGhee dans un thème plaisant mais qui n'est pas à la hauteur du premier.

Le second disque à ne pas manquer, c'est le « Disc » n° 2002, *I can't get started,* par la formation du Jazz at the Philharmonic qui comprenait à ce moment : Howard McGhee (trompette), Al Killian (trompette), Charlie Parker (alto), Willie Smith (alto), Lester Young (ténor), avec Arnold Ross (piano), Billy Hadnott (basse) et Lee Young (drums). Ce disque est un hommage tardif rendu en France au génie du grand saxo ténor Lester Young. La place me manque pour en parler en détail, mais soyez assurés que vous ne regretterez pas d'avoir mis la main sur deux faces de cette qualité. Ajoutons qu'il s'agit de séances publiques enregistrées et que l'atmosphère est particulièrement sympathique.

★

SPECTACLES, n° 5
15 avril 1949

UNE GRANDE SEMAINE POUR LE JAZZ

Le 12 avril à 18 heures, un cocktail réunissait la presse au « Bœuf sur le Toit » où Charles Delaunay, Franck Bauer et Eddy Barclay (sans oublier sa charmante épouse) recevaient à l'occasion de la Grande Semaine du Jazz, qui se tiendra Salle Pleyel du 8 au 15 mai.

Le programme des réjouissances est maintenant connu et cette semaine sera sans doute depuis la venue de Gillespie à Paris l'année dernière, la plus intéressante des manifestations de ce genre.

Le jazz connaît actuellement un essor incroyable en France. Il sort trente à quarante disques par mois, de toutes les marques dont on peut se procurer les droits aux Etats-Unis, les concerts se multiplient... bien des musiciens n'ont pas de travail, certes ; mais c'est un aspect général de la crise actuelle des établissements nocturnes et le jazz n'est pas plus touché que les autres spécialités musicales. Pour cette Grande Semaine, des millions ont été ou vont être dépensés. Que l'on songe simplement à ce que coûte le voyage par avion aller et retour de onze musiciens américains, qui sont payés fort cher, vu le cours du dollar, et ceci pour un profit incertain. Louons sans réserve les organisateurs d'avoir eu le courage d'y « aller à fond ». Car le programme que l'on nous propose est d'importance : les amateurs de vieux style y trouveront leur compte, tout comme les tenants du be-bop.

Pour les premiers, Sydney Bechet, le roi du saxo soprano, un des pionniers de l'époque où le jazz connut enfin son plein essor, Sydney Bechet qui vient sans son orchestre, mais qui sera accompagné par des musiciens français jouant dans ce style. Pete Johnson également, le maître du style boogie-woogie (enfin, les Français sauront peut-être ce que c'est que le boogie-woogie... car ce joli nom a reçu bien des définitions fantaisistes). Oran Hot Lips Page, un des trompettes les plus intéressants de la génération moyenne, excellent chanteur par surcroît, sera là et aussi « Big Chief » Russell Moore, un trombone dont on nous promet monts et merveilles. (Avez-vous remarqué, amateurs de jazz, qu'en dehors de quelques musiciens de pupitre et de deux ou trois spécialistes du « tail gate style », il n'y a pas de trombones en France ? Je n'ai connu que Paul Vernon pour avoir dans son orchestre un trombone un peu moderne — et ça fait bien longtemps qu'on n'en a entendu parler.)

Tadd Dameron (piano), Kenny Clarke (batterie), Miles Davis (trompette), représentent, eux, une fraction des éléments « avancés ». Ils seront complétés par notre ami James Moody, ex-musicien de Dizzy Gillespie, saxo ténor de talent, qui est en France depuis quelques mois. Et enfin, la grande vedette en dehors de Bechet, Charlie Parker avec sa formation, Charlie Parker, le plus extraordinaire saxo alto des U.S.A., vient accompagné de Kenny Dorham (trompette), du blanc Al Haig (piano), de Tommy Potter (basse) et du célèbre Max Roach à la batterie.

★

SPECTACLES, n° 6
1er mai 1949

LE JAZZ

J'ai l'impression qu'il faut parler de choses sérieuses de temps en temps, et c'est pourquoi je vais vous donner aujourd'hui quelques impressions sur la « résurgence » (selon l'expression de Charles Delaunay) du style Nouvelle Orléans. Autant s'occuper de ça que de la pollinisation des orchidées venimeuses par les hyménoptères du groupe 703.

Le style Nouvelle Orléans est une assez fidèle démarcation de la marche militaire chère à nos cœurs de vieux Européens nourris depuis des siècles sur des champs de bataille. D'abord, ne dites pas de mal des marches militaires, c'est la seule chose sympathique chez les militaires qui, par ailleurs, sont tous bons à pendre, sans exception. Le style Nouvelle Orléans, comme chacun sait, a été inventé par Alphonse Picou, célèbre joueur d'ocarina qu'une jaunisse infectieuse retenait au lit ; s'imaginant sa joie le jour où il se retrouverait debout, il composa un chorus spécial qui se trouvait reproduire exactement la partie de piccolo d'un arrangement célèbre expressément réservé aux défilés.

Le style Nouvelle Orléans n'est plus guère pratiqué de nos jours que par une poignée de jeunes Blancs qui ne peuvent se débarrasser de l'empire qu'exerce encore sur nous l'ombre immense du Grand Napoléon. Pour jouer dans ce style, on prend deux ou trois cornets bosselés, une clarinette suraiguë, une batterie dont on détend les peaux, un piano avec trente-sept cordes et un banjo dont on remplace les susdites par du boyau de chat à raquette de tennis. On met là-dessus des gars qui connaissent un peu *Aïda* et on leur dit : « Jouez de mémoire la Marche américaine de Souza. » Le résultat est constant : les spectateurs se mettent à taper dans leurs mains sur le premier et le troisième temps, et tout le monde est ravi.

Il y aurait encore bien des choses à dire sur le style Nouvelle Orléans : des anecdotes, l'histoire du riveteur de bassines à confiture qui tapait un jour sur le rythme de *Tiger Rag*, ce qui a mis en transes les riveteuses de marmites et, par contrecoup, a donné naissance à Barney Bigard, à Robichaux et à Perez... Mais tout ça n'a plus d'importance maintenant ; le style Nouvelle Orléans ne manque pas de défenseurs, et ce n'est que justice.

QUELQUES DISQUES A ACHETER

« Jazz Sélection » vient de sortir des merveilles, en particulier : « Woodyin' You » par Coleman Hawkins, « Yesterdays » par le même, « Lover Man » de Charlie Parker, « Scrapple from the apple » (*id*). Egalement un excellent Jacquet et un bon Arnett Cobb, un bon Bechet-Nicholas et, en vogue, deux merveilleux Garner.

★

SPECTACLES, n° 7
15 mai 1949

LE FESTIVAL DE JAZZ

Les deux premières journées du Festival de jazz à la salle Pleyel se sont déroulées de façon fort satisfaisante et l'accueil réservé par le public aux orchestres venus d'un peu partout fut on ne peut plus chaleureux. La soirée de dimanche était consacrée à une présentation des principaux « acteurs » de cette semaine, et notamment des Américains au grand complet. C'est de ceux-ci que je veux vous parler surtout, réservant à une chronique ultérieure l'analyse des forces européennes présentes.

C'est le quintette de Miles Davis-Tadd Dameron qui débuta

avec Miles Davis (trompette), James Moody (ténor sax), Kenny Clarke (batterie), Barney Spieler (basse) et Tadd Dameron lui-même au piano. Ce dernier, plus connu comme arrangeur (de l'orchestre de Dizzy Gillespie notamment), est un pianiste au jeu extrêmement délicat. Il a une « imagination harmonique » extrêmement subtile et son jeu s'accorde parfaitement avec le jeu raffiné de Miles Davis qui, surtout lundi, s'est affirmé comme un très grand trompette be-bop. Miles Davis, gêné (non par manque de technique, rassurez-vous) sur les temps rapides qui ne l'intéressent pas énormément, a dans les morceaux lents ou moyens un phrasé vraiment admirable de simplicité et d'économie. Il vient à bout des phrases les plus inattendues avec une logique et une aisance déconcertantes. Il fut secondé dimanche et lundi par un James Moody en grande forme. Notre ami Kenny Clarke, enfin revenu des Etats-Unis, est plus en forme que jamais et Spieler soutint fort honorablement la section rythmique.

L'orchestre de « Hot Lips » Page, composé de trois Français (Peiffer, piano, Paraboschi, batterie et Bouchety, basse) et quatre Américains : Lips Page, trompette et chant, « Big Chief » Moore, trombone, Don Byas, ténor sax. et George Johnson, alto sax., nous emmena en plein air dans le bon style « jump » des années 30-40. Lips est en grande forme et son ardeur est communicative.

Sidney Bechet, sans doute aucun le plus grand saxo soprano de tous les temps, insufflait à Pierre Braslavsky et sa formation le meilleur de lui-même et le résultat fut satisfaisant. Sidney est vraiment un musicien exceptionnel, d'une sensibilité rare, et il est peu courant de profiter à Paris de la venue d'un technicien de cette force. Le soutien de l'orchestre Braslavsky malgré le petit nombre de répétitions était tout à fait correct, et ceci malgré une nervosité compréhensible chez des musiciens aussi jeunes... et puis, jouer avec Bechet, tout de même...

Enfin Charlie Parker, dimanche et lundi, ahurit littéralement les foules venues pour entendre le « Zoizeau » (c'est le surnom usuel de Charlie). En chair et en os, Charlie Parker est dix fois à la hauteur de sa réputation. Personne n'a jamais fait ce qu'il fait sur son alto... et peut-être que personne ne le fera jamais que lui. Kenny Dorham a fait d'étonnants progrès à la trompette. Al Haig, le pianiste, est un peu trop discret et pourrait chauffer plus. Tommy Potter est un excellent bassiste. Quant à Max Roach, c'est plus qu'un excellent batteur : c'est un garçon qui joue avec une aisance, une précision et une technique sans égales parmi les musiciens be-bop de l'heure actuelle.

★

SPECTACLES, n° 9
15 juin 1949

LE COIN MAL FAMÉ DU JAZZ

QU'EST-CE QUE LE JAZZ MONSIEUR CARRIER ?

Le rédacteur de cette feuille misérable qui se nomme *Spectacles* m'a dit avec une pointe d'accent américain qui fait un bon septième de son charme et permet à son chien, un ravissant cocker fauve, de le mépriser, que je devrais, de temps en temps, traiter un sujet général et de nature à intéresser la masse (il a dit la masse ; c'est un type comme ça ; il voit grand) des lecteurs.

Mon Dieu, je n'ai d'ordres à recevoir de personne, et surtout pas de cet individu qui est par ailleurs bien trop jeune pour attendre de moi le respect attaché d'ordinaire à la personne du rédacteur en chef. (Est-ce assez comique, de titre !)

Cela ne m'empêchera pas de poser de temps en temps une question générale par-ci par-là. Et s'il se trouve que la pose coïncide avec la prière dudit rédacteur, ceci ne saurait être considéré comme autre chose que le produit d'un hasard exceptionnellement pur.

Et ce n'est pas lui qui m'empêchera de traiter un sujet général toutes les fois que l'envie m'en prendra. Il ferait beau voir que sous le couvert d'organiser (!!!) son canard, le rédacteur (je ne peux pas l'écrire sans rire) en chef (non, alors !) me forçât à m'occuper d'une question ou d'un point particulier beaucoup trop précis pour intéresser la masse des lecteurs de *Spectacles*.

Si, moi, j'ai envie de vous parler d'un problème général, je vous en parlerai donc, et sans attendre l'autorisation de... non, je ne peux pas l'écrire c'est trop grotesque.

Les problèmes généraux sont abordés beaucoup trop rarement par les gens qui, se prétendant critiques de jazz (et il commence à y en avoir un nombre réconfortant), s'attachent à démontrer qu'à la onzième mesure d'un vieux disque pourri que personne ne connaît, c'est Chose qui joue et non pas Machin comme leur rival abhorré Untel l'affirme.

Ah ! Ces discussions stériles. Ces articles sans base, sans documentation. Ces élucubrations dans le vide, plantées là on ne sait pourquoi. Pour boucher un trou évidemment. Un trou que le... en chef ne sait comment remplir. Parce que l'en chef, lui, il n'écrit pas. Il manie le knout et martyrise d'obscurs corniauds en leur promettant que leur prose sera mise en page de façon à leur assurer un éternel renom, entre une photo de Paul Claudel en caleçon de bain et le sourire de Viviane Romance en sœur de charité.

Ces critiques-là ne sont pas sérieux. Un critique doit gagner l'estime de ses lecteurs en leur prouvant qu'il s'attache avant tout aux recherches fondamentales, menées de front avec le sérieux de l'archéologue et la patience du chartiste sans oublier le sourire de la Joconde. Aux recherches amples, aux grandes questions qui depuis des décades, passionnent l'opinion sans que l'on ose démêler le pour du contre et le ni quoi ni qu'est-ce du ça n'a pas d'importance.

Un critique en un mot sera digne de son titre lorsqu'il aura l'audace de demander publiquement et sans honte : qu'est-ce que le jazz ? Et il s'arrêtera là parce qu'il n'a plus de place. Mais le plus dur est fait.

★

JAZZ NEWS

Jazz News, dont la couverture des deux premiers numéros porte le sous-titre « Blue Star Revue », se défend dans son premier éditorial d'être uniquement une revue publicitaire. Le sous-titre disparaîtra d'ailleurs rapidement puisque le n° 3 indique « Nouvelles du Jazz » ; Boris Vian justement collabore à la revue à partir de ce n° 3 (mars 1949).

La collection complète de *Jazz News,* directeur Eddie Barclay, comporte onze numéros. Le n° 1 est daté Noël 1948, le n° 11, juin 1950.

Boris Vian collabore aux nos 3, 5 et 6, puis dans le n° 7 (octobre 1949) on peut lire en page 3 cette annonce, en gros caractères :

AVIS.
Dès notre prochain numéro :
Boris Vian sera le rédacteur en chef de
« JAZZ NEWS »
Qu'on se le dise !...

avec un petit rappel à la page 21 : « Boris Vian sera le rédacteur en chef de *Jazz News* dès son prochain numéro. »

Et, en effet, le n° 8 de novembre 1948 est conçu et presque entièrement rédigé par Boris Vian. Il annonce d'ailleurs la couleur dans l'éditorial : « Donc, je vous annonce quelques changements. » Et il y en a des changements ! ! Vian se déchaîne sous son nom et sous les pseudonymes de Michel Delaroche, Dr Gédéon Molle, S. Culape, Andy Blackshick... Ils ne sont pas du goût de tous, ces changements. Un lecteur de Paris, entre autres mécontents, écrit : « Mais alors ce n° 8 ! ! ! Quelle déception !

quelles idioties ! ! ! quel dégoût ! ! quel malheur. J'ignore pour quelles raisons vous avez laissé la place de rédacteur en chef à Boris Vian, ce que j'espère momentané... Ce n° 8 mieux vaut ne pas y donner un qualificatif : c'est une honte, une honte pour tout le monde du jazz... etc., etc. »

Tandis qu'un lecteur de Guinée écrit : « Le n° 9 de votre revue ne m'est pas encore parvenu... Le retard est considérable... N'est-ce pas dû à la teneur du numéro précédent ? Je veux le croire car sur toutes les pages vous déclinez toute responsabilité en ce qui concerne sa teneur. Le rédacteur Boris Vian combat-il avec violence vos adversaires ? J'apprends un instrument et grâce à votre revue je viens de commander une clarinette Dolnet. »

Comme le constate ce lecteur chaque page comporte une mise en garde :

« Le directeur général de *Jazz News* décline toute responsabilité en ce qui concerne la teneur du présent numéro. »

« L'administrateur de *Jazz News* décline toute responsabilité en ce qui concerne la teneur du présent numéro. »

« La cuisse de Jupiter tient à préciser qu'elle n'est pour rien dans la sortie du présent numéro. »

« Le metteur en page de *Jazz News* décline toute responsabilité en ce qui concerne la teneur du présent numéro. »

« Le rédacteur en chef de *Jazz News* décline...

« Le gérant de *Jazz News* décline...

« L'imprimerie de *Jazz News* décline...

« Le typographe Jules Dupiton décline...

« Le président du gouvernement décline...

« L'abbé Soury décline...

« Le zouave du pont de l'Alma décline...

« Le doigt de Dieu décline...

« L'œil de Moscou décline... »

Nous avons retrouvé des notes concernant la conception du n° 8. Elles indiquent des idées dont certaines sont restées à l'état de projet :

Page. Contre le jazz. Pourquoi nous détestons le jazz.
Organe de combat de ceux qui n'aiment pas ça.
Le jazz est dangereux, par le Dr Gédéon Molle,
médecin des assurances sociales
peintre du dimanche
médaillé militaire.
Un article de coquilles complet (nous avons rassemblé ici pour la commodité du lecteur...)
Roman à épisodes qui ne se termine jamais, avec chaque fois : « L'abondance des matières nous a obligés à reporter... »

Vie d'Armstrong en images (Goffin).
Compte rendu de Buck Clayton.
1/2 page petit courrier.
Méthode simplifiée de tel ou tel instrument.
Comment organiser votre collection.
Page de l'invité.
Page noire et blanche en face (genre mémorial et instantané).
Les grandes gueules (2 pages).
Plutôt que de copier *Down Beat* comme toutes les revues concurrentes, nous préférons vous dire ce mois-ci « Pas de nouvelles, bonnes nouvelles ». (Offert par la Cie du Métropolitain)
Enquête des gens connus — réactions à quelques disques donnés.

Le n° 9 ne paraît qu'en mars 1950 ; comme le constatait le lecteur guinéen de tout à l'heure, le retard est considérable. Que s'est-il passé justifiant un tel retard ? Nous l'ignorons. Ce que nous savons, c'est que les trois derniers numéros de *Jazz News* sont de la même veine que le n° 8.

Nous reprenons intégralement les textes de Boris Vian. Toutefois nous n'avons pu déceler avec certitude l'identité du professeur André Bidule, responsable du Petit Courrier de *Jazz News* dans les nos 8 et 10.

Boris Vian et Hubert Fol tiennent la chronique des disques dans les nos 8 à 11, d'abord sous forme d'analyses (nos 8 et 9) puis de critiques plus classiques pour les nos 10 et 11. Nous ne donnerons ici qu'un échantillonnage de ces deux manières.

Plusieurs textes de *Jazz News* ont déjà été repris ; nous n'avons pas voulu les écarter. Il s'agit de :

« Le jazz est dangereux » dans LES CAHIERS DU JAZZ, n° 4, 1er trimestre 1961 ; puis dans BORIS VIAN, de Jean Clouzet, éd. Seghers, 1966 ; dans JAZZ HOT, n° 285, juillet/août 1972 ; enfin dans OBLIQUES, nos 8/9, 1976.

« La méthode de trompinette » dans OBLIQUES, nos 8/9, 1976.

« Le critique de jazz » et « Les bonnes méthodes : méthode de be-bop », dans LES CAHIERS DU JAZZ, n° 4, 1er trimestre 1961.

C. R.

★

I

ARTICLES

JAZZ NEWS, n° 3
Mars 1949

Tribune libre.

LE CRITIQUE DE JAZZ

Les voies du Seigneur étant comme qui dirait impénétrables, on connaît généralement assez mal les motifs qui peuvent pousser un être humain à s'intituler critique de jazz. C'est pourquoi je ne tenterai pas ici de les approfondir ; ceci dit, je vais essayer d'en donner un aperçu.

On peut devenir critique de jazz :

a) Par hasard ;

b) Pour embêter Delaunay ;

c) Pour embêter Panassié ;

d) Pour gagner de l'argent (uniquement en Amérique) ;

e) Parce qu'on n'aime pas le jazz ;

f) Parce que Eddie Barclay vous demande un article (qu'il ne vous paiera pas, naturellement, mais vous avez la gloire) ;

g) Parce qu'on joue dans un orchestre dont personne ne parle jamais, et qu'il faut quelqu'un pour en parler ;

h) Pour avoir la carte professionnelle et toucher des disques à l'œil ;

i) Parce qu'un ami vous demande de faire sa biographie et qu'il n'ose pas l'écrire lui-même (alors, il vous la dicte) ;

j) Parce qu'un fou a l'idée de lancer une revue de jazz, et qu'il vous connaît mal ;

k) Parce que Mezzrow vous a donné sur des tas de disques un avis qui vous paraît pertinent ;

l) Parce que vous sortez du Conservatoire (pourtant, ça n'a aucun rapport) ;

m) Parce que le jazz, tout le monde s'en f... ; alors, ce qu'on peut en écrire ne tire pas à conséquence ;

n) Parce qu'on se figure qu'on *peut* devenir un bon critique de jazz ;

o) Parce qu'on veut avoir les revues de jazz à l'œil (c'est idiot, il suffit de les chiper quand on ne regarde pas) ;

p) Parce qu'on possède *tous* les disques de Charlie Kunz ;

q) Parce qu'on s'appelle Franck Ténot ou Sylvaine Pécheral ;

r) Parce que c'est la vie, quoi...

s) Parce qu'on parle anglais, et on se dit : Je vais interviewer Ellington ;

t) Parce qu'on se dit que ça va vous faire apprendre l'anglais ;

u) Par tradition, de père en fils de fil en aiguille.

v) Parce qu'il n'y a aucune raison pour que n'importe qui ne soit pas critique de jazz ;

Ce sont les principaux motifs. On rencontre parfois des gens du modèle sérieux qui affirment être devenus critiques de jazz par amour pour le jazz. Ces gens-là sont inconscients : il est bien rare que le jazz leur rende l'amour qu'ils lui portent, et, d'autre part, comme ils parlent tout le temps, on ne peut jamais écouter les disques. Vous me direz que ça n'a pas d'importance quand il s'agit d'Yvonne Blanc, mais je vous répondrai que, justement, ces gens-là ne se bornent pas à parler d'Yvonne Blanc : ils parlent aussi de jazz... D'où le drame.

En fait, pour être critique de jazz (et je pense ici particulièrement à la critique des disques de jazz), il faut savoir compter sur ses doigts. On place un disque sur le phono, et on attend. Quand le son change, on sait qu'il y a eu (probablement) un changement d'exécutant ; par exemple, une trompette a remplacé un saxophone. On note le numéro de la mesure et on cherche des qualificatifs dans une ancienne chronique de disques de jazzhot. Avec un peu d'entraînement, on arrive à distinguer le saxo alto du ténor et la clarinette du trombone (la trompette, c'est plus facile, en général ça fait bien plus de bruit que les autres). On divise comme ça son disque en petits chapitres et, ensuite, on qualifie. On a, par exemple, « une terrifiante rentrée des cuivres » (notez que ça, c'est déjà calé : les cuivres, c'est les trompettes et les trombones, et, tout de même, il faut le savoir).

Les diverses écoles critiques, toutes basées sur le même principe général énoncé ci-dessus, se différencient à partir du moment où le doute commence à naître. Dans ce cas, voici ce qui se produit :

1° Ou bien on écrit quand même. C'est la méthode dite de Ténot ou, par abréviation, de Tricky Brown. Elle aboutit fréquemment à des résultats extrêmement intéressants.

2° On écrit en Amérique pour se renseigner. C'est la méthode Delaunay, un peu primaire, mais sûre.

3° On passe sous silence avec une formule vague. Méthode adoptée par tous en cas de grande incertitude.

4° On affirme que les autres se trompent. Elle procède d'une technique générale intéressante, qui m'a personnellement été enseignée par mon maître Jean-Paul Sartre (c'est le moment de dire qu'on a des relations) : « Quand on ne sait plus quoi dire, m'a-t-il appris, il suffit de prétendre avec une forte conviction que votre interlocuteur (on peut toujours en créer un) est un imbécile, car il lui est absolument impossible de prouver le contraire. »

5° On invente des histoires de soixante-neuvième diminuée avec rétropédalage en ligne brisée. Méthode André Hodeir, dangereuse mais brillante.

6° On parle d'autre chose. Ça, c'est ma méthode à moi.

7° On dit que tout ça, c'est de la m... et qu'il n'y a que le dixieland, méthode Ernest Borneman — perfide Albion.

8° On dit que tout ça c'est de la c... et qu'il n'y a que le be-bop. Méthode attribuée (par erreur) à l'état-major général de la revue jazote.

Il y a encore des variantes : *le système Edgar Jackson,* qui consiste à écrire le contraire de ce qu'écrivent *tous* les autres sans exception, mais il faut un doigté phénoménal ; *le truc de Kaba,* affectant une bonhomie objective, mais basé sur le fait qu'il reçoit des disques d'Australie : ceci mentionné, on ne fait plus attention à ce qu'il raconte. Le *coup des astérisques* ou des petites notes, qui se joue aux dés (revue *Down Beat,* Edgar Jackson déjà cité, etc.). L'étude détaillée de tout cela nous entraînerait extrêmement loin, et ce n'est pas la peine de se casser la nénette pour parler de critique de jazz, alors que ça n'existe pas.

*

JAZZ NEWS, n° 5
Mai 1949

MILES DAVIS

Ce qui frappe avant tout chez Miles Davis, c'est qu'il est très joli garçon ; on m'assure qu'il manque un peu de taille, mais ce sont là des chicaneries sans importance ; un examen de ses photographies permet de conclure que chez ce personnage bien équilibré, l'imagination l'emporte un peu sur la sensualité, laquelle est à peu près parfaitement équilibrée par l'intelligence ; et je ne sais pas s'il faut les croire toutes (les photos), mais il y en a une sur laquelle il a nettement des oreilles de faune, ce qui est bon.

On ne peut s'empêcher de parler de soi quand on fait un article critique — et c'est heureux, car ce serait viser à l'infaillibilité que de déclarer « il est ci, il est ça, et ça ne se discute pas ». Viser à l'infaillibilité et commettre, de plus, le péché d'orgueil. Ceci pour vous dire que l'un des « moments » du bop à mon avis, c'est le chorus de Miles Davis dans *Now's the time.*

J'ai déjà eu un coup comme ça avec le solo de Ben Webster dans *Chlo-E* de Duke Ellington, voilà six ans. Et j'ai fini par avoir *Chlo-E* dans ma collection. Eh bien ! je n'ai pas encore *Now's the time* — je n'en ai qu'un doublage — mais je me suis trouvé un correspondant en Nouvelle-Zélande, un au Labrador et un aux Etats-Unis et je finirai par l'avoir. A ce moment-là d'ailleurs, je ne le jouerai plus parce que je sais par cœur le chorus de Miles.

Ce chorus résume d'ailleurs assez étrangement les qualités essentielles de Miles Davis (qualité étant pris ici au sens qualitatif, non judiciaire).

a) D'abord, une relaxation absolument parfaite. Je crois qu'il est impossible de jouer plus détendu que Davis. Ça se promène comme dans un sentier fleuri au mois de mai (ça tombe bien, vous allez pouvoir essayer avec Julie). C'est d'une aisance et d'un abandon réellement apaisants.

b) En second lieu, un phrasé ahurissant. Un phrasé sinueux, coupé de repos qui ne vous surprennent que pour vous détendre plus (physiquement) et vous exciter du même coup (intellectuellement). Miles repart de note en note, logique, neuf, précis, et il arrive à vous emmener vraiment ailleurs avec des matériaux lisses et pleins comme des briques (faites au tour de potier, bien entendu).

c) En troisième lieu, une sonorité curieuse, assez nue et

dépouillée, presque sans vibrato, absolument calme, mais aussi attirante malgré cela que la véhémence d'un Jonah Jones ou d'un Eldridge. Une sonorité de dominicain : un gars qui reste dans le siècle, mais qui regarde ça avec sérénité.

d) Enfin, un sens de la structure rythmique plutôt sensationnel, et une « feuille » pas mal réglée, merci. Parce que pour retomber sur ses pattes comme le fait le monsieur qui s'embarque dans ces constructions-là, il faut en avoir dans les canaux semi-circulaires, de l'équilibre, oui madame.

Now's the time ne donne pas une idée complète des possibilités de Miles ; vous pouvez aussi l'écouter dans quelques-uns de ces morceaux casse-cou qu'il exécute avec son petit camarade Charlie Parker ; vous ne serez pas déçu. Il n'a l'air de rien, comme ça, il reste presque toujours dans un registre moyen, mais quand il a envie de faire l'acrobate, il peut aussi... Il grimpe bien haut et il tricote bien vite... c'est beaucoup plus facile à analyser au ralenti. D'ailleurs (ceci est une parenthèse) il vaut mieux juger un soliste en général sur un tempo moyen ou lent, parce que c'est beaucoup moins commode de faire l'épate et c'est beaucoup plus difficile de rester intéressant ou fascinant ; si vous en voulez une preuve écoutez *On the sunny Side* de Lester Young et vous verrez pourquoi c'est un grand, grand, monsieur.

Et pour en revenir à notre ami Miles Davis, que puis-je vous en dire encore ? Que je suis bien content qu'il vienne jouer au festival à Pleyel et que j'espère qu'on l'entendra tout de même avec son compère Parker, bien qu'il ne fasse plus régulièrement partie de quintette de Charlie... Allons, il y aura bien quelques petites jams en marge de la semaine...

★

JAZZ NEWS, n° 6
juin 1949

LUNDI 9

Compte rendu objectif et circonstancié
de la soirée du Festival international
de Jazz à Pleyel, le lundi 9 mai, en 1949
de l'ère chrétienne, au 29 de l'ère bisonique

La soirée était plus particulièrement consacrée à la musique bibope, comme ils disent, et ça m'a fichu un coup au cœur, qui n'est pourtant pas solide depuis que Françoise m'a séduit et qu'on devrait ménager plus que ça. Comme c'était une soirée exclusivement réservée à cet art, il ne vint pas trop d'attardés amateurs de marches militaires, et ceux qui étaient là furent polis. Pas assez polis, cependant, avec les musiflupétons de Vic Lewis qui ouvraient le feu, et pas assez galants pour cette charmante saxoténorphoniste grande et blonde et délicieuse qui avait pourtant un bon coup de langue et de la technique et un style, ma foi, inspiré de Lester Young, ce qui est un bon modèle. Moi j'aimais beaucoup cette grande saxiforniste et j'aurais bien appris le ténor avec elle, mais Vic Lewis n'a pas l'air commode. Ensuite, il y a eu Miles Davis, Tadd Dameron, et Kenny Clarke avec James Moody et Barney Spieler, qui était un petit peu ému et pourtant, c'est un malabar. Alors je veux bien vous parler de Miles en vous disant qu'il a joué de mieux en mieux tous les jours de la semaine, mais que ce lundi-là c'était déjà assez sensationnel. On avait été un peu surpris la veille de ne pas retrouver son style à reprises avec arrêts facultatifs, si posé ; il gillespizait un peu plus que dans ses disques ; mais le lundi 9, il a joué un *Embraceable You* absolument transportant. Tadd Dameron a trouvé une solution à la prétendue impasse du bibope (qui n'en est donc pas une). Tadd réintroduit des lignes mélodiques continues, mais délicieusement chantournées à la scie de potier. Tadd a un sens du piano extrêmement personnel ; moi j'aime beaucoup sa façon de renverser les accords de soixante-dix-neuf façons différentes, et je suis bien content qu'il reste à Paris. Après Miles Davis, il y a eu Diéval avec Hulin, Hubert Fol, Soudieux et Ritchie Frost. Ils ont bien joué tous, Hubert Fol était assez en forme, souvent il a l'air de manquer de vitamines, mais depuis qu'il se coiffe avec une mèche, il revit. Ritchie faisait un peu discret à côté de Kenny. Tiens, au fait, j'ai oublié Kenny et Moody, mais c'était une feinte : Moody n'a jamais été si inspiré, et Kenny, on va en parler tout à l'heure. Hulin est plutôt en progrès ; il a une jolie technique, mais de temps en temps on regrette son manque de puissance. Il est vrai qu'il n'y a guère que Dizzy et Fats Navarro pour combiner puissance et super-technique.

Enfin on entendit le zoizeau, le Charlie lui-même, dans sa formation avec Al Haig au piano, excellent technicien, manquant un peu de punch — mais au piano, allier la grande habileté et le reste, ça demande un Tatum. Tommy Potter, le bassiste le plus gentil que je connaisse, et qui joue, mon Dieu..., on s'en contenterait... Kenny Dorham, en remarquables progrès sur les enregistrements que l'on connaissait de lui, et Max Roach, qui suffoqua les plus difficiles à suffoquer (les ceux qui ont une énorme cage thoracique pleine de poumons, of course). Max Roach était attendu avec impatience de tous les amateurs et musiciens ; ce sont les sections rythmiques qui pèchent le plus en France, que ce soit chez les New-Orléanistes ou les bibope-fanes. Max est un seigneur de la caisse ; il peut coller sur ses diverses peaux un nombre de pêches à la seconde absolument exagéré et décourageant. Et quelle mise en place ! Mais c'est beaucoup plus un batteur dans la lignée des Cozy Cole, Drummers-machine et compagnie qu'un innovateur comme Kenny Clarke. A les entendre jouer tous les deux, on se rend compte que tous deux débordent de technique, que Max met peut-être un peu plus de légèreté et de souplesse, mais que Kenny a une imagination délirante. Ce sont vraiment deux terrifiants drummers.

Enfin, Charlie le zoizeau, qui s'amène sur scène l'œil vitreux comme un zombie..., et puis c'est le déluge. On est soufflé, ahuri, bavant (noblesse oblige)... On compte et on se fout dedans. Mais pas lui...

★

JAZZ NEWS, n° 8
novembre 1949

EDITORIAL

C'est l'automne, la saison des marrons. Voilà la raison pour laquelle la direction de *Jazz News*, toujours opportuniste, m'a prié d'assumer, à partir de dorénavant et jusqu'à preuve du contraire, la rédaction (en chef) de cette revue humoristique qu'il est temps, paraît-il, de transformer en revue de combat. Certes, je ne suis point opposé à la distribution des marrons pourvu que je n'en reçoive pas trop moi-même, car je suis hypocrite et timoré, mais encore faut-il trouver des cibles.

Heureusement, il ne manque pas de revues de jazz et de gens qui écrivent dedans, sans compter les journaux non spécialisés, les livres et les émissions de radio, ce qui nous assure une grosse provision de pain sur la planche. Et plus le pain est rassis, plus on peut cogner dur.

Donc, je vous annonce quelques changements [1]. Tout d'abord, nous limiterons les dégâts au minimum en réduisant le nombre des articles de fond. Il y a bien assez de revues embêtantes

1. La mise en page de cette feuille a été jouée au trou-madame entre le directeur, le chef des pompiers de l'arrondissement et la neuvième sous-secrétaire auxiliaire au rédacteur chef de rang trancheur.
(Nota : *c'est le balayeur de service qui a gagné.*)

comme ça. Tout ensuite, nous introduirons dans la critique le système des fiches techniques détachables qui vous permettra de cataloguer vos disques avec quelque efficacité et contraindra le critique *à s'effacer devant* l'analyste. (Je cause bien, quand je veux, hein ?) Tout après, nous tâcherons d'avoir quelques photos de jolies filles, parce que ça égaie et qu'il faut soutenir notre réputation d'érotomanes. Tout enfin, vous verrez bien, après tout, si on vous dit tout d'avance vous n'achèterez pas les numéros suivants et Barclay sera sur la paille.

Naturellement, le rédacteur en chef reçoit les lectrices sur rendez-vous.

★

JAZZ NEWS, n° 8
novembre 1949

LES GROSSES FIGURES

Gugusse Peine-à-scier près de la critique de Jazz a des doutes sur le Bibope...

... et surtout, n'allez pas dire que les vrais pères furent Ansermet ou Goffin. Il est bien certain que le livre de ce dernier date de 1931, et que dès 1926 même, MM. Cœuroy et Schaeffner avaient évoqué le sujet (le premier des deux aurait dû s'en tenir là) — mais c'est Peine-à-scier, et lui seul, qui a découvert le jazz... et non Buddy Bolden, comme on le croit parfois.

Je ne tenterai pas ici de retracer la carrière, féconde en trouvailles de génie, de ce critique miraculeux qui a haussé la reproduction des opinions et propos de saint Mezzerola (et de quelques autres musiciens) au rang d'un art, faute de savoir jouer d'autre chose. Je ne vous parlerai que des dernières merveilles issues de l'imagination de cet homme, grand parmi les plus grands des moins grands, dont la plus récente invention touche, il faut l'avouer, au sordide le plus net, ce qui est bon.

La trouvaille ultime de Gugusse Peine-à-scier ? Tâcher, une fois encore, de dresser les noirs les uns contre les autres, et sous quel prétexte ?... Vous l'avez deviné... ce misérable bibope.

Ah, pauvre Peine-à-scier, ça l'empêche de dormir, le bibope. Et il te l'enterre, et il te le massacre, et te le vilipende et te le vitupère. Et la meute maison (dont nous reproduisons ici la photo authentique) fait chorus et emboîte le pas à Scier. (On ne sera pas surpris de l'identité des collaborateurs de cette revue, ni de leur niveau intellectuel plutôt faiblard, mais bien de leur nombre, que l'on ne savait pas si élevé.)

Comment opère le Prophète ?

C'est bien simple.

Reprenant un système qui m'a valu des louanges flatteuses et que j'ai mis au point dans la revue de presse de jazote en 1912, il publie des textes soigneusement *traduits* ou soigneusement tronqués... Vous vous rendez bien compte que l'on peut, dans ces conditions-là, faire dire aux gens absolument ce qu'on veut...

C'est canaille, hein ? Le coquinet...

Il faut dire qu'il n'a guère d'arguments personnels contre le bibope : il faudrait, d'abord, que ça existât, ensuite, qu'il sût ce que c'est... Or, il n'en écoute jamais. Ça existe, notez bien... mais dans son imagination.

Et pour exorciser sa terreur, il s'abrite derrière des noms comme ceux de Bechet, de King Cole, de Louis Armstrong. Là, il se sent solide et il est sûr de l'approbation de ceux qui ne connaissent pas la musique.

Notez au passage qu'on peut faire dire ce qu'on veut à un musicien. Il suffit de savoir l'interviewer.

Enfin, Peine-à-scier, récemment, se sentit fort inquiet. Aussi, il vient de dépenser des tas de doublezons pour aller se rassurer aux Etats-Unis.

— Peut-être... au fond... pensait-il. Il y a peut-être bien un petit quelque chose, dans ce diable de bibope... Quand j'y pense, hein... Lester Young, qui était un si mauvais musicien voici dix ans... Hein, ce p'tit Lester, maintenant, c'est un grand musicien... C'est moi qui l'ai dit, les deux fois... Alors, le bibope... ça va peut-être faire la même chose... Qu'est-ce que tu en penses, Madeleine ?

Madeleine ne peut pas répondre, elle traduit un blues en javanais pour faire pendant à un prochain article de Gugusse.

— Tu comprends, explique Gugusse, Mezzerola dit que c'est mauvais ? Qui croire ? Mais ici, en France, ils n'ont plus l'air de bien aimer Mezzerola ! Ah, c'était si commode, Mezzerola... Il dictait, j'écrivais... Mais il est grillé, Luter joue mieux que lui... C'est plus assez solide... il me faut de l'argument-massue ; Armstrong, tiens ! Armstrong... Allez, on va aller voir Armstrong... Qui sait... en en interrogeant d'autres avec mon astuce bien connue... On les aura, peut-être...

Alors Madeleine se rue sur les valises et ils prennent l'avion ; et comme ça, pendant un an, on pourra écrire que les ceusses qui défendent le bibope, c'est des pauvres types.

Ce bibope qui n'existe pas ; c'est Charlie Parker lui-même qui le dit, et diable, çui-là, il s'y connaît tout de même...

Mais Peine-à-scier, c'est comme Don Quichotte. Faut toujours qu'il se batte contre les moulins à vian.

Cependant, je m'aperçois que je m'étends un peu trop sur Gugusse... je pourrais, certes, dire des choses sérieuses, en me forçant... mais on a du mal à le prendre au sérieux. Une remarque encore. Toutes les fois que je parle de Peine-à-scier, il me traite de pornographe ; ça, c'est bien sa faute... Si je parlais de sainte Catherine, il ne pourrait certes pas en faire autant. Et, en plus, il m'accuse de souiller la race noire. Ce coup-ci, il a bien fallu que je la souille un peu puisque j'ai presque résumé son article.

P.-S. — Au fait, il m'engueule toujours... mais qu'est-ce que j'ai bien pu lui faire, à ce type-là ?...

★

JAZZ NEWS, n° 8
novembre 1949

DE PETITES ET DE GRANDES NOUVELLES

● Le 29 novembre, le saxo-ténor Coleman Hawkins sera à Paris pour un concert. On parle de Kenny Clarke pour l'accompagner.

● Si vous trouvez ce numéro idiot, achetez le prochain, ça sera encore pire.

● Des élections partielles pour le poste de pape-adjoint du jazz se dérouleront prochainement à Paris. Pour tous renseignements, écrire à *Jazz News* en joignant deux timbres pour la réponse, qu'on puisse en garder un.

● La grande croix du mérite pour le plus stupide article paru concernant le jazz, revient au *Figaro* et à M. Montabré. *Jazz News*, comme toujours, est hors-concours.

● Dans le prochain numéro de *Jazz News*, une grande méthode simplifiée de clarinette, établie par le maître Saury (Maxime), de l'université du Wisconsin.

● A propos de trompinette, on commence à vendre en Amérique des embouchures elliptiques qui, selon les annonceurs, permettent d'ajouter trois notes à votre registre !... Qu'est-ce que vous allez faire des vôtres ? Nous serons reconnaissants à nos lecteurs de toute suggestion.

● La préfecture de police et le ministère des Beaux Arts

viennent de repousser, après une délibération de trente-neuf heures consécutives, la proposition de notre confrère *Jazz-Hot*, tendant à appuyer une suggestion du saxo-ténor Jean Ledru, qui visait à remplacer l'Obélisque de la place de la Concorde par une colonne d'air grandeur nature. Le sculpteur Raph Schecroun, qui avait été pressenti pour ce travail, a donné sa démission du Cartel d'action sociale et morale en apprenant la décision de nos édiles.

● Un bienfait n'est jamais perdu.

● Le Frisco, qui avait ouvert ses portes rue N.-D.-de-Lorette avec l'orchestre de Kenny Clarke, où se distinguaient notamment Hubert Fol, Bill Coleman, James Moody, a fermé très peu de temps après. Motifs ? On ne sait pas. Selon nous, les consommations étaient un peu chères et le personnel légèrement agressif pour un endroit où on venait entendre du jazz.

Le jeudi 3 et le vendredi 4 novembre, Louis Armstrong passait à Pleyel. Le 5 et le 6 au Théâtre des Champs-Elysées. Deux et deux font quatre, cela fait donc quatre concerts. Ils étaient assez voisins du point de vue du programme ; dans le détail, ils présentèrent quelques différences : celui du samedi 5 fut le moins réussi en raison d'une intempestive panne d'ampli, rupture de câbles, que sais-je encore ? Dans l'ensemble, ils avaient tous le caractère d'un divertissement coûteux et, pour sept cents francs, on avait tout juste le droit d'être au deuxième balcon.

Ces concerts appellent quelques remarques. Il n'est pas question ici de critiquer Armstrong : il fait exactement ce que l'on peut attendre d'un homme que l'on surmène en l'accablant d'exhibitions dans tous les pays d'Europe : il joue bien, ne se donne à fond que rarement (et cela se sent : à notre connaissance, seule son interprétation de *Muskrat Ramble,* le dimanche 6, nous permit d'entendre le Louis des grands jours). S'il a perdu un peu de sa prodigieuse puissance dans l'aigu, son attaque reste aussi nette, sa sonorité aussi pure. Quant à son vocal, il a exactement toutes ses qualités de toujours et c'est vraiment lorsqu'il chante que l'on retrouve intégralement Louis. Au reste, Armstrong a une science si complète de l'art du comédien et une telle présence que son passage sur scène, serait intéressant, même s'il ne faisait rien.

Par contre, son orchestre appelle quelques critiques. Plaçons d'abord Earl Hines et Cozy Cole (pianiste et batteur) à l'abri de celles-ci : ils sont la perfection même, en solo comme en jeu d'ensemble. Le contrebassiste Arvel Shaw, s'il a acquis du swing, manque encore de justesse. Quant à Teagarden et Bigard, disons franchement que Tommy Dorsey et Benny Goodman seraient exactement équivalents : ils sont aussi froids que bons techniciens, ce qui n'est pas peu dire. Et les vocaux de Teagarden sont vraiment filandreux et pénibles.

La chanteuse (*sic*) Velma Middleton n'a pas dû émettre *une* note juste au cours des quatre soirées. Et le spectacle de cette personne en train de faire la follette est totalement dénué de la grâce et de l'humour des Peter Sisters, par exemple (ce qui prouve que ce n'est pas une question de corpulence). Elle en rajoute et c'est pénible.

Les meilleurs moments ? Les rares chorus de Louis, les soli d'Hines et, en permanence, le soutien de Cozy Cole, insurpassable en précision et en solidité.

Michel DELAROCHE.

★

JAZZ NEWS, n° 8
novembre 1949

LE CONCERT BUCK CLAYTON

Mardi 11 octobre

Il y avait un sourd, à côté de nous, le mardi 11 octobre, à Pleyel. Naturellement, il n'entendait rien, mais il avait acheté le programme et il lisait.

« *A quelques exceptions près, les boppers ont l'air de s'ennuyer à mourir sur scène, de se désintéresser même de la musique. Lorsqu'un d'entre eux prend un chorus, les autres solistes ne semblent plus faire partie de l'orchestre. C'est tout juste s'ils ne vont pas fumer une cigarette dans les coulisses en attendant que leur collègue ait fini de débiter ses quintes diminuées.* »

Ayant reconnu au passage une belle quinte diminuée de couleur verte, le sourd ne douta plus que l'orchestre Buck Clayton soit un orchestre bop et se leva pour faire rembourser son billet. Parce que, pour avoir l'air de s'ennuyer, ils avaient l'air de s'ennuyer, sur la scène.

Isolons tout de suite Buck Clayton de sa formation. Buck est certainement à l'heure actuelle dans une très grande forme. Tirer derrière soi, pendant deux heures, une section mélodique disparate et une section rythmique hétérogène représente un tour de force que nous lui souhaitons de ne pas répéter trop souvent s'il tient à son intégrité mentale. Nous avons, et de loin, préféré le Buck de mardi à l'Armstrong des concerts de mars 1948 : Buck joue avec beaucoup plus de sûreté, il improvise constamment, il n'a pas la même ampleur mais sa sonorité est peut-être plus recherchée, enfin il taquine le contre-la, à l'occasion, d'une façon qui laisse supposer que ses lèvres sont encore là pour quelque temps. Son *Sugar Blues* fut une merveille — comme en général tout ce qu'il joua seul. *Body and Soul* ne lui cédait en rien.

(Quant à sa composition, *Night Life,* elle est, nul ne peut l'ignorer, fortement teintée de bop, tant par le procédé d'exposition en unisson que par la structure même du thème. Mais passons.)

« *Etait-ce si difficile de comprendre que, pour bien enregistrer Bechet en France, il fallait faire appel à l'orchestre Claude Luter ?* » lisions-nous quelque part.

Etait-ce si difficile de comprendre que, pour bien mettre en valeur Clayton en France, il fallait faire appel à Don Byas et à un autre pianiste que Persiany ?

Don Byas, paraît-il, demandait trop cher pour la tournée ultérieure ? C'est bien étonnant. Don a joué toute la saison d'été à Saint-Tropez dans des conditions parfaitement raisonnables, et lorsqu'on fait venir d'Amérique un musicien comme Buck, on peut faire un sacrifice pour Don, ne fût-ce que le soir du concert de Paris. Ce qui n'aurait, au contraire de ce qu'on peut dire, rien de vexant pour Armand Conrad, car à moins d'être illuminé, ce dernier ne peut ignorer qu'il joue moins bien que Don et que ses interventions catastrophiques ont littéralement fusillé la première partie du concert. Trac ? Anche ? La seconde partie du concert était meilleure mais le résultat est là.

Puisque nous parlons de Conrad, il est curieux que ce musicien, le poulain reconnu du Hot Club de France, n'ait pu réussir encore à se trouver un style. Il oscille perpétuellement de Young à Hawkins, incursionne piteusement dans les domaines réservés à Jacquet, et tout cela semble le rendre très triste. Cette question est secondaire, d'ailleurs ; ce qui est plus grave, c'est que *ni Conrad ni Persiany* ne sont actuellement capables de jouer deux notes de suite qui soient *en place,* ceci que ce soit en concert ou autrement. Et cela reviendrait, nous le craignons, à constater qu'ils sont imperméables au swing.

Persiany a adopté un procédé dérivé de Milton Buckner, auquel il se tient invariablement en chorus, ce qui est extrêmement lassant. Le style de Buckner est tout de même beaucoup plus varié. Ne conserver qu'un de ses trucs, c'est tomber dans l'excès contraire à celui de Conrad. Une chose à son actif est son accompagnement plutôt meilleur que ses chorus ; on a pu s'en rendre compte pendant le concert car le micro du piano fonctionnait beaucoup trop fort et on n'entendait que lui dans la section.

Kennedy est apparu sous un mauvais jour. Il est capable de mieux. Il s'est retrouvé à la fin dans le *Night Life*. Hadjo a fourni un bon soutien à la contrebasse. Wallace Bishop est un bon drummer qui n'a pas déçu. Quant à Stepter, c'est sans doute un bon trompette de pupitre. Ses meilleures improvisations furent celles où il ne tentait pas de s'attaquer aux records de Gillespie.

Ceci dit, il régnait tout le long de ce concert une sorte de gêne ; on est resté sur une impression d'insatisfaction, la même, je crois, que l'on continuera d'éprouver tant que l'on fera venir d'Amérique de grands musiciens noirs isolés de leur formation habituelle et forcés de jouer, pratiquement sans répétitions, avec des musiciens qu'ils n'ont pas choisis.

★

JAZZ NEWS, n° 8
novembre 1949

LE JAZZ EST DANGEREUX

Physiopathologie du Jazz
par le Dr Gédéon Molle
(ancien interné des Hôpitaux psychiatriques,
médecin des Assurances, peintre du jeudi,
médaillé militaire)

Aussi loin que l'on remonte dans l'Antiquité, on peut trouver des exemples de l'action *sclérosante* et *nécrosante* du jazz sur la cellule vivante et les *macromolécules* du cytoplasme. Lorsque les murs de Jéricho s'effondrèrent sous l'action brutale des trompettes de Josué, le *traumatisme* avait pris place dans l'épaisseur de la pierre : on comprendra qu'il puisse se produire, *a fortiori*, dans cette matière beaucoup plus délicate qu'est le *protoplasma humain* des troubles pathologiques comparables à ceux qu'engendrent les passions les plus funestes telles que l'amour de l'absinthe ou la *recherche de l'absolu* (delirium tremens, *paralysie générale*),

Les travaux du Dr René Theillier relatifs aux lésions provoquées par l'agression *répétée d'une cause quelconque* mettent également en lumière le danger de toute musique à rythme régulier : le jazz en est l'exemple le plus typique, et par ce fait il faudrait que les pouvoirs publics se décidassent enfin à porter le bistouri dans la plaie et à trouver un remède aux *psychopathies* grandissantes qui semblent s'emparer de nos jeunes contemporains.

En effet, si l'on soumet un *chiot* de quelques jours à l'audition régulière d'une série d'enregistrements de cette musique de sauvages, on constate, en le sacrifiant au bout de six mois, que d'importantes lésions de *nécrose* et de dégénérescence graisseuse se sont produites dans la contexture *histologique de ses cortico et médullo surrénales.* Celles-ci, hyperplasiées, perdent leur activité physiologique qui est *d'équilibrer* l'individu par grand vent, et l'on conçoit le dérèglement hormonal et *vagosympathique* qui peut s'ensuivre, car la nature n'avait pas prévu le jazz et ses rythmes syncopés. Il y a donc un grand danger à laisser vos enfants écouter la radio : on sait à quel point celle-ci nous abreuve des élucubrations *déchaînées* d'un Jacques Hélian ou d'un Pierre Spiers. C'est pourquoi je vous le dis : *Parents, méfiez-vous du Jazz.* Car, outre les inconvénients signalés plus haut, il y a lieu de noter que chez certains individus ce même jazz produit une réaction génésique violente (*pubertas praecox*, maladie de la Peyronnie). Il ne faut pas chercher plus loin la source de tous les maux sous lesquels fléchit l'armature de notre société actuelle : le développement des clubs, le *pari mutuel urbain,* la chasse aux papillons, *les lettres de mon moulin,* l'abus du tabac, *les filles-mères,* la fermeture des maisons closes, *l'ouverture de Guillaume Tell,* la barbe à grand-papa, *les comptes d'apothicaires,* les rectites proliférantes et fistules anales, *le brouet spartiate,* les lago *grand-sport* et la réaction trotzko-gaullarde.

C'est pourquoi nous disons à l'administration : *ATTENTION !* Il y a danger, *Supprimez le jazz* et vous aurez tué dans l'œuf tous les germes de rébellion sociale qui, à brève échéance, engendreront, tôt ou tard, la guerre atomique.

★

LES MÉTHODES SIMPLIFIÉES DE JAZZ NEWS

LA TROMPINETTE

VUE GÉNÉRALE

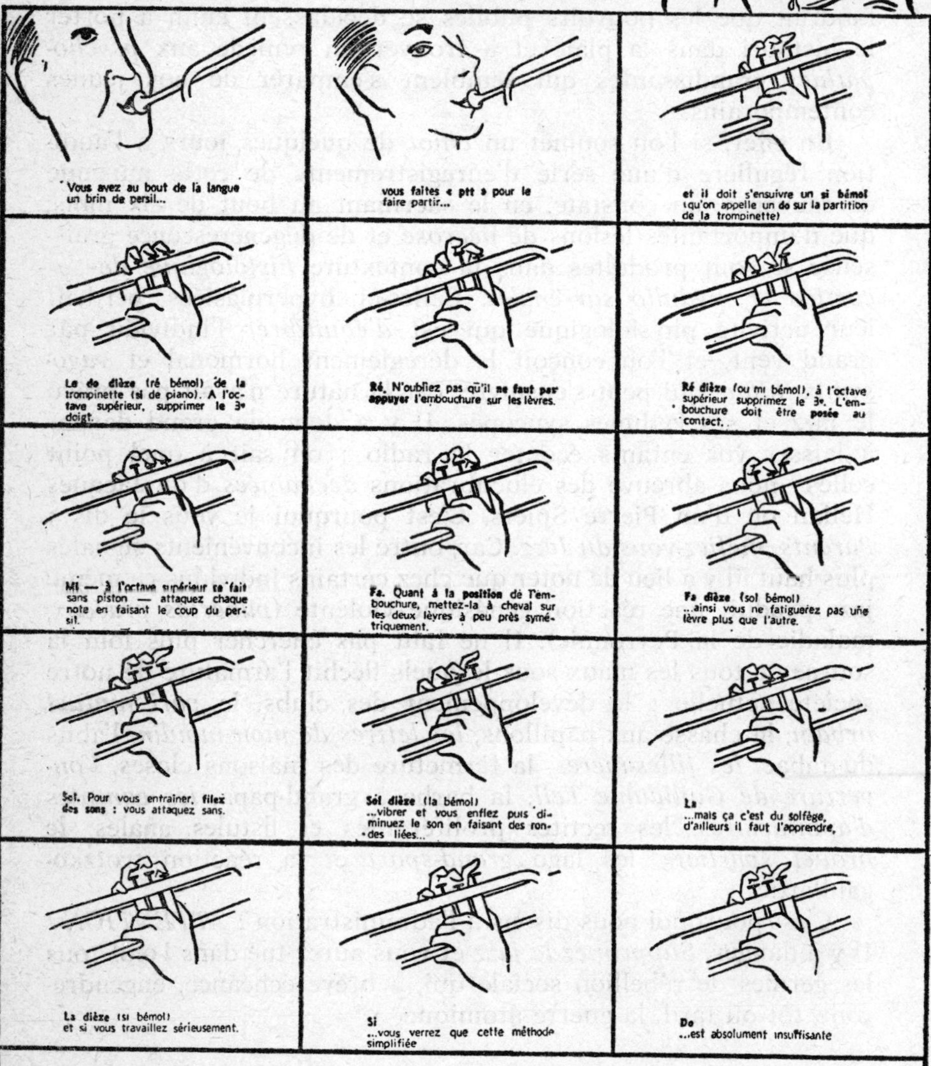

La trompette normale de jazz est percée en **si bémol**, c'est-à-dire que le son fondamental du tuyau sonore qu'elle constitue est un si bémol. Sans toucher aux pistons, vous pouvez sur une trompette produire tous les harmoniques en modifiant la position des lèvres, que l'on tend pour monter dans l'aigu. Ne jamais obtenir l'aigu en pressant la trompette sur les lèvres. Le **vibrato** s'obtient avec les lèvres, le growl du fond de la gorge. Tâchez de placer votre colonne d'air : ne jouez pas avec les poumons tout seuls, mais avec le diaphragme, ce sont les muscles abdominaux qui travaillent. Les partitions de trompinette sont écrites transposées : quand vous voyez un **do**, vous jouez un **do** (première figure) de trompette qui est un **si bémol** de piano. Simple commodité. Il y a plusieurs doigtés pour certaines notes. Cherchez-les en retenant que le piston du milieu abaisse le ton d'un demi-ton, le premier d'un ton et le troisième d'un ton et demi.

Index : 1er doigt. Majeur : 2e. Annulaire : 3e.

JAZZ NEWS, n° 8, novembre 1949.

JAZZ NEWS, n° 8
novembre 1949

JAZZ NEWS VOUS OFFRE UN PROGRAMME INUSABLE

Désireux d'éviter à leurs lecteurs chéris l'achat répété de ces numéros de revue habilement camouflés en programme qui sortent des presses comme par hasard, à l'occasion de chaque concert de jazz, d'une part ;

Considérant que lesdits programmes ont un contenu identique, quel que soit l'orchestre présenté, d'autre part ;

Attendu que les concerts en question semblent acquérir une regrettable fréquence, risquant ainsi de précipiter sur la paille une fraction importante de la population des amateurs.

Et dans le but de torpiller dans l'embryon toute velléité d'exploitation commerciale des amateurs de concerts de jazz par la voie de l'imprimé.

Sans perdre de vue qu'il est bon que l'auditeur soit informé de ce qu'il peut être amené à entendre, afin d'élever le niveau moyen de sa culture générale et pour ne pas l'obliger à apprendre l'anglais, langue beaucoup moins parlée que le chinois, qui l'est par plus de cinq cents millions d'individus ; la direction, la rédaction et le personnel dévoué de *Jazz News* ont mis au point un *programme type* dans lequel seront choisis tous les morceaux exécutés par tous les orchestres venus ou à venir.

1er CAS. — Concerts organisés par l'Association Internationale Jazz-Parade :

1. Bibope majeur.
2. Bibope Blues.
3. Bibopons avec (nom du chef).
4. Ri-ti-pi-tadle-di-ouin.
5. Paris en bibope à réaction.
6. Tuileries-bope.
7. Taxi-bope.
8. Muskrat bope.
9. Haute-Société-bope.
10. Corned-beef et confiture-bope.
11. Blues en bibope.
12. Ra-da-di-da-bi-bi-oublia-bi.
13. ...bibope (nom de l'organisateur).
14. ...bibope (ici, le nom du batteur).
15. Saint Louis bop.
16. Body and Soul.
17. La guerre du jazz.
18. Dixiebop (essai de collective, loupé).
19. Ablio-Ablio-ou-ou-pabi-pa-ou.
20. Solo, par Machin.
21. Entracte.
22. Barclay blues (droits d'auteur à Barclay).

23. Blues froid.
24. Blues.
25. On se relâche à Camarillo.
26. Par les cinq formations réunies, auxquelles s'ajoutent Luter et Braslavsky.

Ah, le bon vieux temps (blues sur Bugle call rag, en remplaçant le middle part par cinq accords de lazy piano). Finale sous les applaudissements.

2e *CAS. — Concerts organisés par l'Association Parade à Jazz-Parade.*

1. New-Orléans majeur (genre fanfare).
2. New-Orléans Blues.
3. New-Orléans avec... (nom du chef).
4. Dans le cirage blues.
5. Parixieland.
6. Blues aux Tuileries.
7. Taxi-blues.
8. Muskrat ramble.
9. High society.
10. Jam with champagne blues.
11. Blues en Nouvelle-Orléans.
12. Oh, là là, mon vieux cœur noir.
13. ... Dixie (ici, le nom de l'organisateur).
14. ... Dixie (ici, le prénom de la femme de l'organisateur).
15. Saint Louis Blues.
16. Body and Soul stomp (huées).
17. La guerre du jazz.
18. Bopsieland (essai d'unisson, loupé).
20. Comme il fait froid dans la mer, blues.
21. Entracte.
22. Barclay blues (droits d'auteur à Barclay).
23. Blues chaud.
24. Blues.
25. On se relâche à Touro.
26. Finale : on baisse le rideau et le chef apparaît tout nu, son pyjama sur le bras. Il envoie des baisers et tout le monde comprend qu'il va se coucher. Sortie sous les protestations.

SAVEZ-VOUS QUE...

La maison Olida décline toute responsabilité en ce qui concerne la teneur du présent numéro.

Les Anciens Combattants du 18e arrondissement déclinent toute responsabilité en ce qui concerne la teneur du présent numéro.

L'adjoint au maire de Savigny-sur-Orge décline toute responsabilité en ce qui concerne la teneur du présent numéro.

L'inspecteur des ponts et chaussées André Ferréol de Lavinière sur Montbard, né Rostopchine, décline toute responsabilité en ce qui concerne la teneur du présent numéro.

M. François Mauriac, de l'Académie française, décline toute responsabilité en ce qui concerne la teneur du présent numéro.

Les Joyeux Enfants du Nivernais, association chorégraphique et artistique, déclinent toute responsabilité en ce qui concerne la teneur du présent numéro.

L'horloge parlante décline toute responsabilité en ce qui concerne la teneur du présent numéro.

Les personnes dont les noms suivent nous prient en outre de signaler qu'elles n'ont à aucun moment pris part, même fragmentaire, minime ou virtuelle, à la composition du numéro 8 de Jazz News :

Neveu (Amédée-Ariste), chef du service de nettoiement des urinoirs du réseau de l'Est ;

Dorigné (Michel), directeur de la *Gazette du Jazz* (feuille sérieuse) ;

XII (Pie), pape assermenté ;

Thorez (Maurice), ex-mineur devenu majeur ;

Gaulle (Charles de), général bavard ;

Ahmed-Ben-Bougnouf, marchand de cacahuètes au coin des rues de l'Abbaye et Saint-Benoît.

Dont acte.

★

JAZZ NEWS, n° 9
mars 1950

EDITORIAL

Déjà deux mois ! Comme le temps passe. Entre temps, j'ai trouvé une recette de cocktail vraiment sensationnelle : vous mélangez, dans un shaker, avec quelques morceaux de glace, un verre à liqueur de Cointreau, un verre à liqueur de jus de citron, une verre à liqueur de kirsch et une giclée de sucre. Agitez dur et versez dans un grand verre à soda puis complétez au moyen de champagne sec et bien fappé. Ça se boit comme de la limonade et c'est un merveilleux passe-temps. Mais venons au fait. Ah ! que de reproches nous a valu ce dernier numéro ! Réflexion faite, ils se résument à un seul : il n'y avait pas de femmes. Eh bien, c'était exprès ; nous les réservions pour celui-ci.

Cependant, vous comprendrez que trouver assez de femmes pour remplir un numéro, c'est un tour de force. D'où le retard avec lequel celui-ci paraît. (C'est une bonne blague, mais il faut bien justifier l'inertie scandaleuse des responsables de la parution). Pour compenser ce retard, je vous suggère l'opération suivante : procurez-vous une bouteille de vodka, de la crème de cacao et du Cointreau, et mélangez trois quarts de la première avec un huitième de chacun des deux autres, parmi des glaçons abondants. Si vous avez pris soin de choisir une vodka à 57 degrés, l'effet est saisissant — et ça ne fait pas mal au foie. Pour corser le tout, mettez sur votre tourne-disques la galette intitulée « Slow Burn », par Sy Oliver en M.G.M. C'est d'ailleurs le nom de cette boisson rusée.

Peut-être, vous direz-vous, peut-être qu'il donne des formules de boissons fortes pour oublier le percepteur, parce qu'il a des peines de cœur, pour remplir la page, par ivrognerie ou par hasard. Eh bien ! non, lecteurs chéris, ne croyez pas que ce soit un hasard si cet éditorial comporte déjà deux recettes pratiques. Car nous avons l'intention de faire de cette revue de classe une sorte de magazine didactique et d'améliorer de la sorte le niveau intellectuel des amateurs de jazz qui ne sera jamais assez élevé pour pénétrer à fond les beautés des articles de critique dont on jette chaque mois quelques douzaines de pages sur le marché avant de les précipiter dans la première poubelle venue. Oui, « Jazz News » a choisi la voie la plus dure (et c'est là son moindre mérite. « Jazz News » est dirigé, en outre, par Eddie Barclay, le plus grand truand de la création... j'en passe, et des pas mûres), la voie de l'apostolat. Nous persistons, et nous persisterons, aussi longtemps que la revue, accablée par l'idiotie de ses collaborateurs, ne sombrera pas dans la faillite, à vouloir faire de vous, lecteurs délicieux, l'élite des amateurs de jazz et même, tout simplement, l'élite des Français. Songez, quelle mission vous attend ! Songez quel rôle sera le vôtre, s'il plaît à Dieu que nous puissions remplir le nôtre comme nous l'entendons. Français, le moment est venu : prenez un shaker, mettez-y un tiers de cognac, un tiers de crème de fraise l'Héritier-Guyot, un tiers de crème fraîche, agitez bien, servez dans un verre à cocktail : ça s'appelle « Lait de roses » et c'est bon pour la santé.

★

JAZZ NEWS, n° 9
mars 1950

LES METHODES DE JAZZ-NEWS
METHODE DE BE-BOP

A un moment *où tout le monde en parle,* nous avons cru bon de tenir nos lecteurs au courant d'un art nouveau *dont on commence à médire beaucoup ces temps-ci :* le be-bop. Après étude des textes, nous référant à la seule autorité valable en matière de jazz, celle de M. Hugues Panassié, nous avons constaté que

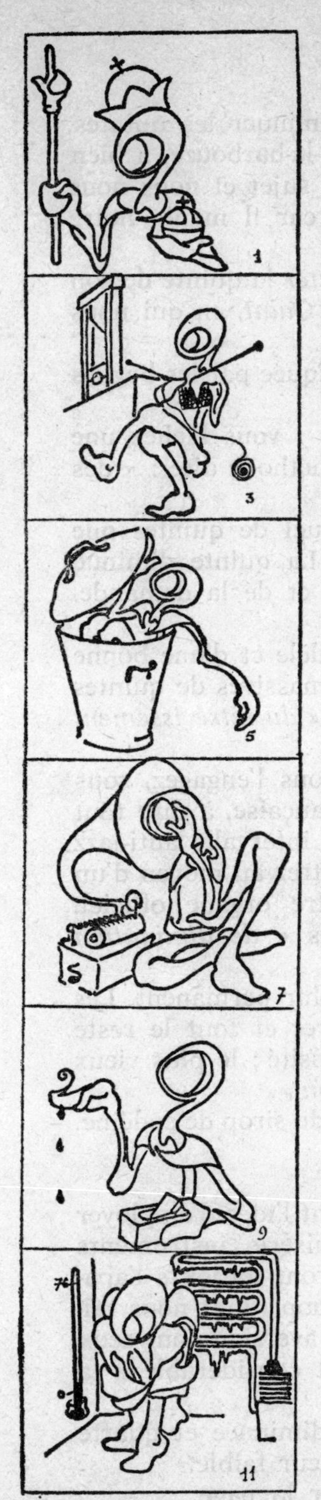

LES MÉTHODES DE JAZZ-NEWS

Méthode de be-bop

A un moment **où tout le monde en parle,** nous avons cru bon de tenir nos lecteurs au courant d'un art nouveau **dont on commence à médire beaucoup ces temps-ci :** le be-bop. Après étude des textes, nous référant à la seule autorité valable en matière de jazz, celle de M. Hugues Panassié, nous avons constaté que le be-bop, c'était essentiellement l'art de diminuer les quintes. Notre collaborateur Eddy Bernard, dit Eddy-la-barbouze, a bien voulu nous faire tenir quelques notes sur le sujet et nous nous sommes bornés à les remettre en français car il manie notre langue avec une sauvagerie peu commune.

1. Une méthode primitive consiste à **amputer** la quinte de son extrémité. Elle est due à l'empereur **Charles Quint,** en qui nous saluerons donc un précurseur du bop.

2. Méthode d'amputation plus sévère appliquée par les bègues du nord de la France : **Le P'tit Quinquin.**

3. Diminué classique de nos grand-mères : vous lâchez une maille tous les deux ou trois rangs. C'est la méthode dite : **« des tricoteuses ».**

4. Vous raflez en sous-main un gros paquet de quintes que vous lâchez sur le marché d'un seul coup. La quinte diminue **automatiquement** en vertu du jeu de l'offre et de la demande. **Méthode du courtier Quilmès.**

5. L'utilisation d'une lessiveuse grand modèle et d'une bonne dose de cristaux permet d'obtenir des doses massives de quintes diminuées. Méthode des ménagères dite aussi **« du rétrécissement au lavage ».**

6. Vous prenez un musicien célèbre et vous l'engagez, sous le prétexte d'un exercice de prononciation française, à dire tout haut la phrase suivante : « La quinte est un intervalle anti-jazz que Buddy Bolden réprouvait. » Vous enregistrez au moyen d'un magnétophone et publiez le tout dans votre organe officiel. Méthode appelée par les grands harmonistes **« de diminution par le prestige ».**

7. Jouez vos disques sur un pick-up à saphir permanent. Les quintes déjà diminuées achèvent de s'évaporer et tout le reste diminue notablement en épaisseur et en intensité ; le plus vieux rag sonne bop **« diminution par la perfection ».**

8. Dans toutes pharmacies, vous trouverez du sirop de codéine.

QUELQUES RECOMMANDATIONS

9. Nous crions casse-cou à ceux qui auraient l'idée d'employer l'herminette, la besaiguë ou le rabot de menuiserie, instruments exigeant une précision et un doigté qui resteront toujours l'apanage des grands solistes. De grands solistes bop (dont nous taisons le nom à leur demande) nous ont dit leur aversion pour ceux qui, usant à la légère du rabot, font un tort considérable à la vraie musique de jazz.

10. Surtout, ne confondez jamais quinte diminuée et quarte augmentée car Mme Nadia Boulanger a le cœur faible.

11-12. Aucun rapport... il fallait compléter la page.

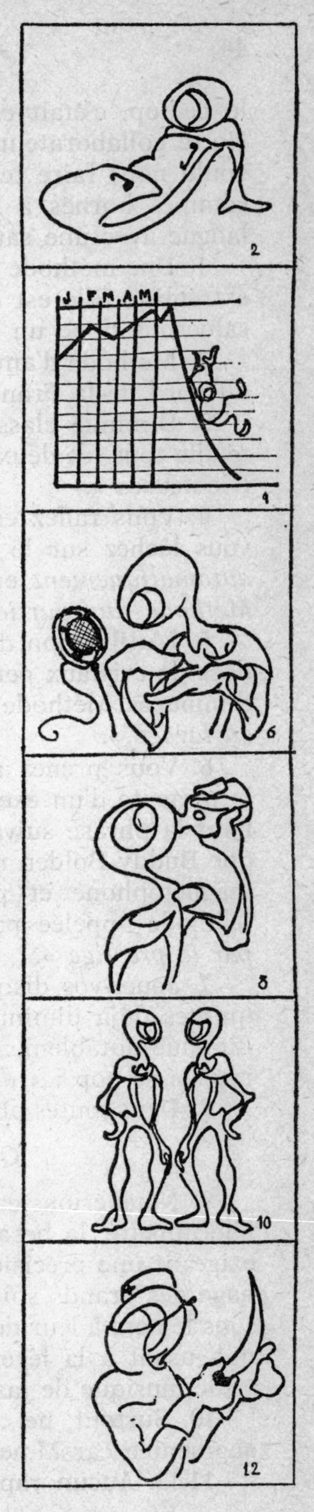

le be-bop, c'était essentiellement l'art de diminuer les quintes. Notre collaborateur Eddy Bernard, dit Eddy-la-barbouze, a bien voulu nous faire tenir quelques notes sur le sujet et nous nous sommes bornés à les remettre en français car il manie notre langue avec une sauvagerie peu commune.

1. Une méthode primitive consiste à *amputer* la quinte de son extrémité. Elle est due à l'empereur *Charles Quint*, en qui nous saluerons donc un précurseur du bop.

2. Méthode d'amputation plus sévère appliquée par les bègues du nord de la France : *le P'tit Quinquin.*

3. Diminué classique de nos grand-mères : vous lâchez une maille tous les deux ou trois rangs. C'est la méthode dite : « des tricoteuses ».

4. Vous raflez en sous-main un gros paquet de quintes que vous lâchez sur le marché d'un seul coup. La quinte diminue *automatiquement* en vertu du jeu de l'offre et de la demande. *Méthode du courtier Quilmès.*

5. L'utilisation d'une lessiveuse grand modèle et d'une bonne dose de cristaux permet d'obtenir des doses massives de quintes diminuées. Méthode des ménagères dite aussi « *du rétrécissement au lavage* ».

6. Vous prenez un musicien célèbre et vous l'engagez, sous le prétexte d'un exercice de prononciation française, à dire tout haut la phrase suivante : « la quinte est un intervalle anti-jazz que Buddy Bolden réprouvait. » Vous enregistrez au moyen d'un magnétophone et publiez le tout dans votre organe officiel. Méthode appelée par les grands harmonistes « *de diminution par le prestige* ».

7. Jouez-vos disques sur un pick-up à saphir permanent. Les quintes déjà diminuées achèvent de s'évaporer et tout le reste diminue notablement en épaisseur et en intensité ; le plus vieux rag sonne bop : « *diminution par la perfection* ».

8. Dans toutes pharmacies, vous trouverez du sirop de codéine.

Quelques recommandations

9. Nous crions casse-cou à ceux qui auraient l'idée d'employer l'herminette, la besaiguë ou le rabot de menuiserie, instruments exigeant une précision et un doigté qui resteront toujours l'apanage des grands solistes. De grands solistes bop (dont nous taisons le nom à leur demande) nous ont dit leur aversion pour ceux qui, usant à la légère du rabot, font un tort considérable à la vraie musique de jazz.

10. Surtout, ne confondez jamais quinte diminuée et quarte augmentée car Mme Nadia Boulanger à le cœur faible.

11-12. Aucun rapport... il fallait compléter la page.

JAZZ NEWS, n° 9
mars 1950

POURQUOI NOUS DETESTONS LE JAZZ ?

UNE GRANDE ENQUÊQUE DE « JAZZ NEWS »
par le docteur Gédéon Molle, peintre du samedi
Grand-Croix du Mérite agricole, médecin colonial
ex-infirmier spécial du Dépôt

Dans notre dernier numéro, avec « Le Jazz est dangereux », nous avons tenté de dénoncer les graves désordres qui peuvent résulter de l'abus du jazz. Désireux d'élargir le débat, nous croyons bien faire en mettant désormais chaque mois une page à la disposition des ennemis du jazz qui jusqu'ici ne possédaient pas d'organe de combat. Cette lacune sera donc comblée maintenant, et nous espérons que tous ceux que le jazz dégoûte profondément, comme nous-mêmes, se feront un devoir de contribuer à la rédaction de cette page. Nous accueillerons avec une bienveillance particulière tous les articles où nous pourrons déceler cette mauvaise foi hypocrite qui est à la base de toute cause perdue d'avance, car *tout est bon contre le jazz,* musique de sauvages, indigne de l'homme blanc qui boit du pernod, roule en traction et danse des sambas en frottant avec la femme de son meilleur ami. Nous accueillerons également avec la plus grande compréhension toutes les calomnies, ragots, médisances, de nature à nuire aux musiciens de jazz reconnus, et tous les éloges enthousiastes d'individus qui déshonorent ce que nos ennemis appellent le vrai jazz.

Nous ne contrôlerons aucune des informations qui nous seront soumises ; si nous lisons dans *Paris-Match* que Louis Armstrong porte des caleçons à fleurs et qu'il aime les mouchoirs de couleur (?), nous le répéterons comme nous l'avons lu, et tant mieux si ce n'est pas vrai. Sus au jazz, cette musique de dégénérés, et vive les marches militaires de chez nous : haute société et la suite.

Citons d'abord dans les textes qui nous sont parvenus, la lettre d'un supporter anonyme contenant une coupure du numéro 7 de *Jazz News,* le début de la si remarquable étude de M. Henri Perruchot, *Jazz et Epiphanie.* Toute la première partie de ce document est vraiment un admirable réquisitoire contre le jazz, écrit dans une langue simple et pure, et l'on ne saurait trop dire le mal que de tels articles peuvent faire à la cause du jazz.

Nos compliments les plus sincères au grand hebdomadaire parisien *la Presse,* dont nous ne pouvons résister au plaisir de citer quelques lignes ; après avoir déploré comme il convient la perte des premiers « racktimes » (*sic*) qui inspirèrent les pionniers du jazz, *la Presse* s'intéresse aux récentes déclarations (*sic*) d'Armstrong concernant le be-bop ; voici l'extrait :

Armstrong et son célèbre pianiste Earl Hines, partisans de la Nouvelle-Orléans, ne sont pas de trop pour couvrir les *mugissements be-bop de Russell Moore,* dit Big Chief.

A son arrivée à Paris, Louis Armstrong n'a pas craint d'affirmer que le be-bop était « *de la musique de catch* ». Peut-être pensait-il précisément à Big Chief.

Voici, je crois, quelques lignes bien propres à jeter le trouble dans les esprits mal informés. Bravo, *la Presse !* Nous soutenons votre action.

Nous avons cru bon par ailleurs de présenter sur cette page les photos des deux artistes (qu'ils disent) dont l'examen peut très aisément vous faire penser à tout autre chose. Nous regrettons de ne pas en avoir eu d'autres à notre disposition ; nous tentons en ce moment de nous procurer des photos de mauvaises chanteuses, qui, peu à peu, attireront dans les filets de leur charme insidieux quelques-uns de ces imbéciles qui préfèrent encore la vulgarité d'une quelconque Bessie Smith aux enchantements captieux des voix de sirène de Martha Tilton ou Anita O'Day.

Dr. G. Molle.

★

JAZZ NEWS, n° 9
mars 1950

UNE CRITIQUE ABSOLUE ?

C'EST-Y UN RÊVE OU C'EN EST-Y PAS UN

Il est bien rare que l'on parle d'un musicien de jazz sans l'accuser d'avoir subi pendant ses mois de biberon l'influence de Célestin Bandichou, à l'époque de sa puberté, celle de « Rex » Doublezingue, et plus tard, celle du fameux Jonathan Ferguson

Brother. Bien rare et bien facile à comprendre : il faudrait pour parler librement d'un artiste donné, prendre la peine de faire autre chose qu'une étude comparative de ses œuvres, et ce serait beaucoup plus fatigant. On peut même se demander si l'on trouverait un seul musicien à qui accorder l'originalité des idées, de la sonorité, du phrasé, de l'attaque, de l'inflexion, enfin de tout ce qui constitue le bagage du musicien rêvé. Je pense que l'on peut citer Johnny Hodges, Stuff Smith, Harry Carney, Art Tatum... Encore suis-je sûr que cette liste serait l'objet de maintes discussions. Chez tous les autres, le critique de jazz standard se borne à admirer l'épanouissement de ce que Machin avait commencé dix ans plus tôt.

Il y a, sans conteste, une part de vérité là-dedans — mais pourquoi faut-il que l'on s'y arrête ? Je crois fermement que Duke Ellington, Hines et les autres ont plagié Chopin, car ils emploient à peu près les mêmes notes sur leur piano.

Cependant, lorsque deux savants sans communication, dans deux pays différents, inventent à peu près au même moment à peu près le même appareil (cela s'est produit pour le phonographe, le téléphone, etc.), les accuse-t-on d'avoir copié l'un sur l'autre ?

On dit : c'était dans l'air.

Si l'on cherche bien, on peut toujours trouver dans les travaux d'un prédécesseur le germe de la découverte en question. Et les mots même dont on se sert, n'ont-ils pas été inventés par d'autres ? Pour mon compte, je trouve plus méritoire de découvrir quelque chose de neuf à partir de matériaux plus abondants, car l'organisation en est plus difficile et le maniement moins aisé. Il est fort méritoire de formuler, de réaliser ce qu'un prédécesseur n'a pu qu'effleurer, et peut-être involontairement. Influence, donc ; mais influence s'exerçant à titre de matière première de départ pour de nouvelles recherches, et ne comptant tout de même pas tellement dans le jugement que l'on doit porter sur le musicien.

On pousse si loin l'abus de ce mode de raisonnement ou de classement (et c'est bien commode ; on peut aussi faire des séries d'articles intitulés : deux grands drummers, trois grands trompettes, quatre grands ténors, etc.), que l'on devrait aller jusqu'à dénoncer l'influence de Hawkins sur Lester Young et expliquer tout le style de Young par celui de Hawkins : en effet, Lester Young n'a-t-il pas tenté de *s'écarter le plus possible* du style de Hawkins ? Celui-ci était donc la base d'un travail d'inversion ou de transformation exercé par Lester Young, qui, si *Hawkins n'avait pas existé, aurait peut-être joué comme Hawkins !*

On voit jusqu'où l'on peut arriver ; mais il faut pousser les choses à leur extrême pour dénoncer la stupidité d'un raisonnement (ceci peut d'ailleurs se retourner contre vous-même au moment où vous vous y attendez le plus).

Et ces quelques réflexions nous amènent tout naturellement à notre conclusion : au lieu de décrire un musicien par comparaison à un autre, plus ou moins connu du lecteur et auquel il ne s'intéresse pas toujours, qu'on le décrive objectivement, en valeur absolue, dans la mesure du possible. Le situer dans son époque suffit amplement à définir ses sources : ne négligeons pas l'influence de King Oliver sur Louis — mais le jeu de ce dernier résulte peut-être tout autant de son goût pour les haricots rouges ou la musique de Guy Lombardo... Ça, c'est tout de même une étude d'influences qui pourraient varier avantageusement le sempiternel menu que nous proposent les critiques de jazz.

Michel Delaroche.

★

JAZZ NEWS, n° 9
mars 1950

LES GRANDES FIGURES

A propos de l'orchestre Ellington

On lit périodiquement dans la presse spécialisée des affirmations péremptoires du genre de celles-ci : *le Duke est sur la pente de la facilité. — Ellington n'est plus ce qu'il était. — Autrefois, il avait de grands solistes, maintenant, plus personne.* La plus belle provient sans doute, dans sa concision d'un certain Fox, dans le *PL Yearbook of Jazz 1946 : « Il est certainement piquant de constater qu'Ellington a gagné la célébrité nationale en Amérique au moment où ses compositions ont atteint leur niveau le plus bas, et au moment où son orchestre, démantelé, a vu ses hommes de base remplacés par des nullités.* »

Pareilles déclarations prêtent à sourire, voire même à faire ha ! ha ! très bruyamment au nez de M. Fox, après avoir mangé de l'ail, surcroît de mépris.

Certes, il arrive fréquemment qu'on fasse enregistrer à Ellington des histoires sans grand intérêt, où des messieurs à voix de veau chantent des mélodies très sentimentales.

Mais c'est si bon, le sentiment. Ceci prouve tout au plus que Duke est moins libre qu'en 1935 de sélectionner lui-même son programme.

C'est que depuis 1935 l'industrie du disque a fait quelques pas en avant dans le domaine de l'importance. Et que par conséquent le directeur commercial a maintenant voix au chapitre beaucoup plus que par le passé. Or lorsqu'on veut vendre un journal à quatre-vingt mille exemplaires, il faut l'appeler *France-Dimanche* et le bourrer d'histoires pour concierges, car il y a en France beaucoup plus de concierges que d'intellectuels, et il est juste que l'on travaille pour eux (et elles) : de même aux Etats-Unis, il faut du Perry Como et du Al Hibbler, et jouer les airs à succès qui — c'est une vérité reconnue, affirme-t-on tous les jours dans *Down Beat* — n'ont jamais été d'une bêtise plus affligeante et d'une pauvreté plus grande.

D'ailleurs, que les disques récents de Duke soient si mauvais que ça... on peut en discuter. Ça dépend des goûts...

Aussi nous n'en discuterons pas, car dans ce domaine comme en d'autres, tout repose sur l'affirmation gratuite.

Mais que l'on vienne à tomber par hasard, à la radio, sur une retransmission de Duke lorsqu'il joue pour la danse, ou sur un enregistrement réalisé dans ces conditions, et l'on est aveuglé par l'évidence : jamais Duke Ellington n'a mieux joué de son instrument.

Son instrument, c'est-à-dire son orchestre. Il faut bien le reconnaître : lorsqu'il a sorti *Trumpet no End,* Ellington a infligé un horrible gros démenti à ceux qui assuraient : «*Ellington, sans ses solistes... il est fichu.* »

Quatre trompettes, quatre solistes, dont aucun ne jouait dans la formation de 1939-1940, celle dont, en général, on dit : « *C'était l'apogée.* » Et un disque égal, sinon supérieur, à tous ceux de 39-40.

Ne se rend-on pas compte qu'Ellington *suscite* des solistes quand il en a besoin ? Qui a fait Jimmy Blanton ?... Sa mère ?... Non, Ellington.

Qui a fait Barney Bigard ?...

Ellington.

Le cas de Barney Bigard me rappelle d'ailleurs une fort curieuse histoire. Une histoire de cinéma. C'est Poudovkine, le grand metteur en scène russe, qui la raconte, je lui laisse la parole :

« *Nous fîmes, Kuleshov et moi, un essai intéressant. Nous prîmes, dans un film quelconque, plusieurs gros plans de l'acteur bien connu Mosjoukine. (Nous les choisîmes statiques et complètement inexpressifs — des gros plans paisibles. Nous assemblâ-*

mes ces photos, qui étaient toutes semblables, avec d'autres morceaux du film, selon trois combinaisons différentes. Dans la première, le gros plan de Mosjoukine était immédiatement suivi par l'image d'une assiette de soupe sur une table. Il était évident et certain que l'acteur regardait cette soupe. Dans la seconde combinaison, le visage de Mosjoukine était joint aux vues d'un cercueil où reposait le cadavre d'une femme. Dans la troisième, le gros plan était suivi de l'image d'une petite fille jouant avec un ours en peluche amusant. Quand nous présentâmes ces trois combinaisons à un public qui n'avait pas été mis dans le secret, le résultat fut surprenant. Les spectateurs étaient transportés par le jeu de l'artiste. Ils soulignaient ses sentiments de lourde mélancolie inspirés par la soupe oubliée, étaient touchés et émus par le profond chagrin avec lequel il considérait la morte, et admiraient le sourire léger, heureux, avec lequel il surveillait les jeux de la petite fille MAIS NOUS SAVIONS QUE DANS LES TROIS CAS LE VISAGE ÉTAIT EXACTEMENT LE MÊME.

« *Cependant, la combinaison de différents fragments dans un ordre ou un autre ne suffit pas. Il est nécessaire de pouvoir contrôler et manipuler la longueur de ces fragments, parce que la combinaison de morceaux de longueur variable a un effet comparable à celui de l'assemblage de sons de longueurs diverses en musique, en créant le rythme du film...* »

(Voir le *Magasin du Spectacle,* 1er avril 1946, R. Laffont, éditeur.)

On ne m'en voudra pas (je dis ça, mais si on m'en veut, ça va me faire pleurer) de cette longue citation, car elle éclaire le cas Bigard de façon assez surprenante. Bigard n'a pas perdu sa technique. Il pourrait jouer comme il jouait chez Duke.

Bigard a perdu son metteur en scène.

Lorsqu'un chorus de Bigard était amené par Duke, le *montage* était fait avec tant d'adresse que l'on se sentait tenté d'en attribuer le mérite à Bigard.

De même, dans un film, on dit : « Machin est épatant dans celui-ci... Il est si mauvais dans tel autre !... » Et l'on s'étonne On ne pense pas que le mérite (dans les deux cas) en revient avant tout au metteur en scène, sauf s'il s'agit de très grands acteurs, évidemment.

Le cas de Rex Stewart est exactement le même. Sans ce que l'on appelle « *l'atmosphère ellingtonienne* », Rex est dégringolé jusqu'à la plus affreuse vulgarité. On me dira que certains musiciens qui ont quitté Duke ont conservé toutes leurs qualités : Cootie Williams, Ben Webster, par exemple.

C'est entendu. Mais n'est-il pas frappant qu'une des meilleures réussites de Cootie, sans le Duke, soit le *Fiesta in Blue* qu'il enregistra pour *Columbia,* avec, en fond sonore, un excellent arrangement, excellemment « fondu » par Benny Goodman et son orchestre, qui s'effaçaient complètement devant Cootie, ne lui fournissant qu'un cadre bien coupé à l'intérieur duquel le pinceau à pistons de l'artiste déployait l'arc-en-ciel de ses couleurs les plus brillantes ? (Là, je voulais marcher sur les traces du tour de potier cher à Marguerite.)

Quant à Ben Webster, écoutez les enregistrements qu'il a faits sans Duke, et écoutez son chorus de *Chlo-E.* Vous verrez la différence. Les chorus eux-mêmes sont aussi bons, mais quel relief ils prennent chez Duke !...

Et revenons aux disques récents d'Ellington, qui, pour des raisons déjà indiquées, sont fréquemment des enregistrements d'airs à la mode plus ou moins pitoyables.

En voici un : *It's mad, mad, mad,* avec un vocal de Dolorès Parker, bonne chanteuse noire de style blanc.

Le thème ?... N'importe quel air à succès construit sur une coupe classique. Mais l'arrangement, la mise en place, la précision, la justesse (et, ajoutons-le, à la louange de *Columbia,* l'enregistrement) sont absolument irréprochables.

Prenez n'importe lequel de ces Ellington récents : *Sultry Serenade,* où joue le bon Tyree Glenn (sur le thème intitulé chez nous *Working Eyes*) ; jouez n'importe lequel d'entre eux.

C'est certain, Duke ne s'est pas toujours donné le mal (que ne méritaient d'ailleurs par les thèmes en question) de faire des arrangements aussi sorciers que ceux de *Raincheck, Jack the Bear,* ou *Giddybug Calop.*

Mais croyez-vous, en entendant cette merveilleuse machine qu'est son orchestre, croyez-vous vraiment qu'il a perdu la moindre de ses qualités ?

Bien au contraire, Duke va maintenant dans le domaine du swing et de la perfection d'exécution, bien au-delà de ce qu'a fait Lunceford.

Et Duke a toujours de grands solistes. Qu'ils s'appellent Baker, Nance ou Glenn, au lieu de Williams ou Nanton !

Aucune importance.

Du moment qu'ils sont chez Duke... Tôt ou tard, vous entendrez un jour une petite retransmission... Vous vous demanderez : qui est-ce ? Personne n'est capable de ça...

Et ce sera Duke.

Un monsieur qui est de taille à penser pour vingt.

*

JAZZ NEWS, n° 9
mars 1950

LES FEMMES ET LE JAZZ

Si les auditeurs des enregistrements de Savannah Churchill, publiés chez « Blue Star », ont pu croire un moment qu'ils entendaient la voix d'un homme, la photographinette ci-contre les détrompera, nous l'espérons, et leur redonnera le goût de vivre. Savannah Churchill n'est pas une grande vedette de la chanson, suivant l'expression consacrée, mais il faut bien qu'elle ait quelque chose dans le ventre, puisqu'elle chanta un moment avec Benny Carter pour divers enregistrements. Quant aux détails biographiques, nous pourrions les inventer, mais la place manque. Tant pis, ce sera pour la prochaine fois.

Sarah Vaughan est une jeune chanteuse de l'école moderne qui gagna la célébrité à la sueur de son front et en apprenant son métier. Elle opère dans un style plutôt compliqué, voire légèrement tordu, qui n'a rien de désagréable. C'est une spécialiste des intervalles difficiles et une interprète très appréciée des musiciens bop, ces misérables avortons qui passent leur temps à pleurer sur une scène quand ils ne vont pas faire pipi au milieu du concert ; et pourtant, des gens comme Earl Hines l'avaient aussi dans leur orchestre...

Dinah Washington a la voix un peu pincharde, mais cela ne peut pas se voir sur la photo ci-contre, et on a beau dire, cela ne nuit en rien à la qualité de son sex-appeal. Avouez que vous y porteriez volontiers la main si elles étaient vraies. Dinah Washington a fait pas mal de disques agréables ; la marque « Keynote », en particulier, publia quatre faces où l'on remarquait notamment le soutien du pianiste, Milton Buckner. Les jambes de Dinah Washington ont un grand intérêt, en ce sens qu'elles lui permettent de se déplacer tout comme une personne ordinaire, chose extrêmement curieuse.

*

Jazz News, n° 10
avril 1950

EDITORIAL

Après bien des hauts, des bas et des milieux, dans l'honneur et dans la dignité, voici enfin un éditorial sérieux, car le temps est venu de vous dévoiler mes batteries (Kenny Clarke, à la rescousse !...). On s'est demandé, à ma grande joie, pourquoi *Jazz News* se livrait à des facéties indignes de l'*Os à Moelle* lui-même (moi, je ne trouvais pas ça mal, l'*Os à Moelle,* mais je cite), pourquoi, sans prévenir, on aurait bouleversé une formule d'un intérêt saisissant qui faisait de *Jazz News* la première revue de jazz française, pourquoi on avait traîné dans la boue des personnes que tout le monde estime, pourquoi le Dr Gédéon Molle se voyait arroger le droit de baver sur le jazz à longueur de page, pourquoi les éditoriaux jouissaient d'une mise en page incohérente, voire graveleuse, pourquoi on ne faisait plus de critique croisée, pourquoi je jouais si mal de la trompette en m'inspirant si fort du bi-bope, enfin, pourquoi ? Je pourrais répondre « parce que », et tout serait dit, mais je veux m'expliquer, j'ai prévenu au début. Nous ne vivons pas, malgré ce qu'en pense Antoine Moreau, dans une république de citoyens égaux : la preuve en est que lui est un lecteur stupide et que d'autres lecteurs sont très intelligents. Aussi, il faut choisir. Choisir les bons, ceux qui sont confiants et bien intentionnés. Les autres, qu'ils aillent se faire estrapadouiller en file indienne. Je suppose qu'avec les deux numéros précédents, nous avons dégoûté les tréclasses, les mollasses, les pisse-vinaigre et les pisse-froid, les gens qui se couchent dans des pyjamas de flanelle, avec la culotte, et ceux qui se mettent du coton dans les oreilles, ceux qui croient qu'Henry Bordeaux est un grand écrivain, que la police est pleine de gens honnêtes et que les juges et les journalistes ont le sens de l'humour. Tous ces lecteurs-là, on n'en veut pas alors on a essayé de les décourager. Le danger, c'est comme quand on prend de la fougère mâle pour tuer le ténia, qu'on risque de bousiller celui qu'on veut éliminer et celui qu'on veut garder du même coup. Nous avons pris le risque, et nous avons gagné : d'après nos dernières statistiques, il reste sept lecteurs. Et maintenant, on va pouvoir, entre nous, faire gentiment une revue de jazz pleine de sel attique et de pertinence, considérer avec un mépris souriant les efforts timides de nos pitoyables concurrents, fermer les yeux sur leurs erreurs les plus grossières et nous amuser des autres, concourir en un mot, par une qualité totale, à la lutte pour la suprématie des produits français sur les marchés mondiaux.

★

JAZZ NEWS, n° 10
avril 1950

DUKE ELLINGTON A PARIS

Voilà que ce rédacteur en chef de malheur me demande, en plus de son éditorial que le Bon Dieu patafiole (souhait), un papier sur Duke, que j'eus l'honneur d'approcher voici deux ans, en raison de la nécessité où il se trouve de fournir à ses fidèles lecteurs une image originale du seigneur des seigneurs — j'ai nommé M. Edward Kennedy Ellington, l'empereur du jazz de tous les temps.

Et après cette importante période, je m'en vais recollecter mes mémoires, comme disent les godons.

Je vis (l'emploi du passé simple, ou défini, fait noble et plausible) Ellington en chair et en os pour la première fois au Palais de Chaillot le 3 avril 1939.

J'ai encore le programme, édité sur papier couché, et qui valait dix balles.

Je me rappelle les moments les plus terribles : c'était *Rockin' in Rhythm* et *Dinah's in a jam.*

Ah ! mes enfants, quel coup au cœur. Positivement, ça vous vidait de votre siège. Et j'étais loin... (fauché, si fauché que je n'avais pu y retourner le 4).

C'était le temps de Rex, de Bigard, de Tricky Sam.

Irremplaçables, vous croyez ? Tricky, peut-être... et d'ailleurs pourquoi les remplacer ?

Duke ne remplace pas... il continue avec d'autres. Parce que son orchestre, c'est lui. Mais revenons à nos moutons.

Je vis pour la seconde fois, en chair et en os, Ellington le lundi 19 juillet 1948, à 17 h 30 au moment où il sortait du train.

On était là des tas à l'accueillir, et Bolling joua quelques airs de son répertoire, avec Duke à la batterie.

Je me rappelle (j'ai noté plutôt) la réflexion d'un homme en cote bleue, à la descente de Duke :

— Qui est-ce ? demandait-on.

— C'est sûrement un boxeur, répondit l'homme, dans l'esprit de qui un musicien ne pouvait justifier pareil déploiement de forces.

Le 21, chez Carrère, une dame s'exclama :

— Oh ! Duke Ellington ? J'espère qu'on va lui faire chanter quelque chose !...

Duke parlait fort bien le français. Il but du champagne et dit :

— Formidable.

Il ajouta :

— Encore.

Et conclut par :

— L'addition.

Que Carrère, s'il m'en souvient, prit fort aimablement à son compte, Duke, à la requête d'une autre dame, avait consenti avec une amabilité charmante à jouer un ou deux morceaux.

Enfin, le 28 avril, après avoir essayé de joindre Duke qui revenait de Bruxelles avant son départ, découragé je me couchai vers minuit et demie.

Miracle ! Vers trois heures du matin, grâce aux efforts conjugués de Vera Norman et de Berdin, Duke arriva chez nous pour manger des frites et du bifteck, un de ses plats de prédilection. (C'était raté, d'ailleurs, on était trop émus...)

Il passa la nuit chez nous à écouter des disques en compagnie de quelques amis, et, le lendemain matin, frais comme une rose, on le raccompagna au Claridge vers 7 heures. Il partait à 9.

Et si vous voulez tout savoir... eh bien, il a oublié chez moi une cravate bleue à pois blancs que je garde dans du coton, comme une relique.

Ce n'est pas que je sois fanatique, mais Duke, tout de même, c'est quelqu'un.

★

Et cette fois, comme en 1939, c'est avec tout son orchestre que Duke revient. Il débarque de l'*Ile de France*, le *4 avril*, donne deux concerts au Havre, le lendemain, puis disparaît dans la nature pour se retrouver *à Paris vers le 12*. Les seules défections notables parmi ceux que l'on espérait sont Tyree Glenn et Ben Webster, mais toute la vieille garde (*Sonny Greer, Harry Carney, Johnny Hodges, Lawrence Brown*) et les nouveaux éléments déjà affirmés (*Ray Nance, Harold Baker*) seront là. Duke jouera plusieurs fois à Paris. Nos compliments sans réserve à l'organisateur de cette sensationnelle tournée, M. Jules Borkon, que tous les amateurs de jazz auront à cœur de soutenir... pour que cela recommence l'an prochain.

★

JAZZ NEWS, n° 10
avril 1950

LE SPECTACLE DE K. DUNHAM

Cet article (inspiré par les dollars) a été composé, au dictaphone, par un sourd-muet qui n'a pas assisté au spectacle

S. Culape, le speaker muet de Radio Caracas a effectué une bonne soixantaine de périlleuses plongées, muni de son micro invisible et d'une mignonne caméra de télévision, au cœur même du spectacle de Katherine Dunham et au fin fond des coulisses du théâtre.

Tout ébloui encore et bien essoufflé, il essaye, très péniblement, il est vrai, de résumer ici des impressions déjà anciennes, mais que nous avons cru de notre devoir de soumettre à nos lecteurs fidèles.

Il y a vingt-cinq raisons, toutes bonnes et majeures, naturel-
HOT
lement pour qu'un JAZZ FAN s'intéresse, au plus haut point, au
BOP
spectacle que donne (ou vient de donner), à Paris, la grande Katherine Dunham et sa troupe de couleur.

1. Tous les gars et toutes les filles de la troupe sont des Noirs, Américains pour les 9/10e, allant du véritable blanc authentique à l'ébène. Alors autant vous dire que vous prenez, avec eux, une drôle de petite leçon de « Strutting », de naturel, de gentillesse, de « Swing » et de « mise en place ».

2. C'est tellement drôle de voir, dans une salle de spectacle, tous ces Blancs subjugés par vingt-cinq à trente Noirs et de voir ces mêmes Noirs, sur la scène, s'amuser comme des petits fous à regarder les spectateurs. Cela, c'est déjà une partie du spectacle à ne pas rater.

3. Il y avait cinq joueurs de tambours, bongos et autres congas, plus extraordinaires les uns que les autres. Ils valent, à eux seuls, de nombreux déplacements : ils sont deux Cubains, deux Africains et un Martiniquais. Maintenant si vous croyez

que j'exagère demandez donc à Kenny ce qu'il en pense ! J'ajoute que les cinq drummers jouaient sans arrêt, tout le long du show.

4. *Cet article est payé,* contrairement à ce qui se passe généralement dans cette revue où les chroniqueurs sont forcés, s'ils veulent écrire, de graisser la patte du rédacteur en chef.

5. Mais oui, il y en a cinq, des chanteurs !... Et ça aussi c'est quelque chose !... Les voici : I. Miriam Burton qui entrera, quand elle voudra, à la Scala de Milan. Je ne pense pas avoir entendu, à Paris, une voix comme la sienne depuis le départ de Marian Anderson.

II. Rosalie King, chanteuse de blues absolument exceptionnelle, que vous entendrez d'ailleurs bientôt, soit à la radio..., soit en disques... tout arrive.

III. Le mari de Rosalie King, qui s'appelle naturellement Gordon Simpson, une basse à faire pâlir le fantôme de Chaliapine.

IV. Eartha Kitt dont la voix damnerait tous les saints de bois, de France et de Navarre. Une des plus corsées, des plus chaudes, des plus excitantes qu'il soit donné d'entendre de ce côté-ci... et de l'autre de l'Atlantique. Vous l'entendrez bientôt aussi.

V. Jessie Hawkins, un splendide chanteur de ballades, au timbre très prenant avec un vibrato à vous acculer au suicide.

6. Il y a la grande Katherine, qui « en jette » rudement, qui a un rôle de « chien », un sacré abattage, et qui a su combiner avec infiniment de talent sa science chorégraphique et ethnologique, des éléments d'authentique folklore transposés avec art, sa « présence » très réelle, et un goût des couleurs, des étoffes, des bijoux et des attitudes, qui n'appartient qu'aux gens de sa race.

7. Il y a le mari de Katherine qui s'appelle comme tout le monde M. Pratt et qu'on ne voit pas... Mais dont les décors, la mise en scène, et les costumes de scène sont aux petits piments rouges !

8. Ce n'est pas tellement du jazz qu'on entend. C'est surtout du jazz qu'on voit. Ça balance terriblement et les yeux du spectateur, pour peu qu'il soit « affranchi », participent continuellement aux Jam Sessions qui se déroulent sans arrêt sur la scène.

9. Un papillon surréaliste : « *Vous qui ne croyez plus à rien, essayez donc de ne pas croire au Vaudou.* »

10. Pendant une soirée (ou deux si vous étiez en fonds) vous avez eu l'impression que Dolorès Harper et Eartha Kitt étaient les plus belles femmes du monde.

11. Si vous n'avez pas le même goût que moi vous avez cru que c'étaient Lucille Ellis et Othella Strozier.

12. Si vos amis n'ont pas le même goût que vous ils ont pu

penser que c'était Jackie Walcott ou Julie Robinson ou Tamara Sie ou encore Heloïse Hill.

13. Là, il y a rien, mais le chiffre porte-bonheur.

14. L'assistant régisseur s'appelle Parker (on peut vérifier sur le programme).

15. Le directeur de la scène se nomme Erickson (je vous ai eu, là, on peut également vérifier).

16. Si vous étiez au « Frisco », lors de la mémorable réception offerte à Louis Armstrong, vous seriez presque sûrs qu'on ne danse pas mieux que Lucille Ellis et Wilbert Bradley. Je veux parler d'une danse « ad libitum » comme on peut en voir au « Savoy » de Harlem, et je vous jure que le formidable orchestre du défunt « Frisco » (Kenny, Bill Coleman, James Moody, Hubert Fol, et consorts) n'avait jamais joué aussi splendidement que pendant cette danse. « Mais, me direz-vous, nous n'étions pas au " Frisco " !... »

Il n'empêche que voir Lucille Ellis traverser la scène ou Wilbert Bradley jouer son rôle de gigolo astucieux, c'est tout simplement « reluquer » du jazz plastique tout pur ! Ça vous arrive souvent ?...

17. AUTRE PAPILLON SURRÉALISTE : « *Dans les ballets nègres ce sont les Blancs qui sont les nègres des nègres.* »

19. Les hommes de la troupe sont au moins aussi bien que les femmes. Et quelle technique ! et quelle détente ! et quelle plastique !

20. La préface du programme, c'est du Breton, du meilleur Breton... et on aime toujours Breton.

21. Non la plus belle de la troupe, tout bien pesé, c'est *notre compatriote* Raphaele Le Rouge... j'ai fait la guerre de 1914, moi !

22. Le maître du ballet, Lenwood Morris, c'est l'alliage d'une belle technique très classique, de l'instinct prodigieux des Noirs, et d'une prestigieuse tradition afro-américaine que nous connaissons encore mal.

23. Vanoye Aikens est tout aussi fantastique, mais son art a quelque chose de plus massif, de plus dense, de plus triste aussi... Les autres sont tous aussi « terribles » dans leur genre.

24. Celle-là je ne m'en souviens plus... Je la dirai la prochaine fois.

25. Voir l'excellente raison n° 4.

S. Culape.

★

JAZZ NEWS, n° 10
avril 1950

POURQUOI NOUS DETESTONS LE JAZZ ?

RUBRIQUE TENUE AVEC SON TALENT BIEN CONNU
par le docteur Gédéon Molle, peintre du mardi
Grand Officier du chien-vert de Perse
pharmacien breveté
releveur de couches à la maternité du onzième

Je saluerai avec une joie sublime un Khon [1] génial qui a nom Jean Guitton et qui a porté au jazz un coup mortel dans le numéro 111 d'*Images Musicales,* une publication qui se consacre, dans le domaine de la musique classique, à la noble tâche que j'ai entreprise ici même. Vive Jean Guitton, le roi des Khons et vive *Images Musicales* qui a su s'assurer la collaboration précieuse d'un oiseau rare, romantique de surcroît — je suis obligé de reproduire toute la fin de cette réponse incroyable de sincérité et de compréhension qui témoigne à quel point Jean Guitton a su assimiler pour mieux la battre en brèche la quintessence d'une musique dont on ne dira jamais assez le recul qu'elle a fait subir à une civilisation qui, sans elle, ignorerait encore la bombe H, les petits Chinois, le doryphore, Chopin, précurseur du jazz, comme dit Jean Guitton, et tant d'autres abominations du monde moderne dont il ne faut point chercher la source ailleurs que dans le dérèglement glandulaire de races abâtardies par une consommation trop fréquente de l'acte sexuel, ainsi que le fait si justement remarquer Jean Guitton, Khon entre les Khons, à qui va ce coup-ci notre médaille terrible des antijazzeurs. Mais voici Jean Guitton :

— *Parfaitement, le jazz avilit le plus noble sens artistique, parce qu'il enlève au cerveau l'élévation de sentiments que procure cette détestable routine* (*pour parler comme notre correspondant*) *des anciennes idoles de la grande musique* (note du Dr Gédéon Molle : Jean Guitton a été en butte à l'activité d'un de ces jeunes thuriféraires de la musique diabolique et sa si belle prose résulte de cette lâche attaque)...

... *Vous nous parlez de la grande virtuosité des exécutants. C'est votre ignorance de la vraie technique qui est la seule cause*

1. Le plus haut grade des lamas tibétains. S'écrit aussi Quond.

de votre admiration... Sachez que des élèves qui travaillent sérieusement six heures par jour, et guidés par des maîtres, ne deviennent des virtuoses qu'après quinze ou vingt années d'études, et que par contre, certains lycéens s'amusant d'un instrument, se voient sacrés, du jour au lendemain, dieux du jazz à dix-neuf ans. Quant à notre appréciation sur le physique de ses talentueux représentants, nous nous excusons de ne pas être touchés par la vue de ces demi-possédés atteints de tressautements continus dont le regard hagard ou prostré n'a d'égal que le vague à l'âme dans lequel leur vue nous plonge (Note du Dr G. Molle : j'ai été le premier à dénoncer les troubles physiologiques nés du jazz et je suis près de saluer en Jean Guitton mon élève favori... et ce regard qui n'a d'égal qu'un vague à l'âme... quelle habileté suprême dans le maniement romantique de la langue !... Quelle hardiesse !...)

— De là à se rendre compte combien le jazz déforme la sensibilité artistique et la leçon qu'il convient d'en tirer, il n'y a qu'un pas, et vite franchi.

On prétend vouloir rénover l'art musical en prenant pour base un embryon folklorique qui n'existe pas, à part le tam-tam des brousses perdues, tout ce que les nègres ont trouvé dans le domaine musical provient des imitations du folklore européen assimilié à leur compréhension après avoir été en contact avec notre civilisation ; cela équivaudrait pour un professeur à demander des leçons à l'élève qu'il vient d'enseigner. (Note du Dr G. Molle : on reconnaît au passage l'influence merveilleuse de M. Cœuroy, notre meilleur antijazzeur avant Jean Guitton, qui fut le premier à révéler au monde, en 1943, que le jazz était d'origine européenne.)

Et nous voyons de ce fait, un net retour en arrière plutôt qu'une révolution allant de l'avant.

Le peuple nègre est peut-être le seul à ne point posséder un folklore à proprement parler ; s'il en existe un qu'on nous le fasse connaître. Leurs danses ou mimes ne sont qu'un moyen spectaculaire d'expression et de transmission de l'élément hystérique, servant à provoquer l'érotisme.

Et nous ne devons pas être fiers de demander un idéal à de telles sources primitives alors que bien des Noirs étudiants dans nos facultés cherchent à comprendre l'intérêt que renferment les œuvres inépuisables des grands maîtres.

Voyez-vous, mes chers lecteurs, quand on s'appelle Gédéon Molle, on est fier de rencontrer des Jean Guitton.

Dr G. Molle.

★

JAZZ NEWS, n° 10
avril 1950

Actualités démodées

FESTIVAL DU RIRE AU THEATRE DU RANELAGH

par A. Blackshick

Le sympathique Hot-Club du 16e arrondissement a fort à cœur de répandre la bonne parole parmi les incroyants et même chez les croyants. C'est pourquoi il a organisé un petit festival du jazz au théâtre du Ranelagh.

Il s'est assuré du concours d'une vedette : Buck Clayton qui devait être le plat de résistance.

Pour la première partie du concert, on utilisa les gracieux orchestres du Steffy et du Kentucky. Le premier quartette de musique avancée, sinon bop, fut soutenu de la voix et du geste par l'impérissable Harry Fox. Venait ensuite l'orchestre du Kentucky. La première partie s'annonçait donc honnête. Elle le fut à peu près.

Restait Buck Clayton. Par qui l'accompagner ? Il ne fallait pas chercher bien longtemps pour trouver. Le bien parisien Bernard Amouroux, Buddy Jones pour ses intimes, avec sa nouvelle formation dynamique, était tout désigné.

Brasseur d'affaires hors de pair, il organisa tout, distribua les rôles de chacun, mit une anche neuve sur son saxophone, et « rentra dedans », comme il aime à le dire lui-même.

Nous laissons au lecteur le soin de s'imaginer ce qui se passa.

Plat de résistance, Buck Clayton dut être bien résistant en effet pour tenir jusqu'au bout. Il paraît inutile de s'appesantir sur le cas de chacun des « musiciens » de Buddy Jacket. Les sons discordants et allégrement hors de la mesure qu'ils répandirent à satiété sur la scène mirent la salle en joie. Un plaisantin qui amena une trompe de motocyclette eut le désappointement de passer à peu près inaperçu, la plupart des gens croyant que les sons qu'il émettait venaient de la scène. On respira un instant quand Buck Clayton joua seul avec la rythmique, mais ce ne fut que l'espace d'un ou deux morceaux.

Le cirque prit fin quand la salle fut à moité vide et que les Amouroussiens renoncèrent à prolonger la lutte.

Ils se refilaient les chorus les uns aux autres à la grande

joie des spectateurs et finalement aucun d'entre eux n'osa prendre sur lui la responsabilité de s'en charger.

Buck Clayton se retira aussi dignement qu'il lui était permis de le faire, ayant prouvé qu'il pouvait bien jouer envers et contre tous.

Voilà ce que l'on appelle organiser un concert de musique de jazz et faire de la propagande en faveur de cette musique. Nous jurons être sans parti pris et n'avons relaté que la moitié à peine des horreurs que l'on a pu voir et entendre ce soir-là.

Andy Blackshick.

★

JAZZ NEWS, n° 11
juin 1950

EDITORIAL

Une constatation qui nous met du baume dans le cœur : ce mois-ci, il est sorti moins de disques. Ah ! quand reviendront les jours heureux où l'on avait sa petite pâture toute prête : un Ellington, un Armstrong, un Fat's, et un disque du quintette du Hot-Club de France... Là, on pouvait être critique sans mourir à la peine ; mais la guerre a fichu tout ça en l'air.

Ne récriminons pas cependant : dans le tas, il sort maintenant beaucoup de cires qui ne sont pas bonnes ; tout ça s'éliminera et se purifiera de soi-même : à force d'entendre du mauvais jazz, on est beaucoup plus frappé par le bon lorsqu'on vient à le rencontrer.

Et entretenons-nous un peu de tout et du reste.

Le dernier numéro, dans l'éditorial duquel nous exposions, enfin, notre doctrine, était un peu envahi par la critique des disques.

Comme je viens de vous l'exposer, le flot a déferlé moins violemment et nous avons pu en profiter pour vous livrer, cette fois-ci, des réflexions cruciales touchant des problèmes cruciaux, dues à la plume de Michel Delaroche. Nous sommes heureux de saluer en outre dans le présent numéro, un nouveau collaborateur en la personne de Claude Abadie qui fit naguère de son orchestre un groupement homogène et travailla le premier dans la voie qu'illustre maintenant Fohrenbach, mettant au point des arrangements simples, mais qui s'efforçaient de sortir des sentiers battus et d'éviter le retour à la sempiternelle « jam » de règle chez les musiciens amateurs français, assez fainéants d'ordinaire. Abadie nous a confié ses impressions sur l'orchestre d'Ellington. Jackie Vermont en a fait autant, ces deux points de vue permettront à ceux qui n'ont pas entendu les concerts de se faire une idée de ce qu'ils étaient — et aux autres de confronter leurs critiques avec celles de Claude.

Notre goût pour les opinions indépendantes nous conduira bientôt à imprimer une chronique anonyme de l'oreille de Moscou ; cette dernière présente trop de détails favorables à notre ami Pochonet pour que nous ne soyons pas tentés de conclure à une parenté certaine (à un degré quelconque) entre l'Œil et le Dave. Ou alors, c'est Hugues lui-même qui nous l'aura adressée. Qui d'autre pourrait, en effet savoir ce qui se passa ?

Sur ce, je vous en serre cinq.

★

JAZZ NEWS, n° 11
juin 1950

Blancs contre Noirs

LE RACISME N'EST PAS MORT

par Michel Delaroche

I. — Il devient de plus en plus patent (surtout en Angleterre et en Australie, et maintenant en Amérique) que divers critiques (et non des moins connus) ont déclenché une attaque de grand style contre la musique noire.

Le fait en lui-même n'a rien de nouveau. Dès 1920, des Blancs ont tenté de dériver à leur profit la faveur du public pour le jazz et ils ont bénéficié en cela, tout au moins aux Etats-Unis, d'un violent préjugé racial qui leur a, dans une forte mesure, facilité la tâche. Qu'on se rappelle Paul Whiteman, qui était le plus célèbre alors qu'il existait un Fletcher Henderson, Red Nichols, qui grava plus de cires que trois King Oliver réunis, Jimmy Dorsey (qui s'est remis à enregistrer), et tous les Casa Loma, Goldkette et Goodman, beaucoup plus loués de leur temps que les Noirs, comme Stan Kenton l'est à l'heure actuelle, plus que Gillespie (qui dut, pour tenir le coup, changer son formidable orchestre pour une machine à bruit de fond). Ceci donc, ne surprend pas ; au reste, il est peu courant que le plus connu du gros public soit le meilleur, c'est vrai en jazz comme en littérature ou en cinéma et on fait dix Fernandelleries pour un *Diable au Corps*. Et ceci n'aurait aucune importance s'il restait la proportion ; mais les choses sont en train de filer un peu vite et l'on doit commencer à craindre qu'elles n'échappent au contrôle.

On peut repérer trois façons de se comporter : l'attitude *franche* (Roger Bell dans le n° 8, décembre 1949 de *Australian Jazz Quarterly*) ; l'attitude *hypocrite* (Leonard Feather, *Crow Jim*, article récent), et l'attitude qui n'en est pas une, *observatrice* (cynique, d'une certaine façon, voir tous les derniers *Down Beat*).

II. — *L'attitude franche* vous fait, d'abord, sauter en l'air ; elle est en réalité la moins dangereuse, car elle procède en général d'un sectarisme ou d'un esprit de clocher tellement étroits qu'ils se démasquent dans le même temps qu'ils s'expriment.

C'est elle qui fait écrire à Roger Bell les phrases tellement stupéfiantes (déjà citées dans une récente revue de presse de *Jazz Hot*) :

« *Il est parfaitement évident qu'à l'heure actuelle, le Noir américain a abandonné le jazz. Les seuls hommes de couleur qui jouent actuellement une musique valable la jouent comme ils la jouaient voici des années et ne sont sans doute pas près de créer quoi que ce soit de neuf dans cet idiome. Ils ont fait leur temps ; et les jeunes musiciens de couleur se sont tournés comme un seul homme vers le swing et le be-bop. L'avenir du jazz, s'il en a un, repose entre les mains des jeunes Blancs, et cela depuis six ans environ.* »

Entendez bien que lorsqu'il dit le « swing » et le « be-bop », Roger Bell désigne toute musique de jazz différant de ce que fut le jazz jusqu'aux années 1935 environ. Pour certains critiques, le jazz s'arrête à 1945 ; et c'est déjà assez ridicule que d'éliminer de ses rangs des hommes comme Parker ou Gillespie, Miles Davis ou Thelonius Monk, Ernie Royal ou Max Roach ; mais Bell va beaucoup plus loin, et il est loisible de penser, puisqu'il semble employer le terme « swing » au sens où l'emploient les Américains, qu'il condamne à la fois Duke Ellington, Count Basie, Lionel Hampton, etc...

Il s'agit donc bien d'une affirmation établie sur une définition du mot « *jazz* » tellement étroite qu'elle est inadmissible ; ceci dit, si le jazz était vraiment ce que pense Bell, il aurait tout à fait raison de dire que les jeunes Noirs n'en font plus : aucun d'eux, certes, ne songe plus, et c'est fort heureux, à jouer comme Ward Pinkett ou Papa Mutt Carey. Loin de moi l'idée de dire que Ward ou Papa furent de mauvais musiciens : replacés dans leur époque, ils sont parfaitement valables ; de même en peinture, pour prendre encore un exemple, un Vermeer n'a de valeur artistique que s'il est vrai et d'époque, et les faux parfaitement imités que fit récemment un très habile artiste hollandais perdaient tout leur sens (s'ils restaient agréables à voir) pour avoir été créés par imitation et sans nécessité historique valable, pour manquer à s'insérer dans une trame évolutive au moment voulu.

Ces précisions apportées, je répète que des affirmations comme celle de Roger Bell sont beaucoup moins dangereuses qu'on ne pourrait le penser, et ceci principalement en raison de la grande naïveté dont elles procèdent ; naïveté dont le même article de Roger Bell nous fournit un exemple immédiat à la page qui précède celle dont nous avons extrait la citation déjà faite.

Je suis, cette fois encore, obligé *d'en traduire un long morceau ;* mais aussi bien je ne voudrais pas que l'on crût ces citations tronquées, car il est facile de faire dire ce que l'on veut à qui l'on veut.

« *Le jazz, j'en suis sûr, va progresser très prochainement et retrouver une vie et une forme neuves aussitôt qu'il se sera acclimaté à l'Australie, l'Angleterre et la France, et à tant d'autres contrées très différentes de son lieu de naissance, l'Amérique.*

« *Peut-être un de ses plus grands ennemis a-t-il été ce récent retour au style Nouvelle-Orléans, qui — en raison du nombre et du caractère des livres et des articles écrits sur ce sujet, et des rééditions de disques — a eu un effet d'inhibition considérable sur les jeunes musiciens blancs. Un grand nombre d'entre eux sont terrifiés à l'idée de jouer quelque chose qui risque de ne pas sonner comme du Ladnier ou de l'ancien Armstrong. Ils sont imbibés de Morton, de Hot Five et Seven, d'Orys, de Bunks et de Bessies, et les critiques leur ont si souvent dit que c'est la seule chose possible qu'ils sont devenus trop timorés pour essayer quoi que ce soit d'autre qu'un pastiche lamentable. L'œuvre si variée de géants blancs comme Sharkey Bonano, Bix, Teschemacher et Hackett, musique qui peut être assimilée plus aisément parce qu'étant racialement plus naturelle, ils l'écoutent ou rarement ou jamais. On l'a décrite comme une copie légèrement commerciale — quelle plaisanterie ! — et vous devez jouer comme les gens de la Nouvelle-Orléans, sinon vous vous trompez.*

« *Je n'oublierai jamais cette soirée en Angleterre chez un critique de jazz de réputation internationale. Graeme, assis au piano, jouait le blues et faisait, çà et là, des essais de renversements d'accords et de figures mélodiques inhabituelles. Le critique resta debout dans un triste mutisme pendant un moment et dit ensuite : « Pourquoi ne jouez-vous pas un vrai blues,*

Graeme ? » *Graeme leva le nez et dit :* « *Je vois ce que vous voulez* », *et commença à cogner quelques pleins claviers de ces vieilles phrases blues mangées aux mites qu'on entend dans tous les disques de blues noirs. Le critique était transformé. Il sourit de la tête aux pieds et se mit à glapir :* « *C'est ça, vieux ! C'est du vrai jazz.* » *Eh bien, en toute honnêteté, il y a de quoi rigoler.*

« *Cela n'a jamais cessé de me stupéfier de constater qu'un jugement si ridiculement étroit et rigide ait pu naître du jazz, une musique si opposée à tout ce qui est réactionnaire, et non content de trouver des supporters, se soit étendu de façon si malfaisante dans tout le monde du jazz.* »

Oui, tout cela, c'est Roger Bell qui l'écrit — et il faut croire que l'extension au monde du jazz de ce jugement étroit et ridicule s'est faite, en effet, bien insidieusement, puisque un peu plus loin, Roger vous disait ce que j'ai cité au début.

Il y a là-dedans trois choses :

1° *Une manifestation de racisme* (première phrase et tirade sur les géants blancs).

2° Une *naïveté affolante :* l'idée que Graeme Bell ait pu inventer quelque chose qui n'ait pas déjà été trouvé par les musiciens noirs *récusés par Bell* comme ne faisant plus du jazz.

Evidemment, si l'on supprime Mozart, Beethoven, Haydn, Bach et une douzaine du même bateau, il y a encore beaucoup à écrire en musique classique.

3° Une *inconscience totale :* la paille et la poutre de la dernière phrase.

En résumé, Roger affirme que les blancs sont seuls capables de renouveler le jazz en donnant du jazz une définition qui en élimine les trois quarts. C'est franc, aussi franc qu'idiot. Aussi bien ce n'est pas d'aujourd'hui que les Australiens ont pris l'habitude d'exterminer les indigènes, et les Anglais d'Afrique du Sud sont en train de les suivre joyeusement sur ce terrain.

Passons à la seconde attitude beaucoup plus dangereuse.

III. — *Attitude hypocrite.* Doublement hypocrite : par sa texture même et par la qualité de celui qui l'adopte. Qui n'est autre que Leonard Feather, Anglais émigré aux Etats-Unis. Je n'ai contre Leonard Feather aucun des griefs que Panassié peut avoir (souvent gratuits). Il fait son métier de critique, c'est un pianiste moyen, et il a réussi à grouper quelques très bonnes formations et à composer quelques thèmes agréables (*Scram*). Là où il abuse, c'est lorsqu'il écrit un article ou, dans le titre, *Crow Jim* est opposé à *Jim Crow,* le Crow Jim étant l'attitude qui, soi-disant, régnerait en Europe.

Détaillons.

On sait que l'on désigne sous le nom de Jim Crow l'ensemble

des préjugés et des brimades dont sont victimes les noirs aux USA. Or, selon Leonard Feather, il régnerait en Europe un état d'esprit inverse, et les pauvres musiciens blancs seraient victimes d'un « *Crow Jim* » les empêchant de se voir appréciés comme il faut.

Certains musiciens professionnels français blancs disent aussi des choses comme ça, parfois. Maurice Moufflard protesta un jour contre Dizzy Gillespie en présence de Vian et Diéval en assurant que lui, Moufflard, jouait mieux que Dizzy qui n'avait pas le premier prix du Conservatoire. Fréquemment, on en entend d'autres dire : « Ah ! pour faire du succès, il suffit d'avoir la gueule noire. » Il est extraordinaire de constater que ce sont *toujours* les musiciens de jazz les plus minables qui protestent de la sorte.

L'article de Feather est écrit sur un ton doucereux ; il est stupide et dégueulasse. Il ne mérite pas une analyse complète, car il est stupide à la base. Je n'en veux pour le démontrer que ces preuves : les sifflets qui accueillent Kenny Hagood ou même la pauvre Kay Davis quand ils chantent des choses pas assez jazz, et les applaudissements qui saluaient la formation suédoise au dernier festival — ou même celle de Claude Luter — stupide, donc, certes. Dégueulasse, de surcroît : venant d'un Anglais, qu'un Anglais qui proteste parce que les noirs sont trop bien accueillis en Europe proteste en Europe ; mais pas s'il est en Amérique ; il sera temps de le faire là-bas lorsqu'il n'y aura plus de préjugé racial... et ce n'est, hélas ! pas près d'être réalisé — rappelez-vous la maison de King Cole, etc. Jusque-là, que les Vido Musso Ventura et autres Candoli prennent patience avant de voir leur génie reconnu... et en attendant, qu'ils tâchent de jouer comme Lester ou Miles, ça leur fera toujours du profit.

IV. — *Attitude « objective » ou cynique.* Celle-là, c'est celle de tous les gens qui pondent à longueur de journées des articles pour constater la recrudescence de pressage de cires Dixieland enregistrées par tous les orchestres pourris de Los Angeles ou autres : Pete Daily, Firehouse Five, Turk Murphy, Bob Scobey, Lu Watters, etc., etc. Ces mouvements-là peuvent s'excuser en Europe... mais pas au pays du jazz. Le constater, le dire, c'est l'entériner, il faut au moins protester ; et là, je rejoins Roger Bell : si on aime le Dixieland blanc, il y a déjà eu Bix, les Bob Cats et quelques autres. Malheureusement, tous ceux qui le font maintenant le font pour les dollars — il n'y a plus l'ombre d'un enthousiasme ; ce sont de faux Vermeer...

V. — *Quelques constatations.* Où est le danger de tout cela ? Le danger, c'est que chaque fois qu'une compagnie enregistre une vieille cochonnerie, c'est autant de moins pour les jeunes musiciens ([1]) (les vrais — les jeunes *noirs*) et là, tous les critiques, même les plus partiaux, sont d'accord : si Panassié préfère les appeler « modernes », si Delaunay préfère les appeler « boppeurs », tout le monde s'en fiche... mais un Wardell Gray, imitateur à ses débuts de Lester, peut apporter plus au jazz qu'un Jimmy Dorsey, fossile et insincère — comme un Louis Armstrong imitateur à ses débuts de King Oliver put créer personnellement, après s'être affirmé, mainte page de l'histoire du jazz. Je ne dis pas que Wardell Gray apportera autant que Louis — celui qui le fera s'appellera Dave Smith, ou Joe Dupont, peu importe : il est en tout cas plus sûr de miser sur les chances d'un représentant de cette race noire qui a créé le jazz, et qui est la seule race au monde, après les décadences de la jaune et de la blanche, qui puisse encore insuffler au monde artistique une vigueur neuve, fraîche, non inhibée, révolutionnaire enfin comme l'était le jazz à ses débuts et comme il l'est toujours entre les mains des noirs ; de ces noirs qui ont fait, qui feront du jazz une chose unique... à condition que les Feather ne viennent pas les poignarder dans le dos.

M. D.

★

1. Actuellement, d'après les renseignements qui nous parviennent de New York, des gens comme Miles Davis, Kenny Dorham, etc., trouvent très difficilement du travail. Et les Jimmy Dorsey, Red Nichols et autres individus qui joueraient aussi bien des polkas si on les payait, font des cires à tour de bras. Comment ne pas constater que cette recrudescence organisée de Dixieland est (outre qu'elle témoigne d'une inculture généralisée assez suffocante si on réfléchit que tout se passe à l'échelle de l'Amérique) un nouveau *vol* de ce qui appartient aux Noirs, et un essai (conscient ou non) d'étouffement. On s'est assez étendu sur le sort misérable de Bix *obligé* (sic) de jouer, pour vivre, chez Whiteman pour ne pas passer sous silence le sort combien plus désespéré de ces Noirs qui (comme George Lewis ou Bechet quand on se moquait du vieux style) seront, pour vivre, obligés d'être débardeurs, de vendre du cirage ou des aspirateurs et de cesser de jouer — car eux, en général, ne composent pas tous avec l'ennemi.

II

CHOIX DE CRITIQUES DE DISQUES

Abandonnant la formule qui avait fait le succès de Jazz News, *car il ne faut pas s'endormir sur ses lauriers vu qu'on est bien mieux dans un bon lit*[1], *nous vous proposons à partir de maintenant une méthode stricte d'analyse qui permettra tout au moins au lecteur de savoir* ce qu'il y a dans un disque. *Nous tenterons de rassembler ici la documentation la plus complète possible et de réduire au minimum l'appréciation des disques proprement dite ; car la cire a cessé d'être rare et le mieux, comme l'exprime si justement le professeur Bidul, est d'écouter soi-même. Si certains renseignements nous manquent, nous ne les donnerons pas, naturellement, et dans le doute nous nous référerons aux ouvrages de Tricky Brown, le génial commentateur dont les travaux font autorité un peu partout. Il nous arrivera de ne pouvoir vous dire qui prend tel chorus ; mais en réalité, ça importe peu du moment que c'est bien, et si c'est mal, vaut mieux pas savoir qui c'est.*

LA REDACTION.

1. Avec une pépée.

SIDNEY BECHET

A. *Signalement :*

Jazz-Sélection n° JS 522 (disque original américain Blue Note BN 43).

1) *Face A : Blue Horizon* (S. Bechet), par Sidney Bechet Blue Note Jazzmen : S. Bechet (*cl* ou *ssax*), Sidney De Paris (*tp*), Vic Dickenson (*tb*), Art Hodes (*p*), Pops Foster (*b*), Manzie Jonhson (*dm*). 20 décembre 1944. N° NHD : 1 B 134.

2) *Face B : Muskrat Ramble* (K. Ory). Même formation, même date. N° NHD 1 B 135.

B. *Analyse :*

1) *Face A :* Six chorus de Sidney Bechet sur un thème de blues (douze mesures), soutenu par Vic Dickenson et S. De Paris. Pops Foster utilise l'archet tout au long de cette face. Thème classique d'Ory, soixante-quatre mesures.

2) *Face B :* 1) Soixante-quatre mesures par S. De Paris et Bechet soutenu par Dickenson en vamp style ; 2) Chorus de S. De Paris sur les seize suivantes avec riffs de soutien, chorus de Bechet en solo sur les trente-deux suivantes du thème ; 3) Collective conduite par Sidney De Paris sur les trente-deux premières mesures du thème ; 4) Fin par deux mesures break de Bechet deux mesures de collective.

★

DIZZY GILLESPIE ET HIS ORCHESTRA

A. *Signalement : Blue Star N°* 135.
(*Disque Manor* 1042) 1945. *Matrices américaines Manor.*

Face A : *Good Bait* (Gillespie-Dameron) n° de la New Hot Discographie : *3 G 10.*

Face B : *I can't get started* (Vernon Duke), n° N.H.D. *: 3 G 9.*

Par *Dizzy Gillespie and his orchestra :* Don Byas (*ten. sax*) ; Trummy Young (*tb*) ; Clyde Hart (*p*) ; Oscar Pettiford (*b.*) ; Shelly Manne (*dms*).

B. *Analyse :*

Face A : 1) Exposition du thème de 32 mesures type *a.a.b.a.* : Don *a a,* Dizzy *b,* Don *a* ; 2) 1/2 chorus Don. - 4) 16 mesures

d'arrt, unisson ; 5) 8 mesures stop chorus basse. - 6) 8 mesures collectives menées par Don soutenues en contrechant par Dizzy.
Face B : 1) 8 mesures d'intro par Dizzy ; - 2) Un seul chorus de Dizzy sur tempo très lent ; - 3) Coda 4 mesures et fin en ad lib.

★

JAMES MOODY - DON BYAS QUARTET

A. *Signalement : Blue Star N° 131.*
Face A : *Recto* (Barclay).
Face B : *Verso* (Barclay).
Par le *James Moody-Don Byas Quartet :* Moody, Byas (*ten. sax*) ; Peiffer (*p.*) ; Ritchie Frost (*dms.*).

B. *Analyse :*
Face A : 1) Introd. : 4 mesures. - 2) 2 Chorus Don Byas sur thème de blues très lent. - 3) Chorus Moody. - 4) 4 mesures Byas, 4 mesures Moody, 2 mesures Byas, 2 mesures collectives.
Face B : 1) Introd. : 4 mesures. - 2) 2 Chorus Don sur thème blues. - 3) 2 chorus Moody. - 4) 4 mesures Don, 4 mesures Moody, 4 mesures Don.

★

DUKE ELLINGTON AND HIS ORCHESTRA

A. *Signalement : Co CF* 269 (américain Columbia Co 38371 et Co 38165).
Face A : *Stomp, Look and Listen* (Ellington).
Face B : *Air-Conditioned jungle* (Ellington-Hamilton), par Duke Ellington and his orchestra : Ray Nance, Francis Williams, Shelton Hemphill, Dud Bascomb, Hal Baker (*tp.*) ; Lawrence Brown, Claude Jones, Tyree Glenn (*tb.*) ; Jimmy Hamilton, Johnny Hodges, Russell Procope, Al Sears, Harry Carney (*s.*) ; Ellington (*p.*) ; Fred Guy (*g.*) ; Oscar Pettiford (*b.*) ; Sonny Greer (*dm.*). 10 novembre 1947.
B. *Analyse :*
Face A : 1) Introd. piano. - 2) Thème a.a.b.a. 32 mesures par

l'orchestre. - 3) 32 mesures réparties entre les 4 trompettes. - 4) 8 mesures modulation. - 5) 16 mesures cl. (J. Hamilton). - 6) 16 mesures tb. - 7) Arrangement sur le thème a.a. avec tp. dominante sur les 8 dernières. - 8) 8+2 mesures tp.+orch. formant conclusion.

Face B : Long solo de clarinette de J. Hamilton qui reste plutôt dans le domaine de la musique de plateau.

C. *Appréciation :*

Voilà le disque le mieux fait pour illustrer la grande vérité : Ellington peut faire ce qu'il veut. La première face est de l'Ellington le plus délicieux ; la seconde n'entre pas dans le cadre du jazz. Si vous avez jamais entendu un orchestre qui swingue, qui joue en place, où rien ne cloche..., écoutez la première, et vous la trouverez encore supérieure. Quant à la seconde, elle est moins bonne que le Benny Goodman-Krupa à la fin de *Sing, Sing, Sing*...

*

ERROLL GARNER

A. *Signalement : Blue Star N°* 144 (disque américain Atlantic 663).

Face A : *The Way you look tonight* (Kern).

Face B : *Turquoise* (Garner), par Errol Garner (*p.*) and his rhythm (*b.* et *dms. inconnus*).

B. *Analyse :*

Face A : Introd. 4 mesures. - 2) Thème a.a.b.a. de 64 mesures. - 3) Reprise de 32 mesures de b.a. finales et 4 mesures de coda.

Face B : 1) Introd. 4 mesures. - 2) 3 chorus sur les 12 mesures du blues.

C. *Appréciation :*

Erroll Garner, le pianiste de jazz le plus romantique depuis Chopin... On aime ou on n'aime pas Garner, mais ceux qui l'aiment seront servis. Cet équilibre permanent entre la douceur et le coup de griffe est le charme essentiel de Garner. *Turquoise* rappelle beaucoup un vieux Garner presque inconnu, *Blues I can't forget*, paru sur Rex ; mais c'est épuré de tous les éléments boogie qui subsistaient dans celui-là. *The Way* est une fort jolie mélodie... et Garner un fort intéressant jeune homme.

*

Profitant d'une erreur typo qui a fait imprimer dans le même caractère les critiques de Michel Delaroche et d'Hubert Fol, nous vous proposons de gagner des disques : écrivez-nous quels sont ceux de Fol et quels sont ceux de Delaroche ? Nous publierons les noms des gagnants.

Après avoir, comme il convient, analysé en long, en large et en travers, nous revenons à des critiques plus simples non en raison de l'inefficacité du système, mais bien à cause des fabricants de disques, qui en lancent tellement dans la nature qu'il faudrait un numéro entier de Jazz News *pour en chroniquer la moitié. Raisons de place donc avant tout. Si jamais le flot se ralentit, nous reviendrons à l'analyse...*

*

LESTER YOUNG AND HIS BAND

A. *Signalement :* B.S. 177 (disques américains Aladdin 127 et 128).

Face A : *Lover come back to me* (Mandel-Hammerstein-Romberg) N° N.H.D. 1 Y 19.

Face B : *It's only a paper moon* (Rose-Harburg-Arlen) N° N.H.D. 1 Y 17.

par *Lester Young and his band :* L. Young (*t. sax.*) ; Willie Smith (*as*) ; Howard Mc Ghee (*tp*) ; Vic Dickenson (*tb*) ; Wesley Jones (*p*) ; Curtis Counce (*b*) ; Johnny Otis (*dms*) ; Supervision Norman Granz.

B. *Appréciation :*

Quand on se rend profondément compte de l'originalité totale de Lester Young, on a compris ce qui le classe absolument à part. Il ne peut y avoir d'erreur, on est en présence d'un très grand soliste, jamais à court d'idées, jamais à la recherche de celles des autres, vraiment complètement personnel. Il est ici accompagné d'une petite formation qui lui fabrique un fond agréable et varié. Des disques parfaitement détendus, sans prétentions. Sans contredit, une des meilleures acquisitions de *Blue star* qui, cette année, aura fait beaucoup pour révéler Lester au public français. Lester joue tout le temps en solo, à l'exception d'un petit arrangement piano-orchestre à la fin de la seconde face.

★

SIDNEY BECHET ET SON ORCHESTRE

A. *Signalement : SW* 323.

Face A : *Characteristic blues* (Bechet) par les *Noble Sissle Swingters :* Bechet (*cl* et *ss*) : Jimmy Miller (*g*) ; Jimmy Jones (*b*) ; Wilbur Kirk (*dm*) ; Billy Banks (*vo*) ; Disque Variety 648 — 16 avril 1937, n° N.H.D. 1 B 56.

Face B : *What a dream* (Bechet) par Sidney Bechet et son orchestre : Bechet (*cl*) ; Ernie Caceres (*bs*) ; Dave Bourman (*p*) ; Léonard Ware (*g*) ; Henry Turner (*b*) ; Zutty Singleton (*dm*), disque Vocalion 4575, 6 novembre 1938, n° N.H.D. 1 B 70.

B. *Appréciation :*

Ouf ! quel soulagement ! Enfin un bon, très bon, un excellent Bechet. A force de l'entendre dilué dans des formations mal au point, on finissait par désespérer. Enfin Bechet bien accompagné, bien enregistré, avec deux faces qui swinguent, qui chauffent. Dans la première, Bechet à la clarinette, démasque soudain quelques Yeah ! et un vocal à arracher la gorge à n'importe qui, sauf à Billy Banks. Vers la fin, appel de Picou (comme un appel de pied) et dédoublement de tempo bien venu. *What a dream* est meilleur encore ; Sidney joue léger, sans cette emphase que personnellement je trouve un peu lassante, avec un soutien fameux de Caceres, repérez donc le petit bout de middle-part arrangé, c'est du nanan. Partie de guitare intéressante, un très bon disque. Achetez.

★

GEORGE SHEARING QUINTET

A. *Signalement : M.G.M.* 4053.
Face A : *The Continental* (Conrad-Magidson).
Face B : *East of the sun* (Brooks-Bowman), par *George Shearing Quintet.*

B. *Appréciation :*
Plus on entend du Shearing et moins on est d'accord. C'est du super Charlie Kunz si on veut, mais il n'y a rien pour nous là-dedans ; c'est froid, technique et assommant. De la vraie musique pour danser, qui vous laisse tout le loisir de vous occuper des gens avec qui vous êtes. Ce à quoi cela ressemble le plus, au fond, c'est le « strict dance tempo » de Victor Silvester ou Joséphine Bradley...

★

COLEMAN HAWKINS AND HIS SAX ENSEMBLE

A. *Signalement : B.S.* 163 (disque américain Keynote-Mercury).
Face A : *Three Little words* (Ruby-Kalmer) N° N.H.D. 4 H 95.
Face B : *Louise* (Robin-Whiting) N° N.H.D. 4 H 94.
par *Coleman Hawkins and his sax ensemble,* avec Tab Smith (*as*) ; Coleman Hawkins (*ts*) ; Don Byas (*ts*) ; Harry Carney (*bs*) ; Johnny Guarnieri (*p*) ; Al Lucas (*b*) ; Sid Catlett (*dm*).

B. *Appréciation :*
L'ensemble de saxes, derrière Hawkins, qui expose la face A, sonne aussi bien qu'un arrangement de Benny Carter. Deux merveilleux chorus de Harry Carney avec Sidney Catlett qui lui fournit un terrible two-beat. Puis vient Guarnieri qui hésite visiblement entre Count Basie, Waller et Hines, mais les imite fort bien tous trois. Tab Smith prend un chorus un peu forcé, mais Hawkins revient très fort et les emmène tous au poteau sans difficulté. Très bonne face. La seconde remet en vigueur un vieux thème bien sympathique qui les inspire tous au moins autant que le précédent. Excellents riffs de soutien, bon travail de Guarnieri. Carney ressort de ces deux faces à égalité au moins avec Haw-

kins ; ce sont deux bien grands messieurs. Un bref passage de Don Byas dans *Louise* nous fait regretter de l'entendre si peu.

★

ART TATUM TRIO

A. *Signalement : B.S.* 179 (américain Comet).
Face A : *I Know that you know.*
Face B : *The man I love* (Gershwin), par *Art Tatum Trio :* A. Tatum (*piano*) ; Tiny Grimes (*g*) ; Slam Stewart (*b*).

B. *Appréciation :*
On attendait depuis longtemps que sortent en France ces sensationnels enregistrements du Trio Art Tatum, qui furent exécutés pour la marque Comet. Le premier, *I know,* est pris sur un tempo diabolique et on est obligé de le passer une douzaine de fois pour commencer à se rendre compte de ce qui arrive. On a tout dit de la vélocité de Tatum, de sa technique effarante, de ses idées. On peut encore en dire autant et on sera bien en deçà de ce qui reste à faire pour le décrire. *The Man I love* est pris sur un tempo lent et permet à Tiny Grimes et à Slam de se montrer plus à leur avantage que dans la face précédente, où il faut l'avouer, Tatum les ratatine complètement. Le désespoir des pianistes et la joie des amateurs.

★

BARNEY BIGARD QUINTET

A. *Signalement : B.S.* 178 (matrices américaines Mercury).
Face A : *Rose Room* (William-Hickman), par *Barney Bigard Quintet,* avec B. Bigard (*cl*) ; Joe Thomas (*tp*) ; Johnny Guarnieri (*p*) ; Billy Taylor (*b*) ; Cozy Cole (*dms*).
Face B : *Lust for Licks* (Jones), par *Jonah Jones Sextet,* avec Jonah Jones (*tp*) ; Tyree Glenn (*tb vibes*) ; Hilton Jefferson (*a sax*) ; Buster Harding (*p*) ; Milton Hinton (*b*) ; J.C. Heard (*dms*).

B. *Appréciation :*

Face A. Barney Bigard, sans son « metteur en scène » Duke, ce n'est plus guère que procédé. Dommage de gâcher une section rythmique comme ça, qui est vraiment digne d'une meilleure inspiration. La fin en sifflet est très Barney Bigard du Nord.

★

HUBERT FOL BE BOP MINSTRELS

A. *Signalement : S.W.* 339.

Face A : *This Fol-ish thing* (H. Fol).

Face B : *These foolish things* (Strachey), par *Hubert Fol bebop minstrels :* H. Fol (*as*) ; R. Fol (*p*) ; P. Michelot (*b*) ; Kenny Clarke (*dms*).

B. *Appréciation :*

Profitons de ce qu'Hubert n'est pas là pour répéter que son style, de plus en plus, apparaît vigoureux et original ; une superbe sonorité, une attaque solide, une technique fort appréciable, tout cela contribue à faire d'Hubert un garçon à surveiller (un seul ennui dans ces deux faces : l'enregistrement défectueux ; jamais on ne déplorera assez le manque de personnel qualifié dans les studios français ; on traite tous les plans sonores dans le même esprit et on ignore ce que c'est qu'une basse). Mais revenons à ce disque pour signaler en passant à Leonard Feather qu'une autre raison, pour laquelle les Américains blancs ne nous intéressent guère, c'est la présence, en France, de quelques Hubert Fol...

★

CHARLIE PARKER'S QUINTET

A. *Signalement : B.S. N°* 183 (Dial américain 1032).

Face A : *Bird of Paradise.*

Face B : *Dexterity,* par *Charlie Parker's Quintet :* Ch. Parker (*as*) ; Miles Davis (*tp*) ; Duke Jordan (*p*) ; Tommy Potter (*b*) ; Max Roach (*dms*).

B. *Appréciation :*

La première face est la plus belle, à mon avis, qui ait jamais été gravée par Parker. Le *Bird of Paradise* en question n'est autre qu'un solo fantastique sur les harmonies de « All the things you are » et n'a rien de commun avec le thème d'Ellington. Il faut véritablement être aveugle à l'évidence pous refuser de voir en Parker un musicien d'une envergure aussi prodigieuse que celle des plus grands des générations précédentes. La netteté, l'attaque, l'éclat dur de son jeu, une sonorité unique, et un sens du jazz rarement rencontré, voilà quelques-unes des qualités de Parker qui ressortent de ce disque. Quant à ses dons d'improvisateur, je répète qu'ils tiennent du génie. *Dexterity*, la seconde face, est un morceau plus rapide dans lequel on notera des unissons excellents et l'incisif piano de Jordan. S'il fallait ne garder qu'un Parker, c'est certainement ce disque-là que je recommanderais.

*

LOUIS ARMSTRONG ET SES HOT FIVE

A. *Signalement : N°* 279 826 (OK· 8300), 26 février 1926.

Face A : *Heebie Jeebies* (Atkins) n° N.H.D. 1 A 89.

Face B : *Muskrat Ramble* (Ory) n° N.H.D. 1 A 90.

N° 279 827 (*OK* 8396) 23 *juin* 1926.

Face A : *The king of the zulus* (Lil Hardin) n° N.H.D. 1 A 111.

Face B : *Lonesome blues* (L. Hardin) n° N.H.D. 1 A 112, par Louis Armstrong et ses Hot Five : Armstrong (*c, vo*) ; Kid Ory (*tb*) ; Johnny Dodds (*cl*) ; Lil Armstrong (*p*) ; John St-Cyr (*bjo*).

N° 279 829 (*OK* 8496).

Face A : *Keyhole blues* n° N.H.D. 1 4 146, 13 mai 1927.

Face B : *Melancholy blues* n° N.H.D. 1 2 143, 11 mai 1927, par Louis Armstrong and his hot Seven : L. Armstrong (*c* et *vo*) ; Kid Ory (*tb*) ; Johnny Dodds (*cl*) ; Lil Armstrong (*p*) ; Johnny St-Cyr (*bjo*) ; Pete Briggs (*tuba*) ; Baby Dodds (*dm*).

B. *Appréciation :*

Je suppose qu'il y a aussi un numéro 279 828, mais ne l'ayant pas reçu, je suis réduit aux conjectures. Quoi qu'il en soit, voici quelques faces excellentes tout au moins en ce qui concerne le jeu de Louis, et en tout cas fort intéressantes : elles présentent, étant des rééditions, l'avantage supplémentaire (et si peu courant) de correspondre aux couplages originaux, ce qui est véritablement surprenant quand on songe aux mœurs des compagnies de disques. Donc, bravo pour Odéon.

Heebie Jeebies — vocal célèbre de Louis qui, rapporte Mezzrow dans *Really the Blues,* perdit sa partition au milieu du couplet et se mit, sans se démonter, à chanter à sa façon le reste du morceau ; débuts du « scatsinging »... Dans tous ces disques, Louis domine les autres, seul Kid Ory reste à la hauteur. Johnny Dodds est vraiment mauvais. *Muskrat Ramble* est un thème si éculé que les mauvaises interprétations finissent par vous gâcher les bonnes. *The King* est un thème original, exposé par Kid Ory sur un curieux fond solennel. Bien bavard, Kid... Louis vient arranger ça. Bon banjo de St-Cyr. *Lonesome blues.* Est-ce un chat à qui on marche sur la queue ? Non, un Dodds qui arrive à être touchant, tellement il fait « bon nègre ». Johnny prouve bien que la clarinette est le pire des instruments... Bon Louis. *Keyhole :* exposé vraiment très faux (c'est encore Dodds) — je me rappelle un mot de Luter ; on lui disait : « tu joues faux » et il répondit cette chose superbe « Comment crois-tu qu'ils jouaient à la Nouvelle-Orléans ? » Ce disque en est une preuve toute vive, pour Dodds du moins. Mais la formation est ici mieux soutenue par la batterie et le tuba, et Louis a de très belles envolées vers la fin. *Melancholy* : je préfère cette version à la Polydor. Atmosphère très relax, Kid Ory excellent. *Commentaire général :* Certes, ces disques ont des défauts, mais ils seront toujours dix fois plus intéressants que toutes les imitations qu'on peut en faire de nos jours et en tout cas, ils méritent de figurer dans toutes les discothèques.

★

le [illegible] ?

Je suppose qu'il y a aussi un numéro 2 et 3, mais ne l'ayant pas reçu, j'en suis réduit aux conjectures. Quoi qu'il en soit, voici quelques faces excellentes (pour ma part, j'en ai [illegible]) de Louis, et en tout cas fort intéressantes, à titre [illegible] des rééditions, l'avantage supplémentaire ici si peu courant de correspondre aux couplages originaux, ce qui est véritablement surprenant quand on songe aux mœurs des compagnies de disques. Donc, bravo pour Odéon.

Heebie Jeebies — vocal célèbre de Louis qui rapporte Mezzrow dans *Really the Blues*, perdit sa partition au milieu du [illegible] et se mit, sans se démonter, à chanter à sa façon [illegible] du morceau ; débuts du « scat-singing ». Dans tous ces disques, Louis domine les autres ; seul Kid Ory tient le [illegible] haut ; Dodds est vraiment mauvais. *Muskrat Ramble* est du thème [illegible] que les innombrables interprétations finissent par vous [illegible] les bonnes. *The King* est un thème original exposé par Kid Ory sur un curieux fond solennel. Bien bavard, Kid... Louis vient arranger ça. [illegible] de St-Cyr. *Sonsonnet* [illegible]. Est-ce un chat à qui on marche sur la queue ? Non, un Dodds qui [illegible] à cœur touchant, tellement il fait « son nègre ». Johnny prouve bien que la clarinette est le [illegible] des instruments. *Cornet Chop Suey* exposé vraiment très faux (C'est encore Dodds ? — je me rappelle [illegible] [illegible] et il répondit cette chose superbe : « Comment voulez-vous qu'ils jouaient à la Nouvelle-Orléans ? » Ce disque est du [illegible] presque toute [illegible] pour Dodds du moins. Mais sa [illegible] est [illegible] soutenue par le [illegible] et le tuba, et Louis a de très belles envolées vers la fin. *Heebie Jeebies* [illegible] atmosphère très relax, Kid Ory excellent. [illegible] en général. Certes, ces disques ont des défauts, mais ils sont toujours dix fois plus intéressants que toutes les imitations qu'on peut en faire de nos jours et en tout cas, ils méritent de figurer dans toutes les discothèques.

RADIO 49 RADIO 50

Jean Guignebert, directeur de Radio 49, *puis* 50, *avait demandé à Boris Vian de tenir dans son hebdomadaire une tribune sur le jazz. Vian accepta et tint cette chronique du* 4 *novembre* 1949 *au* 28 *janvier* 1950, *soit* 13 *articles dont le ton est donné par le titre du premier : « A partir de cette semaine Boris Vian entreprend de vous initier au jazz. »*

On ne sait pourquoi cette collaboration cessa aussi rapidement, d'autant que les lecteurs y trouvaient leur compte si on en juge par les lettres que nous avons retrouvées. Une lectrice de Lyon : « Je suis avec intérêt vos articles chaque semaine dans Radio 50. *»*

Patrick Fréchet a retrouvé un texte isolé, sur le Festival 1949 *à Pleyel, paru dans le numéro du* 13 *mai* 1949. *Cette découverte aurait dû nous inciter à dépouiller la collection de* Radio 49 *; nous avouons ne pas l'avoir fait. Peut-être s'y trouve-t-il d'autres articles de Boris Vian.*

C. R.

★

RADIO 49, n° 238
13 mai 1949

Le Festival international de Jazz 1949

NE CRACHEZ PAS SUR LA MUSIQUE NOIRE

La France est en passe de devenir le porte-flambeau du jazz international ; si l'on passe en revue les orchestres qui, depuis deux ans, se sont succédé sur notre sol, on est dans l'obligation de constater que pas un pays au monde n'a encore fait un tel effort pour une diffusion et une compréhension plus étendue de la musique noire américaine.

Cette année, le Festival se tiendra salle Pleyel et la liste des vedettes est plus impressionnante que jamais. Outre la participation américaine, en effet, l'Angleterre, la Belgique, l'Italie, la Suède et la Suisse ont délégué leurs représentants, qui vont de la grande formation à dix-huit musiciens de Vic Lewis au pianiste solo Armando Trovajoli. Et nous n'aurions garde d'oublier les défenseurs de la cause française, Barelli, Ekyan, Rostaing, Fohrenbach, Chauliac, Luter, Braslavsky, Diéval, Peiffer..., j'en passe et des meilleurs, n'est-ce pas, Django Reinhardt ?

Comme il est naturel, ceux que l'on attend avec le plus d'impatience sont cependant les Américains. Ils sont douze, et à ce nombre on mesurera l'effort fait par les promoteurs du Festival qui, ne disposant d'aucun appui officiel, d'aucune subvention, n'ont pas hésité à engager les capitaux considérables que représente un tel « arrivage ». Les lecteurs de *Radio-49* seront sans doute curieux de savoir en quoi consiste exactement la délégation américaine ; voici quelques détails sur chacun des musiciens prévus.

A Sidney Bechet, le vétéran, l'honneur de figurer en tête de cette liste. Les auditeurs familiarisés depuis plusieurs mois avec la musique « Nouvelle-Orléans » ne seront sans doute pas surpris par le style de Bechet ; mais ils le seront par l'esprit qui anime ce grand chef de file, aussi vert à cinquante ans qu'au temps de sa première tournée en Europe, en 1919.

Avec Pete Johnson, on sera en plein « boogie-woogie ». Laissons-là les pâles imitateurs de ce style purement pianistique, aux basses roulantes et balancées : il est temps que l'on sache enfin ce que c'est « pour de vrai ». Pas de meilleur démonstrateur.

« Big Chief » : Russel Moore, un Indien pur sang et Oran Page illustreront le style classique du jazz des années 30-40, le premier au trombone, le second à la trompette. Ajoutons que Page, surnommé Hot Lips par ses confrères, en raison de la chaleur de son jeu est un chanteur fort savoureux.

Viennent les modernes ; et d'abord, Charlie Parker et son quintette (Kenny Dorham, trompette, Al Haig, piano, Tommy Potter, basse, Max Roach, batterie). Charlie Parker qui occupe avec Dizzy le trône des rois du be-bop, est considéré par les critiques les plus clairvoyants comme un génie du jazz, d'une envergure comparable à celle d'Armstrong. Son jeu a influencé toute l'école moderne. Pour donner une idée du renom de Parker parmi les musiciens, je vous rappellerai qu'à Harlem, le quartier noir de New York, on disait : « Il joue comme le Bird », pour exprimer la classe exceptionnelle d'un musicien quelconque... Le Bird, c'était Charlie et il avait alors dix-sept ans. Maintenant, on ne le dit plus... personne ne peut plus jouer comme lui.

Enfin, Miles Davis, Tadd Dameron, Kenny Clarke et James Moody, bien connus des amateurs, complètent l'apport américain à la cause du jazz de ces dernières années ; analyser leur style serait long et complexe... autant que leurs idées et que leur talent... venez donc les écouter ou ouvrez votre radio, vous comprendrez ce que je voulais dire. Et si vous n'aimez pas ça, incriminez votre oreille et faites un effort... cela en vaut la peine.

*

RADIO 49, n° 263
4 novembre 1949

A PARTIR DE CETTE SEMAINE BORIS VIAN ENTREPREND DE VOUS INITIER AU JAZZ

Puisque cet article est (ou doit être) le premier d'une série régulière, qu'il me soit permis tout d'abord de souhaiter le bonjour aux lectrices de *Radio 49* et aux lecteurs ensuite, comme il se doit. Je vais donc vous parler ici, toutes les semaines, du jazz. Je sais que le sujet est dangereux et que j'y risque bien des inimitiés ou des protestations ; je crois cependant qu'en cette matière comme en bien d'autres, toute polémique sérieuse pourrait être évitée, si l'on prenait la peine de définir les termes que l'on utilise.

De ce point de vue d'ailleurs, la Radiodiffusion française n'est pas toujours exempte d'une certaine responsabilité : il lui arrive trop souvent encore de coller l'étiquette jazz sur des produits fort estimables dans leur genre mais qui n'ont aucun rapport avec ce qu'est, selon l'avis quasi unanime des critiques spécialisés, le jazz. Le résultat est double et désastreux : les amateurs de jazz constatent qu'il y a fraude sur la nature de la marchandise et cessent d'écouter la radio, et les détracteurs du jazz en profitent pour contester l'intérêt de ce qu'ils entendent et qui n'est en général, il est vrai, qu'une mouture rythmique quelconque ne réalisant aucun apport réel à la cause de la musique en général.

Il doit être bien entendu : 1° Que le jazz est avant tout la musique rythmique des noirs d'Amérique, depuis les orchestres vieux style (Nouvelle-Orléans), jusqu'à ceux du style le plus moderne (orchestre Dizzy Gillespie, etc.). 2° Que le jazz blanc le seul valable est celui où les musiciens se sont mis modestement à l'école de leurs maîtres en s'efforçant d'en pénétrer *l'esprit,* et non seulement certaines *formes* comme l'avaient fait en 1925, les exécrables formations de Paul Whiteman, en Amérique, et Jack Hylton, en Angleterre, musiciens hissés au sommet à la fois par les préjugés raciaux et par une publicité bien faite, et dont *toutes les faces* faites à cette époque sont réellement inaudibles à l'heure actuelle tant elles sentent la nullité et le truquage. 3° Que les tentatives faites par certains critiques incapables d'évolution pour discréditer la forme prise par le jazz, ces dernières années, ne reposent sur rien d'autre qu'un *manque de compréhension* totale, car du style Nouvelle-Orléans à ce que l'on est convenu d'appeler « be-bop » (ce que jc déplore comme vous) *tous les intermédiaires existent,* ce qui prouve bien que ce soi-disant be-bop n'est que l'aboutissement présent d'une évolution qui se poursuit.

Ceci dit, il reste évident que, chez les noirs comme chez les blancs, dans le vieux style comme dans le style actuel, il y a une sévère discrimination à faire. Un des grands reproches que l'on peut adresser aux fanatiques du jazz est le tort qu'ils ont causé à la musique qu'ils aiment par l'abus des superlatifs. Qu'Untel ou Untel soit un très grand musicien, d'accord... mais on a tant de fois crié au génie qu'il faut bien dire ici que le jazz n'en connaît qu'un bien petit nombre qui soient *complets :* le plus grand est sans conteste Duke Ellington.

Ceci dit également, on n'en reconnaîtra pas moins que le jazz a donné lieu à une quantité d'enregistrements ou d'exécutions dans lesquelles l'amateur sincère peut découvrir d'admirables richesses et qui suffisent largement à le combler. Mais là, comme en toutes choses, une initiation se révèle nécessaire, que nous tenterons de préciser dans un prochain article.

★

RADIO 49, n° 264
11 novembre 1949

A QUOI RECONNAIT-ON QU'IL S'AGIT DE VRAI JAZZ ?

En tentant la semaine dernière, d'établir quelques-uns des principes qu'il ne faut jamais perdre de vue lorsqu'on parle du jazz, je préparais le terrain à la question que vous ne pouviez manquer de poser : *à quoi reconnaît-on qu'il s'agit de vrai jazz ?*

On a écrit bien des livres là-dessus ; et, dans l'ensemble, leur lecture permet d'en avoir une idée : je vous y renvoie donc ; dans l'immédiat, une recette commode consiste à se fier au nom de l'orchestre et des musiciens ; lorsque vous écoutez Sidney Bechet, Duke Ellington, Armstrong ou Charlie Parker, dormez sur vos deux oreilles (bien que ceci puisse vous gêner pour entendre), c'est du vrai jazz.

Par contre, Ray Ventura, Yvonne Blanc, Camille Sauvage, Victor Silvester, Guy Lombardo, etc., produisent une musique de danse qui peut être agréable et bien jouée, mais n'a d'autres points communs avec le jazz que le choix des thèmes et la mesure à quatre temps.

Et voyez comme c'est compliqué : il fut un temps où l'orchestre de Ventura, que je n'ai pas cité au hasard, comprenait quelques-uns des meilleurs musiciens français de jazz : Philippe Brun, Combelle, Chaillou, etc.

Mais les nécessités commerciales font qu'en France, il est difficile de vivre décemment en ne jouant que du jazz.

a) parce qu'il n'y a pas assez de bons exécutants de jazz, ce qui fait qu'à tout prendre, le public n'a pas tort, au fond, de bouder des orchestres non satisfaisants ;

b) parce que, y en eût-il assez, c'est le public qui serait insuffisant : les gens qui ont assez d'argent pour sortir le soir veulent danser ; et il est rare en France qu'on ait assez d'argent avant un certain âge ; âge auquel on préfère s'aventurer sur des tangos pas trop rébarbatifs ou des slows suffisamment castrés de leurs éléments actifs pour ne pas s'imposer à vous.

Et ceci explique sans le justifier, le point de vue de certains patrons de cabaret, dénués totalement de sens artistique mais possédant une solide expérience des désirs de leur clientèle, et qui préfèrent le sirop des orchestres de danse endormants au tonique d'un bon jazz.

Cependant, les patrons ont tort ; car il est possible d'intéresser le public au bon jazz : les exemples de Claude Luter, de Jean-Claude Fohrenbach, de Pierre Braslavsky sont là pour le prouver.

Mais il faut des musiciens jeunes, enthousiastes et capables d'accepter une semi-misère pendant le temps que durera leur enthousiasme de prosélytes. Ne jetons pas la pierre à ceux d'entre eux qui abandonnent : on ne peut pas toujours supporter les privations et, si l'on n'est pas seul, il faut s'incliner et vivre d'abord.

Tout ceci pour vous dire qu'en somme, il n'est pas facile en France d'entendre sur place du vrai jazz. Heureusement, l'Amérique est là : et le développement d'une minorité d'amateurs sincères a permis à certains musiciens américains de venir jouer chez nous ; et aux grandes ou petites marques de disques de constituer un solide répertoire.

C'est ce répertoire qu'utilise le plus souvent la radio ; maintenant que le contact est pris et que votre initiation théorique (et bien réduite, malheureusement), est faite, je pense, dans les articles qui suivront, vous parler plus précisément de l'importance accordée au jazz par la radio française et des émissions qui peuvent nous intéresser.

*

Radio 49, n° 265
18 novembre 1949

LE JAZZ A LA RADIO

Les amateurs de jazz, nous l'avons vu, n'ont pas toujours lieu de se féliciter des confusions faites à la radio et ailleurs, dans l'emploi du mot « jazz »». Les amateurs de jazz attachent à ce maître mot une signification précise, certains poussent même le fanatisme (on peut bien dire le sectarisme) jusqu'à restreindre l'appellation contrôlée à une toute petite fraction de ce qu'on leur offre — et qui n'est déjà pas tellement considérable. C'est ainsi que certains jeunes (peu nombreux, il est vrai) désignent et rejettent systématiquement tout ce qui leur paraît, à l'audition, non conforme aux caractéristiques du jazz en 1925 : ceux-là, en France, n'écouteront que Luter. D'autres (et ils ont également tort) refusent de savoir ce que l'on a fait avant 1944, date approximative du succès de Charlie Parker, Dizzy Gillespie, et des musiciens « avancés ».

Sans se laisser troubler par les arguments des uns ni des autres, les amateurs, au sens estimable du terme, tentent de ne retenir, et parmi la production antérieure à 1925 et dans toute la masse de ce qui suivit, que les faces dignes de ce nom et dont on peut dire honnêtement : c'est de la musique... nous reviendrons d'ailleurs sur les critiques de ce jugement.

Pour fixer les idées, prenons le n° 263 de *Radio 49* — 6 au 12 novembre 1949 — et voyons ce qu'un amateur à l'esprit pas trop étroit pouvait trouver dans les programmes.

Eh bien ! malgré sa volonté d'être tolérant, l'amateur, d'abord, ne pouvait admettre le titre de couverture : « Wal-Berg et son grand Jazz symphonique ». Certes, la musique de Wal-Berg n'est pas déplaisante, et pour vous prouver que nous la connaissons, nous nous rappellerons ensemble ses accompagnements aux faces Columbia de Jean Sablon en 1937-1938. Mais pas plus qu'on ne demanderait à Walter Gieseking de jouer Daquin comme Wanda Landowska (et vice versa), on ne peut exiger d'un grand orchestre formé de musiciens entraînés presque tous suivant une discipline classique de développer la chaleur, le « swing », le « beat », etc., inséparables du vrai jazz. Rayons donc toutes les émissions de Wal-Berg de la zone d'intérêt des amateurs de jazz : pas un ne me contredira.

Ceci dit, passons aux détails. Voici le reste :

a) Dimanche 6, Parisien, 19 h 15. *Jazz 49*, consacrée à Louis Armstrong. Ça c'est pour nous. Total : 30 minutes.

b) Même jour. Paris-Inter. 17 h 18. *Club du Jazz :* 25 minutes.

c) Lundi 7. National, 17 h 30. *Thé dansant*, cette fois avec Rostaing. Cela peut être ou non du jazz, suivant ce qu'on imposera à Rostaing, qui est un bon « jazziste »... quand on lui en laisse le loisir. Total : 30 minutes.

d) Parisien. 22 h 30. *Ce soir on danse.* D'après les titres, il y aura du Count Basie, du Lester Young, du Charlie Parker — il faudrait préciser les orchestres. Total : 40 minutes.

e) Paris-Inter. 13 h 20. *Piano-Jazz.* Par Peiffer et Persiany ? Bon. Deux bons pianistes de jazz français. Total : 10 minutes. Mais le lendemain, sous la même rubrique *Piano-Jazz*, trois autres artistes absolument étrangers au jazz. Alors ?

f) Paris-Inter. 22 h 45. *Jazz-Parade.* Retransmission des concerts dominicaux d'Edouard-VII. Bonne ambiance : 45 minutes.

g) Paris-Inter. 24 heures. *Musique du soir*. Quelques bonnes faces de Grappelly, Reinhardt, Diéval. Total : 15 minutes.

h) Mardi 8. Paris-Inter. 24 h 12 environ... Une face de Don Byas... 2 minutes 30, si elle n'est pas coupée...

i) Mercredi 9. Paris-Inter, 12 h 20. *Pianistes de jazz*. Environ 10 minutes.

j) Paris-Inter. 17 h 28. Une face d'Ellington... Si elle n'est pas coupée... 2 minutes 30.

k) Jeudi 10. Paris-Inter. 21 h 43. *Jeunesse du Jazz*, 4 faces de Bechet, environ 10 minutes.

Vendredi 11, néant. On fait maigre.

l) Samedi 12. Parisien. 23 h 30. *Week-End*. Jean-Claude Fohrenbach : 30 minutes.

m) Paris-Inter. 12 h 30. *Panorama du Jazz américain* : 40 minutes, en général très intéressantes.

n) Paris-Inter. 22 h 35. *Surprise-Party*. Environ 35 minutes de jazz français enregistré, potable.

Et c'est tout. Total : cinq heures vingt-cinq minutes de jazz pour la semaine et les trois émetteurs. Soit une heure cinquante minutes chacun, soit quinze minutes en moyenne par jour et par émetteur.

Or, dans les référendums, 10 % du public au moins demande du vrai jazz à l'exclusion du reste (vous savez ce qu'est la passion...).

Quinze minutes représentent-elles bien 10 % du nombre d'heures d'émissions quotidiennes de chaque station ?

Et ne répondez pas que j'ai oublié Raymond Scott (mardi), Percy Faith (lundi), etc.

Car ce n'est pas du jazz. Et ce n'est pas avec ce genre d'ersatz qu'on fera tenir tranquille les amateurs, pas si commode à « avoir »...

★

RADIO 49, n° 266
25 novembre 1949

LE LECTEUR DE *RADIO 49* EST EXCUSABLE DE NE PAS CONNAITRE COLEMAN HAWKINS

Le lundi 28 novembre, en principe, *Jazz-Parade,* sur Paris-Inter, présentera Coleman Hawkins, de retour en France après un an et demi d'absence. En principe, Hawkins sera accompagné par Kenny Clarke (batterie), James Moody (ténor-saxo), Nat Peck (trombone), Hubert Fol (alto-saxo), J.-P. Mengeon (piano) et Michelot (basse), trois jeunes musiciens français par conséquent.

Naturellement, le lecteur de *Radio 49* est parfaitement excusable de ne pas connaître Coleman Hawkins autour duquel on n'a jamais fait, grâce au ciel, de tam-tam publicitaire d'un goût douteux. Précisons donc que Hawkins est un noir, né en 1904 dans le Missouri (comme le président Truman, mais leur ressemblance s'arrête là), qui depuis bien des années, s'est imposé comme un des deux chefs de file sur l'instrument difficile qu'est le saxo ténor (le second est Lester Young).

On abuse souvent des superlatifs en matière de critique de jazz, mais sans nul doute, Hawkins a eu sur les spécialistes du ténor une influence comparable à celle d'Armstrong sur les trompettistes.

Depuis son long séjour dans l'orchestre de Fletcher Henderson (1924 à 1934), Coleman Hawkins, originateur du « style mitrailleuse » caractérisé par un usage intensif de la figure rythmique croche-pointée, double croche, s'est développé en une sorte de bouillonnement musical d'un romantisme véhément que l'on pourrait appeler « style inspiré ». Dans les deux cas, Hawkins a toujours été remarquable par sa belle sonorité, la netteté de son attaque et, ces dernières années, par une sérénité et une profondeur très attachantes. C'est un de ces musiciens qui se révèlent à vous par le disque : on ne saisit sa richesse qu'à l'audition répétée. D'ailleurs, sa production sur cire est assez abondante : il ne faut pas se plaindre.

Au physique, Hawkins est un homme de taille moyenne, assez corpulent qui semble, lorsqu'il joue, se désintéresser totalement et de ceux qui l'écoutent et de ceux qui l'accompagnent. Son jeu, un peu à son image, plein d'aisance, passe tout seul et paraît si naturel et si logique qu'on se rend compte après coup seulement de la richesse et de l' « activité » de ce qu'on vient d'entendre.

Un certain nombre de ses disques se trouvent sur le marché

et, avant la guerre, Hawkins en grava quelques-uns à Paris même, avec une formation qui comprenait notre national Django Reinhardt et les saxos Alix Combelle et André Ekyan, groupés sous la férule de Benny Carter, autre saxo célèbre, mais saxo-alto celui-là. Dans une chronique récente, on appelle Hawkins le musicien de *Body and Soul* et *Yesterdays* : de fait, il s'agit là de ses deux enregistrements les plus fameux. Lorsque Coleman grava *Body and Soul*, le 11 octobre 1939, voici plus de dix ans, ce fut une espèce de révélation : ses chorus sur ce beau thème étaient la cristallisation de tout son travail de quinze ans. Hawkins enrichissait la mélodie d'une broderie complexe, sans la moindre baisse de tension du premier au dernier sillon. *Yesterdays*, paru récemment en France, est à peine inférieur : seule la qualité de la gravure est moins bonne. Ce sont là deux sommets dans l'œuvre « conservée » de ce grand improvisateur.

Hawkins est un de ces musiciens sans légende publicitaire dont l'action dans le domaine du jazz est tout en profondeur. Ce n'est que le concert terminé qu'on saisit tout ce qu'on vient d'entendre : c'est un artiste qu'il est bon d'aborder par l'intermédiaire de la radio, apte à l'isoler et à le détacher, qui nous permet de profiter à fond de ses dons très remarquables.

★

RADIO 49
4 décembre 1949

LE CRITIQUE DE JAZZ DOIT-IL ETRE MUSICIEN ?

A considérer les exclusives que l'on jette sans se frapper, dans le monde du jazz, sur tel musicien ou tel orchestre, les profanes doivent, je n'en doute pas, poser plus d'une fois la question : de quel droit s'arroge-t-on le titre de critique de jazz ? Et pourquoi prétendez-vous connaître mieux que d'autres un sujet qui, apparemment, peut être traité par tout individu muni de deux oreilles en bon état et d'une once de jugement ?

Le problème de la critique est général, sans doute, et je n'ai pas l'outrecuidance de vouloir ici le poser dans son entier, ni le résoudre ; le jazz présente cependant diverses particularités dont je soulignerai quelques-unes dans ce qui suit.

Le jazz, d'abord, est une musique d'Amérique. Ce qui revient à dire que l'on sera, pour en juger, tributaire des éditions de disques ou des importations. En effet, les concerts ont gagné en fréquence, mais Paris n'est pas encore une ville où l'on peut entendre du jazz régulièrement, ni beaucoup de bon jazz. La Deuxième Guerre mondiale, en rompant les contacts avec les Etats-Unis, a eu pour effet indirect la querelle actuelle du bop : seuls quelques rares privilégiés ont pu suivre l'évolution du jazz noir et constater qu'elle était inévitable et ne constituait point un brusque changement. D'autres, au contraire, s'imaginent à tort que l'on a innové dans le vide et que le prétendu « be-bop » est le fruit de cette innovation ; ceux-là, à notre sens, ont tort, car on peut trouver tous les intermédiaires entre le jazz de 1940 et le jazz de 1950.

Conséquence directe : le jazz n'est pas un art gratuit, comme peuvent l'être la peinture, la sculpture et même, par le truchement des bibliothèques, la littérature. Ce caractère du jazz est celui de toute musique : mais la radio abreuve beaucoup plus abondamment l'amateur de classique qu'elle ne le fait pour l'amateur de jazz. De plus, le marché des disques d'occasion est beaucoup mieux fourni en classique : mais on va aussi écouter « du Wagner », « du Mozart », « du Bach », tandis qu'en jazz on ne s'intéressera qu'à l'exécutant.

Certes, un très gros effort a été fait tout récemment par les éditeurs de disques, et le nombre de cires que l'on peut actuellement se procurer en France est considérable ; mais un calcul simple prouve que celui qui se contenterait d'acheter les nouveautés dépenserait, à raison de vingt disques par mois, près de soixante-dix mille francs par an : et il doit, en outre, disposer d'un pick-up, d'albums, etc., toutes choses fort onéreuses pour un jeune, à qui cette musique plaît plus particulièrement.

A celui qui n'a pas ces moyens financiers, il reste la possibilité d'adhérer à une des organisations (Hot-Club de Paris, Hot-Club de France) qui disposent d'une discothèque, ce qui risque de faire déteindre sur lui les manies de ces organisations, ou de s'en remettre à l'amabilité des collectionneurs. Cependant, les collectionneurs risquent d'être spécialisés et, d'autre part on ne peut être tout le temps chez eux.

Que d'obstacles à notre critique futur !... Il est pourtant nécessaire qu'il assimile l'ensemble de l'évolution du jazz. Cette musique, née en même temps que les moyens mécaniques de reproduction et qui a connu son grand développement à l'époque de la radio, s'est étendue et répandue beaucoup plus vite que la musique classique, et l'interaction des musiciens a été beaucoup plus profonde ; si, du temps de Mozart, la radio avait existé, d'un bout à l'autre de l'Europe on aurait connu, du jour au lendemain, sa dernière œuvre ; et qui sait si des vocations n'eussent pas été suscitées, des influences exercées, que sais-je encore ? Si tel chorus d'Armstrong reproduit tel chorus d'Oliver, vous devez le savoir ; ce n'est pas à dire qu'il vous faille pour cela un bagage musical extraordinaire : un peu d'oreille suffit.

Et nous touchons là au point litigieux de tant d'entretiens sur le jazz... le critique de jazz doit-il être ou non un musicien ? Ceci n'est pas discuté en musique classique où l'on admet fort bien l'inverse ; en jazz, il semble que l'on n'ose affirmer son opinion qu'après avoir soufflé dans un biniou quelconque...

Au fond, quelle erreur !... Après tout, pour être critique, ne suffit-il pas de publier des articles de critique ? Personne ne s'en soucie et ça ne fait pas grand mal...

*

RADIO 49, nº 268
8 décembre 1949

SYDNEY BECHET EST PRATIQUEMENT LE SEUL SPECIALISTE DU SAXO SOPRANO

Le 16 décembre à 21 h 45, la Radiodiffusion française inaugure une série d'émissions avec Sydney Bechet, le grand saxo soprano de la Nouvelle-Orléans, fixé depuis peu en France. La venue de Sydney Bechet — son retour plutôt — a été, je crois, l'événement le plus marquant de l'année, dans le domaine du jazz. C'est pourquoi il me semble intéressant, ici, de retracer quelques-unes des étapes de sa carrière.

Né le 14 mai 1897 dans le grand port de la Louisiane, Sydney Bechet apprit la clarinette dès l'âge de six ans, tout seul. A huit ans, il faisait déjà des « bœufs » dans l'orchestre de Freddy Keppard (dans l'argot du musicien, « faire un bœuf », c'est venir jouer dans une formation amie). A neuf ans, nous signale l'*Esquire jazz Book* de 1944, auquel nous nous reportons pour cette biographie, il conquit l'amitié du célèbre clarinettiste George Baquet, qui se donna beaucoup de mal pour lui ; mais déjà Bechet se fiait plus à son oreille qu'aux partitions écrites. Il joua dans l'orchestre de son frère à treize ans et devint professionnel (Eagle Band) en 1914. Puis il fit une tournée au Texas avec la formation de Clarence Williams, et, de retour à la Nouvelle-Orléans, se rangea sous la direction de l'Olympia Band avec King Oliver, le plus grand trompette de l'époque. Eté 1917 : Chicago, le « De Luxe » avec Freddy Keppard. Il alternait au « Pékin ». Fin 1919, engagé par Will Marion Cook, tournée en Europe ; c'est là qu'il sera « découvert » pour la première fois par Ernest Ansermet.

Sydney ne retourne aux Etats-Unis qu'en 1922. Là, il travaille de nouveau en compagnie de Clarence Williams ; quelques-uns des disques gravés à cette époque sont célèbres. En 1925, Bechet revient en Europe pour accompagner la *Revue nègre ;* quitte l'orchestre au bout d'un an et en rejoint un autre qui fait une tournée en Russie, où, pour la première fois, il rencontre Tommy Ladnier, un autre trompette très prisé des amateurs de style classique. A Paris, en 1927, on reprend la *Revue nègre.* Tournée dans toute l'Europe. En 1928, Noble Sissle engage Bechet. L'année suivante, ce dernier est à la tête de son propre groupement au « Hans Vaterland » de Berlin. Au début de 1930, retour aux U.S.A., puis re-reprise de la *Revue nègre* et Sydney revient en Europe. Fin 1930, cette fois, il repart aux U.S.A. pour de bon, joue chez Sissle en 1931, puis de 1934 à 1938. Pendant l'intervalle, Sydney avait dirigé lui-même sa formation, les New-Orleans Feetwarmers (ou « Chauffe-pieds de la Nouvelle-Orléans »). Depuis, Bechet a alterné le travail de tailleur avec celui de musicien ; il semble que le dernier l'emporte à nouveau.

Bechet est pratiquement le seul spécialiste du saxo soprano, instrument difficile dont il s'est rendu maître très complètement. Il possède sur cet instrument une puissance très grande, une très belle sonorité et une chaleur très émouvante. Son jeu est plein de sensibilité ; c'est vraiment un des meilleurs moyens d'aborder le jazz que de se confier à ce grand vétéran. Bechet sera accompagné dans ses émissions par les orchestres alternés de Braslavsky et de Luter, ses disciples fervents, à qui sa présence, moralement et musicalement, a fait, depuis qu'il est ici, le plus grand bien.

★

RADIO 49, n° 269
15 décembre 1949

97 FORMATIONS SE SONT MISES EN LIGNE POUR LE TOURNOI DES AMATEURS

Depuis bon nombre d'années déjà, tous les ans se déroule en France une manifestation curieuse que l'on nomme le « Tournoi des amateurs ». Tous les ans, en décembre, les orchestres non professionnels de musiciens de jazz s'affrontent au cours d'éliminatoires qui laissent pas mal d'entre eux sur le carreau et se retrouvent à l'issue de l'affaire dans une grande salle parisienne : ce fut Pleyel, c'est maintenant le Coliseum où les amateurs... de danse, cette fois, profitent de l'aubaine. Cette année, cette innovation fait que ce sujet touche directement les auditeurs. Car c'est sous le patronage de *Radio 49* et avec le concours du Club d'Essai de la R.D.F. que se déroulèrent les éliminatoires ; celles-ci ont été retransmises au cours de l'émission d'André Francis : *Jeunesse du Jazz*.

Donc, le 17 décembre, de 21 heures à l'aube, au Coliseum, finale du tournoi 49 pour lequel, au départ, 97 (vous lisez bien quatre-vingt-dix-sept) formations se sont mises en ligne. Au nombre des inscrits figurent des orchestres belges, hollandais, suisses, nord-africains et même américains. Le fait intéressant de cette année est la présence de la Radiodiffusion française qui joue un peu le rôle de médiateur entre les hot-clubs rivaux et permet de considérer les choses en toute impartialité (bien qu'à la base de ce tournoi se trouve la revue *Jazz hot* et l'ami Charles Delaunay, ces vipères lubriques bien connues ; mais n'oublions pas que Delaunay fut l'organisateur du tournoi).

Quelques détails sur les retransmissions. Les concerts éliminatoires ont été enregistrés en public au cours de sept manifestations à Bordeaux, Toulouse, Strasbourg, Lyon, Marseille, ainsi qu'à Buxelles et dans la salle Washington de Paris. La Radio a fait là un très gros effort dont il convient de la remercier au nom des amateurs de jazz, pratiquants ou non ; grâces soient donc rendues à Paul Gilson, naturellement, et aussi aux responsables du Club d'Essai, notamment Jean Tardieu.

⁂

Quelques notes, maintenant, sur une formation nouvellement constituée et dont les premiers enregistrements passeront prochainement sur l'antenne... (je n'ai pas d'autres précisions pour l'instant). Il s'agit du groupement de l'arrangeur-compositeur-trombone-médecin bien connu des gens du jazz, Jean Gruyer — Jean Gruyer (qui est effectivement médecin de son état, mais n'exerce pas) fut longtemps trombone dans la formation de Claude Abadie (un ancien vainqueur des tournois amateurs), puis comme professionnel dans le grand orchestre de Tony Proteau où il était également arrangeur. Actuellement, Jean Gruyer écrit pour de nombreux orchestres et a composé lui-même son ensemble de la façon suivante : trompette, Christian Bellest, trombone, André Paquinet ; alto, Teddy Amlyn ; baryton, Robert Bagnères ; piano, Jean-Paul Landreau ; batterie, Arthur Motta ; basse, Jean Bouchéty, auxquels s'est joint pour l'occasion Alix Combelle, le plus connu des musiciens de jazz français d'avant-guerre (et qui pourrait bien le redevenir, paraît-il, car, selon des auditeurs impartiaux, Alix était très en forme). Le répertoire de la formation s'étend des œuvres d'Ellington à celles de Parker, en passant par le *Twinklin* de Mary-Lou Williams ; c'est dire qu'il est varié. Les arrangements sont de Gruyer ou Landreau. Ce petit groupement caresse de nombreux projets... et un rêve : trouver une place régulière sur une chaîne quelconque... Si l'on considère la qualité de ses éléments, on peut souhaiter que cela soit très rapide...

★

RADIO 49, n° 270
22 décembre 1949

Y A-T-IL UN FOSSE ENTRE LA MUSIQUE SERIEUSE ET LE JAZZ ?

Un des problèmes les plus souvent évoqués lorsque l'on parle du jazz est le suivant : Y a-t-il un fossé entre la musique « sérieuse » (quel nom lui donner ?) et la musique de jazz ? Sont-elles sans aucun rapport ? Peut-on les apprécier de deux points de vue différents ? Ou doit-on parler de « musique »» tout court ? Enfin, faut-il se ranger dans le parti des jeteurs d'exclusives ? (Le jazz, c'est la seule musique ; le jazz ce n'est pas de la musique ; le style bop, ce n'est pas du jazz : le style Nouvelle-Orléans, ce n'est plus du jazz, etc.).

Qu'on le veuille ou non, et surtout à notre époque de pick-up et de radio, toutes les musiques s'influencent et ont des rapports entre elles. Il suffit d'ouvrir une revue et de lire une interview de musicien pour s'apercevoir que Louis Armstrong adore Guy Lombardo, que l'idole de Barney Bigard, c'est Benny Goodman, que Charlie Parker préfère Hindemith à tous les autres, que Debussy charme Duke Ellington... De là à conclure, il n'y a qu'un pas. Et l'histoire du jazz nous autorise à le franchir.

Que trouvons-nous, en effet, à l'origine du style Nouvelle-Orléans que l'on peut définir le père des styles de jazz ? Une façon plus entraînante et plus facile (puisque basée sur la déformation) de jouer les marches militaires, quadrilles, polkas, en vogue à cette époque reculée. Nous savons tous que le vrai titre de *Tiger Rag* est « Praline », et que c'était une musique de salon. Nous savons que le célèbre chorus d'Alphonse Picou sur *High Society*, chorus-épreuve de plusieurs générations de clarinettistes, reproduisait la partie de piccolo d'une marche connue. Mille exemples sont là pour nous prouver qu'à tout le moins, un apport thématique est certain.

Aller comme on le fit, jusqu'à prétendre le jazz une invention européenne, par contre, serait abusif : car cet apport thématique, non négligeable certes, ne constitue qu'un tout petit élément de l'intérêt du jazz. Ce qui est passionnant, c'est cette sorte de catalyse, due au peuple noir, d'une réaction courante et banale : la réaction du peintre en bâtiment qui chante, en le massacrant, l'air qu'il a entendu à la radio.

Il s'est trouvé en somme que, dans le cas des noirs, la déformation s'accompagnait ou se muait plutôt en transformation et en recréation, que l'objet déformé devenait supérieur à l'original, à la suite d'un apport vital qu'il n'avait pas reçu au départ.

Cet apport vital, je ne l'ignore pas, a pu être total : c'est-à-dire que, dans certains cas, la déformation a porté sur un matériau folklorique ancestral, ainsi que l'a montré le critique Ernest Borneman après quelques autres. Certains en tirent argument réactionnaire et n'admettent pour authentique que le jazz basé sur l'exploitation des anciens blues, chants de travail et autres ; ils écarteront tout ce qui s'est fait en partant des chansonnettes de Tin Pan Alley, la rue du Faubourg-Saint-Denis de New York. C'est, je crois, aller trop loin et beaucoup se priver.

D'autres, poussant à l'extrême, croient pouvoir affirmer que le style moderne, dit be-bop, n'est qu'un simple affadissement, une parodie vulgaire de la musique des compositeurs modernes, type Stravinsky, Milhaud — voire Schoenberg (ils n'ont pas encore trop parlé de Bartok, mais patience).

Ceux-ci ne voient plus le fossé, ceux-là le voyaient trop grand...

La vérité est que si le matériel harmonique du jazz s'enrichit tous les jours — comme s'est enrichi celui de toute musique qui évolue, l'esprit du jazz n'a pas changé : l'inflexion, le timbre, tout cela est là qui reste... le « drive », le « swing »... tous ces mots mal définis valent encore pour les musiciens de jazz de maintenant.

Alors ? Il y a un fossé ? Bien sûr ! Il est facile à franchir ; car des deux côtés, il y a de la musique... tout court... mais il est là !

★

RADIO 49, n° 271
29 décembre 1949

MES LECTEURS ADORES, JE VAIS VOUS CONFECTIONNER UN BILAN DE FIN D'ANNEE

Pour ne pas rompre avec une vieille tradition, je vais vous confectionner un petit bilan de fin d'année qui fera de vous, mes lecteurs adorés, les gens les plus instruits sur les événements du jazz. Ce n'est pas douloureux et ça aide à supporter les misères de l'existence.

Il y eut, en l'année 1949, à côté de simulacres et fantasmagories secondaires, six grands événements, dont un supérieur aux autres par la durée et l'importance. Les voici dans l'ordre chronologique (approximatif, parce qu'on peut se tromper, n'est-ce pas ?).

Premier événement : Salle Pleyel, du 8 au 15 mai 1949, auquel prenaient part, notamment les formations de Charlie Parker (avec Max Roach, Kenny Dorham, Tommy Potter et Al Haig), de Tadd Dameron avec Miles Davis, Kenny Clarke, Moody, etc.), de « Hot Lips » Page (avec Russell Moore, Don Byas, etc.), de Sydney Bechet (accompagné par Braslavsky et Luter) et divers orchestres européens.

Deuxième événement : Le retour de Sydney (on dirait un titre de film policier) qui vint en octobre pour la réouverture des jazz-parades hebdomadaires.

Troisième événement : Concert de Buck Clayton, accompagné de Merril Stepter (trompette) et de Wallace Bishop (batterie).

Quatrième événement : Concerts Louis Armstrong.

Cinquième événement : Retour de Coleman Hawkins pour *Jazz-parade.*

Sixième événement : Passé presque inaperçu en raison d'une publicité déplorablement mal faite : la venue en France du grand pianiste Willie Smith, dit « Le Lion ».

Buck Clayton est un ex-trompette du grand orchestre de Count Basie dont le concert en dépit d'un accompagnement assez faible mit cependant en valeur les exceptionnelles qualités d'improvisateur. Buck Clayton est un musicien intelligent. C'est là sa caractéristique essentielle. Il ne cherche pas à casser les vitres, mais quand un contre-la lui paraît nécessaire au bon équilibre du chorus, il le « sort » sans histoires, et ça tombe juste où il faut. Buck a enregistré de nombreuses faces et sans doute passeront-elles (peut-être sont-elles passées) au cours d'émissions de jazz.

« Hot Lips » Page, trompette, également, surprit le public par sa puissance, son dynamisme, son entrain. C'est une force de la nature. Son passage à Paris semble lui avoir fait le plus grand bien. Selon la presse américaine, il connaît en ce moment aux U.S.A. un assez gros succès qu'il méritait mais qu'il n'avait pas obtenu encore.

Tadd Dameron, meilleur arrangeur que showman, intéressa, surtout par son jeu de piano, les spécialistes de recherches modernes. Dans sa phalange brillait surtout le trompette Miles Davis.

Enfin Charlie Parker, le célèbre alto et Max Roach, un des plus grands drummers actuels, furent comme dans leurs enregistrements, aussi attachants qu'il est possible de l'être. Ce que l'on appelle le be-bop, c'est en réalité la musique qui sort du cerveau de Parker ; on jugera de l'influence de l'homme en se reportant à la vogue du mot.

Tels furent, brièvement évoqués, les grands noms du jazz que nous apporta l'année 1949. Souhaitons que 1950 multiplie les semaines et qu'il nous soit enfin permis d'entendre au complet un des fameux groupements des USA. Ellington, Hampton, Basie... ou même Gillespie, car s'il revenait, j'en connais plus d'un dont le cœur se réjouirait et pour qui cette année serait, plus encore que celle qui se termine, une année faste.

★

RADIO 50, n° 272
5 janvier 1950

POUR VIVRE LE JAZZ DOIT JOUER SUR SCENE...

Dans le n° 5 de la *Gazette du Jazz,* petite feuille spéciale où l'on peut, à côté de bien monumentales bourdes, lire certains articles intéressants et qui ont le mérite de renouveler un peu les cadres des chroniqueurs de jazz, vient de paraître un « papier » de Georges Baume, consacré à Jazz-Parade, nom de l'organisation des concerts hebdomadaires du théâtre Edouard-VII, et titre de l'émission R.D.F. du lundi soir. Les auditeurs connaissent bien Georges Baume qui présente lui-même cette émission, une des plus vivantes et des plus variées de celles consacrées au jazz, et qui tire notamment son intérêt d'un enregistrement direct sur scène.

Le tour d'horizon rétrospectif effectué dans cet article incite à quelques réflexions sur le jazz de concert d'une part et les possibilités d'une organisation comme Jazz-Parade d'autre part.

Bien des fois, on s'est demandé si le fait d'être présenté sur scène ne tuait pas le caractère improvisé du jazz, ne nuisait pas à la chaleur des interprétations. Le public assis et immobile, tuerait l'ambiance. La vue des danseurs encouragerait au contraire, semble-t-il, les musiciens à donner le meilleur d'eux-mêmes et l'atmosphère la plus convenable au jazz serait le cabaret tandis que la scène ferait dévier le jazz soit vers l'exhibitionnisme, soit vers la musique de brasserie.

Je suis moi-même tout prêt à abonder dans ce sens... mais je crois que l'on peut abonder aussi dans l'autre et avec des arguments très valables : tout cela dépend des musiciens, tout cela est une question de réglage.

□

Le cabaret, on l'a déjà dit ici, est fait pour une clientèle riche. Ce genre de clientèle veut pouvoir danser ; et ce genre de clientèle n'a plus vingt ans : comme le rappelait Armstrong dans *Metronome,* une revue américaine de jazz, « ... nous jouerons pour les vieux, après tout c'est eux qui ont de l'argent ». D'ailleurs, allons plus loin : quand on emmène danser une amie, c'est pour s'occuper d'elle et non de l'orchestre ; mieux vaut par conséquent un orchestre neutre, quelconque, qui vous laisse l'esprit libre et vous permet de faire la cour à votre amie sans vous retourner tout le temps vers l'estrade et vous interrompre au milieu d'une phrase pour écouter le trompette, ce qui la vexerait à juste titre.

Pour vivre, le jazz doit donc grimper sur scène et courir les risques correspondants dont le principal est une perte de sincérité. En contrepartie, la scène présente quelques avantages.

La scène — à condition que le concert se déroule dans une salle où il y ait un minimum d'ambiance, et à cet égard la salle d'Edouard-VII, de dimensions moyennes, semble beaucoup mieux adaptée que Pleyel ou Chaillot — exige un minimum de technique et de préparation. La scène est beaucoup moins tolérante qu'une salle de danse ou une cave de Saint-Germain ; tel « canard » qui s'envole inaperçu au milieu d'une bonne jam-session pénètre avec un bruit affreux dans les oreilles du public d'un concert.

Là intervient le dosage de l'arrangement et de l'improvisation, dosage pratiqué de tout temps par les plus grands et les plus purs des orchestres de jazz, de Jelly Roll Morton et King Oliver à Basie ou Gillespie.

□

Et c'est là qu'est le mérite essentiel de Jazz-Parade depuis plus d'un an : en faisant une assez grosse consommation d'éléments nationaux, cette organisation a forcé les jeunes musiciens à cultiver ces points si négligés chez les amateurs : la *propreté* du jeu et la présentation orchestrale et scénique.

Dans notre prochaine chronique, nous tenterons de voir si Jazz-Parade a réalisé toutes ses ambitions !

★

RADIO 50, n° 273
12 janvier 1950

JE CONTINUE A REFLECHIR SUR JAZZ-PARADE

Jazz-Parade a-t-elle réalisé toutes ses ambitions traduites à l'origine par ce slogan que rappelle Georges Baume ; « Jazz-Parade, les concerts Lamoureux du jazz ? »

Ceci reste à voir.

Une formation régulière, entraînée, disciplinée comme l'orchestre des concerts Lamoureux, a-t-elle trouvé son équivalent en jazz ?

En fait, Jazz-Parade aurait dû, depuis ses débuts, constituer une grande formation recrutée, selon les principes exigibles pour de tels orchestres, parmi les musiciens lecteurs-improvisateurs et en confier la direction à un des jeunes chefs compétents que l'on peut trouver en France : Jean Gruyer, Tony Proteau, tous ceux pour qui le jazz peut être quelque chose de plus qu'une façon de gagner sa vie.

L'essentielle difficulté éprouvée par une grande formation blanche à jouer bien un arrangement est essentiellement une non-acquisition de la tradition noire, qui permet aux musiciens professionnels de couleur de pouvoir jouer ce qui est écrit avec autant de flamme et de « swing » que ce qu'ils inventent. N'oublions pas, en effet, que les musiciens classiques se reposent automatiquement sur une culture et une tradition musicales vieilles de quatre cents ans au moins, et que le jazz, éprouvé et ressenti sans effort par un noir, ne peut être assimilé par un blanc qu'au prix d'une attention et d'une volonté de compréhension dont les résultats ne se font sentir qu'au bout d'un temps généralement fort long.

Voici pourquoi il nous est arrivé, ici même, de constater qu'un orchestre dit « de jazz symphonique », comme celui de Wal-Berg, dont je ne songe pas une seconde à nier l'agrément ni la valeur technique, ne peut être admis par l'amateur de vrai jazz ; car il n'y entre, d'une part, qu'arrangement et, d'autre part, ses éléments, à de rares exceptions près, ne sont pas imprégnés de la culture et de l'esprit du jazz.

Un musicien de jazz ne « met pas en place » un arrangement de la même façon qu'un musicien classique : l'attaque, l'inflexion, la technique instrumentale diffèrent souvent du tout au tout. Ce n'est qu'en apparence que certaines trompettes modernes de l'école « bop » semblent sonner comme des classiques, et Lucien Malson avait raison de le rappeler dans l'article de tête nº 39 de *Jazz-hot* décembre 1949). Je cite Malson :

« J'ai posé chez moi la question à un organiste connu, peu versé en matière de jazz, après une audition de disques be-bop. Il souligna, pour sa part, toute la différence qui sépare les instrumentistes classiques des instrumentistes de jazz en ce qui touche le domaine de l'exécution, non seulement dans la manière d'attaquer les notes au voisinage d'un quart de ton au-dessus ou au-dessous du son normal, mais surtout dans la chaleur même du timbre. »

Tout cela, les musiciens français de jazz le savent bien et

il n'en manque pas qui soient de taille à constituer les éléments d'une formation destinée à rendre vraiment à Jazz-Parade son rôle de « Concerts Lamoureux » du jazz. Non pas que l'on doive l'entendre chaque semaine ; mais une telle formation serait un témoin de l'évolution de la progression du jazz de scène.

Il y a de nombreux risques à courir dans cette entreprise. Il faudrait laisser aux solistes la liberté de développer leur inspiration. Il faudrait se rappeler en permanence que la chaleur de l'exécution — même sur ces temps lents que l'on massacre généralement et qui tournent au sirop — doit toujours être présente. Il faudrait varier le répertoire, renouveler les arrangeurs. Un bon esprit d'équipe. Et continuer à se mettre à l'école des noirs, qui sont toujours nos maîtres en jazz.

Ceci dit, on peut trouver les éléments. Alors, Jazz-Parade ? Bravo pour l'effort accompli ! Mais... il y a encore à faire...

★

RADIO 50, n° 274
19 janvier 1950

SEULE LA RADIO PEUT SE PERMETTRE ÇA !

Tous les ans, à la même époque, on organise dans le monde du jazz, des référenda destinés à mesurer le crédit qu'ont obtenu auprès du public, les musiciens français.

Il serait hasardeux d'attribuer une valeur absolue à ces classements ; la statistique prouve en fait que le pourcentage de réponses obtenues par le procédé des enquêtes imprimées est faible et dans l'ensemble on écrit peu aux journaux en France.

Cependant, les résultats du dernier n'ont rien de ridicule ou d'anormal et correspondent bien à la fréquence moyenne des passages sur scène, à l'enregistrement ou à la radio des musiciens correspondants. Cela confirme l'importance, pour un musicien, de ne pas s'absenter trop longtemps de la scène, d'entretenir un peu sa publicité et de se tenir au courant des mouvements d'opinion reflétés par les diverses presses.

Etudions par exemple le dernier référendum de *Jazz-Hot*

(numéro spécial, décembre 1949. — Je cite souvent *Jazz-Hot*, qu'on veuille bien ne pas me le reprocher, car : 1° c'est la plus ancienne des revues de jazz. 2° Je ne reçois jamais la *Revue du Jazz* pour cause de non-orthodoxie. 2° J'aurais mauvaise mine à parler de *Jazz News*, dont je m'occupe de trop près).

En tête des trompettes vient Aimé Barelli, comme l'an dernier ; il est, évidemment, le seul grand technicien français. Bayol qui se distingua, chez Bolling, gagne la place de second — Bellest rétrograde — on l'entendit trop peu en 49.

Au trombone, Benny Vasseur, autre ancien de chez Bolling et qui joue actuellement avec Jean-Claude Fohrenbach, conserve une écrasante majorité (86 % de voix contre 19 % à Vienot, le suivant). Benny est d'ailleurs fort digne de sa première place : c'est le seul excellent technicien et excellent improvisateur que nous ayons en France.

Interversion des rôles chez les clarinettistes, où Rostaing reprend la première place devant Luter. Etonnant du point de vue des puristes, ceci prouve, quoi qu'on en dise, l'attrait que conserve un jeu musicalement soigné... et ne doit en rien vexer Luter, qui reste le champion du style Nouvelle-Orléans.

Au piano, Peiffer est toujours en tête devant Jacques Diéval. Peiffer a des qualités scéniques spécialement dynamiques, Diéval s'est relativement peu produit à Paris... ceci explique cette différence.

Fohrenbach garde, de loin, la première place au saxo ténor. Depuis l'année dernière, il est en progrès constant et il est devenu lecteur-arrangeur-chef d'orchestre avec une étonnante aisance. Montée de Paul Vernon, autre bon musicien qui le mérite.

Notre célébrité nationale Django Reinhardt est encore cette année chef de file des guitaristes. Bonal, puis Sasson le suivent. A la contrebasse, montée vive de Bouchéty, avec Michelot et Masselier, presque à égalité tous les trois. Enfin, à la batterie, surprenante ascension du joyeux Paraboschi, qui gagne six places (et la première) comme une fleur.

Et que diriez-vous, auditeurs amateurs de jazz, d'une grande formation constituée, pour les mélodiques, par les trois ou quatre premiers de chaque catégorie avec, à la rythmique, Paraboschi, Django, Bouchéty et Peiffer ?

Seule, la radio peut se permettre ça... il y faudrait quelques répétitions, mais ça serait amusant.

Mais voilà... qui serait le chef ?

Moi, je propose Bechet...

★

RADIO 50, n° 275
28 janvier 1950

ANDRE FRANCIS, UN JEUNE PIONNIER DES EMISSIONS DE JAZZ, S'EST VOUE AU JAZZ

Je vous propose aujourd'hui de continuer la revue de ceux qui, à la radio, s'efforcent sincèrement de travailler pour le jazz. Le personnage dont je voudrais vous entretenir est un jeune : il est déjà connu sur les ondes, il s'appelle André Francis. Son but ? faire passer le plus de jazz possible à la radio. Condition *sine qua non :* (ce n'est hélas pas lui qui se l'est imposée !...) y arriver sans moyens financiers ou presque.

Vous avez déjà compris qu'André Francis opère à Paris-Inter. Jusqu'à présent, on peut y entendre ses deux émissions, *Jeunesse du jazz* et *Club du jazz.*

La première passe le jeudi de 22 h 25 à 23 heures, c'est une émission du Club d'Essai. On y présente alternativement les musiciens enregistrés au cours des émissions publiques et les meilleurs orchestres amateurs français et étrangers. Dans la première catégorie, on a pu entendre ou on entendra Kenny Clarke, Buck Clayton, Willie Smith « le Lion », Don Byas, etc. Bref, tous les musiciens financièrement accessibles à André Francis. Dans la seconde catégorie, la liste est longue, et il suffit de se rappeler le tournoi des amateurs de 1949 dont je vous ai entretenus voici quelques semaines : les concerts éliminatoires en province, à l'étranger et à Paris, etc., ont servi à départager 97 concurrents.

Mais je viens de prononcer, six ou sept lignes plus haut, les mots « émissions publiques ». C'est qu'André Francis, avant même que Jazz Parade n'existe, présentait déjà à la radio des concerts publics et gratuits (ou presque... car les dix francs qu'il fallait payer à l'entrée correspondent au maximum à six sous d'avant-guerre, le prix d'un journal...). Et il aurait fait bien plus et bien mieux si les budgets, pierre d'achoppement de toutes les bonnes idées, ne lui avaient manqué. On a entendu au cours de ces concerts les deux grandes formations de jazz français, Jean Gruyer et Tony Proteau, ce dernier en compagnie de Kenny Clarke et Don Byas, interprétant des arrangements spécialement écrits à cette occasion par John Lewis, Tadd Dameron, Kenny Clarke (américains tous les trois) et Bouchéty, Hodeir et Gruyer.

Quant à la seconde émission régulière d'André Francis, Club

du Jazz, elle passe, également sur Paris-Inter, le dimanche de 17 h 18 à 17 h 45. Francis la présente en compagnie d'André Hodeir et des invités de la semaine, choisis parmi les collectionneurs et les critiques de disques de jazz. On y entend des enregistrements d'orchestres ou de solistes américains, ainsi que la critique des meilleurs disques de jazz sortis chaque semaine ; chose heureuse pour l'amateur qui devant le flot déferlant des cires offertes chaque mois à ses désirs, ne peut, livré à lui-même, que succomber ou voler une rentière pour arriver à tout acheter.

Voici les titres de gloire d'André Francis. Ajoutons qu'il est arrivé à tout cela en se battant sans arrêt, soutenu par sa sincérité. Et signalons aux auditeurs qu'il désire par-dessus tout recevoir des lettres (avis, critiques, suggestions) de façon à faire de ses émissions celles que le public attend. Aidez-le à y arriver.

★

du Jazz, elle passe actuellement sur Paris-Inter, le dimanche de 17 h 15 à 17 h 45. Francis la présente en compagnie d'André Hodeir, [illegible] de la semaine, elle a pour but de [illegible] et les critiques de disques de jazz. On y entend des enregistrements d'orchestres et de solistes américains, ainsi que la critique des meilleurs disques de jazz sortis chaque semaine ; chose heureuse pour tous ceux qui devant [illegible] des disques offerts chaque mois [illegible] il est [illegible] que seulement [illegible] une [illegible] peut arriver à tout acheter.

Voici les titres de gloire d'André Francis. Ajoutons qu'il se prête à tout cela en se battant sans arrêt, soutenu par sa [illegible]. En signalant aux auditeurs qu'il désire par-dessus tout recevoir des lettres (avis, critiques, suggestions) de [illegible] de ses émissions celles que le public attend. Aidez-le, il y arrive !

*

ARTS

Arts-Spectacles, hebdomadaire fondé en 1945, *disparu en* 1967. *Rédacteur en chef : Louis Pauwels, puis André Parinaud.*

Boris Vian a collaboré à Arts *de* 1951 *à* 1956. *Il y a donné, en plus d'articles sur différents sujets, des chroniques régulières de variétés et de jazz. Parfois les variétés et le jazz sont contenus dans le même article ; nous avons écarté certains textes dans lesquels la part du jazz est réduite à un paragraphe ou à quelques phrases.*

C. R.

★

Arts
30 novembre 1951

AH ! QU'EN TERMES GALANTS...

On a bien des fois souligné le caractère à la fois nostalgique et hautement revendicatif des blues, cet apport si caractéristique des noirs américains à l'art vocal mondial. Mais il est un autre aspect du blues que vient illustrer ce mois-ci une série d'enregistrements de Wynonie Harris, spécialiste du genre. Précisons que ces morceaux conservent du blues original le cadre mélodique et harmonique avec ses douze mesures ; mais s'ils sont marqués, eux aussi, du sceau du réalisme, toute tristesse en est cependant bannie et ils se développent en général sur un mode plutôt joyeux, avec une nette tendance à la paillardise.

Un exemple, *Lollipop Mama,* paru sous le numéro J. S. 785 et l'étiquette *Jazz-Sélection,* donnera une idée de la vigueur des... symboles. Signalons à l'auditeur français que *Lollipop,* cela signifie sucre d'orge et que Mama, c'est le nom d'amitié de la femme (ma « souris », ma « bonne femme »...)

J'ai une grosse belle bonne femme, elle m'appelle son sucre d'orge (bis),

Quand elle commence à m'aimer, elle ne peut plus s'arrêter...

Nous ne poursuivons pas la traduction de cette pastorale, mais on voit tout de suite, n'est-ce pas, où Wynonie veut en venir. Ajoutons qu'il n'est qu'un des cent chanteurs de ce style et que certains textes sont beaucoup plus osés.

Allez donc, après cela, parler de la rigueur de la censure américaine, dont on nous agite sans cesse l'épouvantail devant le nez !

On nous objectera, bien sûr, que seuls ces blues, particulièrement réservés au public noir, comportent de telles saillies. Mais c'est faux. Il arrive encore assez fréquemment que des chansons soient subitement interdites après avoir passé un certain nombre de fois sur les antennes. Tandis que d'autres, dont le titre seul est un jovial défi aux tartufes, gardent la vogue des années durant.

Les présentes constatations, notez-le en passant, n'ont absolument rien de réprobateur et témoignent au contraire d'une sympathie avouée pour la biblique simplicité de ces petits tableaux musicaux. Après tout *Cerisier rose et pommier blanc,* qui est une très jolie chanson, c'est exactement la même chose, en moins franc.

Mais d'où vient alors l'impitoyable rejet de certaines chansons ?

Les choses se passent de la façon suivante. Il est fait dans toutes ces compositions un abondant usage du *double-talk,* l'argot des noirs, langage à double sens dont le second est toujours sexuel ou presque. Or cet argot, ce *jive,* se modifie et évolue très vite. Si bien qu'une chanson peut arriver à passer avant que les censeurs ne soient au fait de sa véritable signification.

C'est ce qui advint du thème *Hold tight* (Tiens bon), dont il existe une si réjouissante interprétation due au très regretté Fat's Waller.

Il est bon de se rappeler toutefois que dans certains Etats d'Amérique votre femme peut vous faire mettre en prison si vous vous aventurez auprès d'elle à des actes tendres qui, pourtant, firent la réputation d'une poétesse grecque. Et il est assez déprimant, en somme, de conclure que les savoureux blues de Wynonie Harris restent en vente libre parce qu'ils se rapportent uniquement à des amours autorisées par la Constitution américaine.

★

ARTS
18 janvier 1952

MUSICIENS EN LONG : HUIT

Un certain Mezzrow, ayant écrit un livre non dénué d'intérêt, *la Rage de vivre*, au long duquel il cite à maintes reprises les noms de musiciens connus, s'est peu à peu persuadé qu'il est, lui aussi, musicien. Il en profite non seulement pour jouer en public (ce qui, d'un côté, aura l'heureux effet d'ouvrir les oreilles aux gens sur ses talents musicaux réels) mais aussi pour se répandre, par le truchement de ses agents de presse et même directement, en déclarations autoritaires et dogmatiques sur le jazz. Une de ses thèses favorites (elle ne lui est pas rigoureusement personnelle) est que seule sa « musique » (*sic*) et celle de quelques rares élus ont le droit à l'appellation jazz.

« Pour faire du jazz, assure-t-il d'ailleurs sans rire, il faut avoir trimé dans les champs de coton ou vendu de la marihuana. » Traduit en langage clair, cet aphorisme signifie en fait qu'en dehors du jazz d'improvisation collective dit « style Nouvelle-Orléans », il n'y aurait point de salut.

□

Nous n'avons point l'intention de rouvrir en ces accueillantes colonnes la querelle idiote des styles, mais d'examiner une des curieuses conséquences de ce dogme des « exclusivistes ». Ce cheval de bataille de l'improvisation collective, contrepoint jailli spontanément de la réunion d'instrumentistes de génie, a certes, dans ses fontes, quelques réussites de grand intérêt.

Malheureusement, elles sont fort peu nombreuses — nous parlons du disque, bien entendu, car il est le seul moyen que l'on ait d'examiner objectivement le résultat sans se laisser influencer par un environnement ou des présences physiques qui faussent très souvent un jugement musical.

En outre, cette improvisation collective a un caractère assez suspect : improvisation, certes ; mais pliée à des règles fort précises. Elle suppose d'abord la connaissance parfaite des harmonies du morceau et de sa coupe — on sait où on va — et le respect par chacun des musiciens de certaines conventions qui font que le trompette se borne généralement à jouer le thème sans s'en écarter trop, que le clarinettiste brode autour de ce thème à petits points volubiles, que le trombone soutient de ses basses et de ses glissades la modulation des accords tandis que la section rythmique assied le tout sur une pulsion solide (ça ferait un joli dessin humoristique).

On voit que sitôt que l'on désire étoffer un orchestre, pour éviter de sombrer dans la cacophonie, on est amené automatiquement à concevoir de nouvelles règles, et à en venir aux arrangements oraux ou écrits, partiels ou complets. Mais si l'on prétend que seul est valable le jazz de style Nouvelle-Orléans pur — et voilà où le bât nous blesse — *on aboutit d'office à la limitation de l'orchestre à sept, huit instrumentistes au maximum.*

□

C'est grave ; non seulement pour les malheureux fabricants de trompinettes, mais encore pour les pauvres chers auditeurs. Le quatuor a bien du charme ; mais une bonne symphonie, ce n'est pas dégoûtant non plus. Pour qui a l'oreille sensible aux timbres divers, aux infinies ressources du matériel moderne, quel coup de se voir refuser les prairies ouatées des cinq saxophones, les fracassantes explosions d'un pupitre de trompettes, la mousse légère d'un trio de clarinettes et la sombre grandeur des trombones à l'unisson. (Voilà du style de qualité, n'est-ce pas, messieurs-dames ?)

Et il faut être bien vilain pour refuser aux merveilles concoctées avec amour par nos Ellington, Lunceford, Basie ou Gillespie le droit à l'appellation jazz. Etre bien vilain... ou y avoir un intérêt : quand on est très mauvais musicien, par exemple, il vaut mieux éviter des comparaisons... Non, je ne faisais aucune allusion à ce M. Mezzrow.

□

Bref, il reparaît ce mois-ci chez Odéon, qui a dû racheter les matrices Parlophone anglaises, lesquelles provenaient sans doute de chez Decca américain (ne vous inquiétez pas, c'est encore une filière relativement simple) deux disques de Jimmy Lunceford. Prenez l'un ou l'autre : par exemple, *T' ain't what you do* et *Cheatin' on me.* Ecoutez-les bien. C'est du vrai jazz, interprété par de vrais musiciens.

★

15 février 1952
ARTS

LES ECUMEURS DE HAUTES CIRES

Il arrive d'Amérique des nouvelles bien réjouissantes et propres à faire méditer l'amateur de jazz comme l'amateur de musique en général. Une affaire de piraterie met aux prises M. Dante Bolletino, directeur de la marque de disques Jolly Roger, et les gros trusts Victor et Columbia. Voilà en deux mots l'histoire : M. Dante Bolletino, considérant d'une part que les trusts en question ne maintiennent pas à leur catalogue des disques réclamés par tous les amateurs de jazz (vieux enregistrements de Louis Armstrong, etc.), considérant d'autre part que la loi américaine n'a rien prévu qui s'oppose à l'utilisation par lui de ces disques, a fait retirer des « mères » à partir d'exemplaires en bon état de ces œuvres épuisées et en a pressé des séries microsillon qu'il vend à qui en veut, et pas cher — (il n'a guère de frais d'enregistrement, il faut l'avouer). Chose extrêmement drôle, c'est la marque Victor, ou plutôt un de ses services de pressage à façon pour les petites entreprises, qui a tiré elle-même ces clandestines galettes de cire. M. Bolletino est un humoriste dans la bonne tradition puisqu'il a baptisé sa marque Jolly Roger, ce qui signifie « Pavillon Noir ».

Il faut savoir pour juger sainement l'affaire, que depuis des années, des critiques de jazz, des directeurs de petites compagnies, des amateurs honorables, essaient vainement d'obtenir de Columbia, Victor, Decca, etc., des retirages de cires disparues du catalogue et qu'ils estiment intéressantes pour les collectionneurs. (Ces derniers confirment la justesse de ce point de vue en se ruant joyeusement sur les « Jolly Roger »). Cependant, un pressage de quelques milliers, voire de quelques dizaines de milliers de disques, ne tente guère Victor ni Columbia, habituées aux centaines de mille, et ces grosses maisons opposent des fins de non-recevoir absolues à toutes les propositions faites ; propositions qui pourtant, mises à exécution, leur rapporteraient. Mais trop peu sans doute.

Naturellement, l'affaire fait actuellement quelque bruit; moins qu'on ne pourrait le croire, bien sûr, car il s'agit de fort peu de chose au regard de la production quotidienne des énormes usines ainsi pillées... grignotées, plutôt.

On a vu le cas se produire en littérature d'auteurs dont le livre, vite épuisé, n'est pas réimprimé par l'éditeur. L'écrivain a un recours en pareil cas ; son contrat prévoit des solutions diverses au problème. Mais un musicien, un chef d'orchestre, n'ont absolument pas de moyens d'influencer un éditeur de disques qui retire leur œuvre d'un catalogue. En jazz, de plus, bien des artistes sont morts dont les disques sont toujours verts : témoin le grand « Fat's » Waller. Quelle ressource existe-t-il à l'admirateur de Fat's qui veut se procurer les œuvres de son idole ? Il doit les trouver d'occasion, se débrouiller, dépenser une fortune — souvent sans résultat.

Du point de vue de l'amateur de musique, la seule considération qui nous importe est la suivante : l'éditeur a peut-être des droits, mais il a en tous cas le devoir moral de conserver disponibles soit les disques, soit les matrices s'il refuse de les enregistrer lui-même (ce qui est parfaitement admissible.) Il serait tout de mêmc naturel que l'on puisse entrer chez un disquaire et lui acheter les œuvres complètes d'Ellington. Que l'on institue ce qu'on veut, un domaine public payant, un service de « réimpression » à titre onéreux — mais à notre sens, un éditeur de disques qui supprime une œuvre de son catalogue ne devrait pas pouvoir empêcher ceux que l'œuvre intéresse de la reproduire à leur tour.

En attendant, « Jolly Roger » a bien mérité de la patrie sans frontières des amateurs de jazz.

★

ARTS
2 avril 1952

Deuxième salon du jazz

L'ART FUTUR BOUILLONNE ENCORE DANS LA MARMITE

Le 2e Salon du jazz tient ses assises à Paris pour une semaine. Organisé pour la première fois à Paris l'année dernière, il connut à vrai dire un succès inattendu puisqu'on y vit même voler joyeusement les cabines où se vendaient les billets permettant d'assister aux concerts. Cette année, l'ensemble se corsera d'excursions séquanienne, en pseudo-riverboat et de concerts beaucoup plus élaborés que ceux de l'an passé, où l'on sera heureux de revoir le grand Dizzy Gillespie.

On se rappelle la sensation produite à Paris par le groupement de Dizzy lorsqu'il arriva à l'improviste, avec ses vingt musiciens, en 1948. Cette année, Dizzy est revenu seul, mais il sera accompagné par le groupement d'Hubert Fol, une des meilleures formations françaises, qui depuis des mois travaille (pour l'amour de l'art) à mettre au point quelque chose qui s'écarte un peu de la sempiternelle cacophonie que l'on nomme (bien à tort) style Nouvelle-Orléans.

Une pléiade d'imitateurs

Quoi qu'aient pu dire de lui ses détracteurs, il semble bien, à voir la marque profonde laissée par lui sur toute une génération de jeunes musiciens, que Dizzy soit vraiment l'un des meilleurs trompettes de ce temps. En réalité, ceux qui l'ont attaqué se sont stupidement entêtés contre une étiquette, celle du « bop », label forgé, au fond, par des journalistes en mal de copie et qui, surtout pour Dizzy, n'avait aucun sens, car si trompette joua jamais dans la tradition noire la plus pure, c'est bien Gillespie.

Rien de plus facile en effet, de King Oliver à Dizzy, que de trouver tous les intermédiaires, qu'ils se nomment Henry Allen, Roy Eldridge ou Cootie Williams. Du point de vue du style, Dizzy continue toute l'œuvre de ses devanciers : comme Armstrong, il sait exposer un thème en le paraphrasant, presque sans déformation, avec une ampleur et une sûreté parfaites ; comme lui, il peut aussi se lancer dans l'improvisation la plus inspirée ; comme lui, il a une sonorité aisément reconnaissable ; et comme lui, il a eu toute une pléiade d'imitateurs.

Sa technique phénoménale l'entraîne parfois à des traits d'une virtuosité telle que l'inspiration en paraît alors absente : mais on a pu dire la même chose du pianiste Art Tatum, et cette technique, qu'on le veuille ou non, ne nuit nullement à la sincérité de leur jeu. Au contraire, il serait artificiel de leur part de ne pas l'utiliser. Enfin, Gillepsie a montré des qualités de chef d'orchestre telles que, on peut bien le dire, depuis 1940, sa formation est la seule qui se soit imposée à côté des vétérans Ellington, Basie, Hampton. Et l'empreinte laissée par le style d'arrangement et d'interprétation de Gillespie est si forte qu'aujourd'hui on en retrouve les traces littéralement partout et chez ceux-là mêmes qui se pressaient de l'enterrer.

L'influence cubaine

Gillespie est également avec ses arrangeurs et surtout Gil Fuller, responsable d'une des acquisitions très intéressantes faites par le jazz au cours de ces dernières années : je veux parler de l'influence cubaine et de l'introduction des bongos, notamment, dans la grande formation (ou la petite, puisque le trio King Cole l'utilisa aussi).

Il me paraît du plus grand ridicule de revendiquer pour le jazz le droit à l'utilisation des vieux quadrilles, des polkas, des marches et du répertoire ragtime et de lui refuser celui de s'offrir quelques influences cubaines. C'est s'imaginer que le jazz est d'ores et déjà sur la pente de la décadence — et je sais que nombre de mes confrères en sont, hélas, à ce point. Quelle preuve meilleure au contraire de la vitalité du jazz ? Et cela prouve bien aussi qu'il n'a même pas encore acquis la forme stable à partir de laquelle il pourra évoluer sans « mutations ».

Répétons-le, le jazz est un art futur qui bouillonne encore dans sa grosse marmite ; il en sortira un jour, mais qu'on laisse le temps aux cuistots de service de mettre leur grain de sel ; celui de Dizzy et de ses camarades lui donne, en tout cas, un goût fort savoureux.

*

ARTS
11 novembre 1952

JAZZ ACTUALITES

Il s'en prépare, des choses, sur le front du jazz ! Concerts, disques s'annoncent pas douzaines. Louis Armstrong est attendu en France avec sa formation ; Mahalia Jackson, l'admirable chanteuse de spirituals révélée depuis un peu plus d'un an au public français par le disque, va suivre ; on signale Teddy Wilson en Suède (ce n'est pas bien loin !) ; bref, c'est une vraie avalanche.

Rappelons, puisque nous l'avons citée, Mahalia Jackson et les longue-durée de chez Vogue (LD 067 et LD 071) où se trouvent réunies ses plus belles interprétations. Ce n'est pas du jazz, mais de la musique religieuse transfigurée par l'apport d'éléments affectifs spécifiquement noirs qui font de ces cantiques sans grand intérêt musical des œuvres d'une extraordinaire intensité.

Dans un domaine plus jazz, mais caractérisé par l'apport d'éléments symphoniques exécutés avec une remarquable précision par un groupe de musiciens de l'Opéra, la marque Blue Star édite huit interprétations du fameux trompette Dizzy Gillespie gravées lors d'un de ses passages à Paris (Blue Star 6806).) Dizzy s'accommode parfaitement de cet ample soutien qui fait ressortir par contraste toute la vigueur de son style à l'arraché. Sa sonorité puissante et nette est conservée et son admirable phrasé se donne libre cours au long de ces arrangements où l'on retrouve la patte originale de Jo Boyer et celle plus traditionnelle mais combien dansante de Daniel White.

Ce n'est pas tout. Chez Blue Star encore, un prestigieux « Charlie Parker with strings » où le maître du saxo alto s'en donne à cœur joie. L'abondance des idées de ce musicien phénomène est telle que ce fond orchestral fournit enfin une occasion de s'y reconnaître et d'en profiter. Il est suprêmement plaisant de suivre « au grand jour » si l'on peut dire, le cheminement du travail improvisateur de Charlie. Les thèmes généralement jolis sont excellemment enregistrés.

Vogue (on s'étonnera peut-être de ne me voir citer que Vogue et Blue Star, mais ces deux marques sont les seules qui fassent un véritable effort en 33 tours) a réuni sur le LD 058 les noms des « originators of modern jazz » où l'on retrouve encore avec plaisir Dizzy, Parker, Miles Davis, Fat's Navarro (prématurément disparu) avec Howard Mc Ghee et le pianiste Hank Jones. Un « jazz of the air » (LD 092) donne à Roy Eldridge, Flip Phillips, Al Casey, Eddie Safranski, etc., l'occasion d'une excellente séance où on les entend improviser abondamment. Un autre disque, « New stars-news sound » offre une sélection un peu hybride qui va de l'orgue pétulant de Bill Davis au vibraphone de Joe Roland en passant par les multiples talents de Eddie Shu qui s'attaque, lui, à l'alto, à l'harmonica, à la trompette et à la clarinette.

Mais Blue Star contre-attaque vigoureusement avec le sensationnel piano d'Oscar Peterson, révélation du concert Jatp en France, un « must » pour tous les amateurs (BS 6921). Et voici que Vogue revient très fort avec Illinois Jacquet (Vogue LD 087) qui nous donne huit des meilleures faces du moment...

Avouons que l'auditeur de jazz ne saurait trop se réjouir d'une concurrence qui lui procure l'occasion de garnir ses rayons.

★

ARTS
11 mars 1953

QUAND LE JAZZ N'ADOUCIT PAS LES MŒURS

Boris Vian : Lisez Mezz mais ne l'écoutez pas !

Milton Mezzrow vient à Paris donner un concert. Serait-ce un musicien ? Non : les affiches nous rassurent qui annoncent « l'auteur de la *Rage de Vivre* ». Gageons donc que depuis son dernier séjour en France, Mezzrow n'a pas appris à jouer de la la clarinette. Au fait, alors... pourquoi ce concert ?

A dire vrai, cette invite à relire le livre ne serait, en elle-même, pas maladroite. Qu'y apprend-on en effet, sinon que l'auteur en question détient depuis fort longtemps la connaissance des vrais mystères du jazz et s'exprime dans cet idiome si particulier avec un bonheur rarement égalé ? Il se présente avec une touchante modestie comme un frère de talent des Louis Armstrong, Baby Dodds, et autres rois du jazz, et l'assurance de cette confession est telle que l'on serait, en refermant le livre, justifié de croire au talent (de clarinettiste) de son auteur.

Cependant, on sait qu'il joue de cet engin quasiment comme un cochon. Et que son livre est une assez bonne œuvre d'imagination.

On imagine la perplexité du malheureux qui tente en cette

seconde de résoudre ce système d'équations bourré de pièges. Que dire de Mezzrow ?

Après tout, simplifions le problème. Nous n'avons pas ici à nous perdre en incidentes : c'est le jazzman qui vient, et qui s'est d'ailleurs entouré pour cette tournée de musiciens sympathiques.

Et disons-le tout net : s'il arrive que l'on entende, au concert Mezz, de bonne musique, ce ne sera pas la faute de Mezzrow. Car on a rarement vu dans l'histoire du jazz, une réputation s'établir à partir de si peu de chose.

Mezzrow est un clarinettiste à la technique à peine élémentaire qui a, sa vie durant, travaillé à imposer une conception du jazz telle qu'elle lui permette d'y occuper une place de choix.

C'est pour cela qu'il est difficile de le séparer de ce qu'il a écrit ou inspiré (nous pensons ici aux conceptions d'un Panassié, calquées sur celles de Mezz). C'est aussi pour cela qu'un critique américain a pu dire après *la Rage de Vivre* : « Maintenant qu'il nous a donné son charmant roman, croyez-vous que Mezzrow écrira un jour son autobiographie ? »

C'est encore pour cela que l'on est bien embarrassé. Car si Mezzrow se contentait de la place qu'il mérite dans le monde du jazz, celle d'un amateur de second plan, il serait tellement sympathique... On aurait tellement de plaisir à lui dire : « Vraiment, je vous assure, pour un amateur, ce n'est pas mal du tout ! »

Et ce ne serait pas mal du tout.

Mais pour un génie, on est bien forcé de dire que ça laisse à désirer.

Mezzrow a choisi le génie. Aussi nous sommes en droit de nous montrer difficiles. Et de bien préciser que le génie, lui, n'a pas choisi Mezzrow.

Il s'est fait le champion de la race noire. Il s'est rangé du côté des opprimés. Cependant, il défend un style qui fut admirable entre les mains de ses créateurs, mais que plus un jeune Noir ne veut pratiquer de nos jours : et il couvre d'insultes ceux de ses « frères de race » dont les conceptions musicales s'écartent de sa propre orthodoxie figée. Hors de la parole du Maître, pas de salut...

Tout ceci ne présente aucun danger en Amérique : car en Amérique, on le connaît très bien. Mais ce n'est pas parce que le métier de prophète présente des difficultés locales qu'il faut venir prophétiser chez les autres. Surtout quand on prophétise avec vingt ans de retard.

Nous ne songeons nullement à empêcher Mezz de gagner sa vie : il est fort au courant des méthodes qui permettent à un chef d'orchestre intelligent et sans talent de se garnir confortablement les poches tout en restant dans la légalité. Mais il présente généralement sa doctrine comme si elle réunissait l'accord de la critique dans son ensemble, ce qui est très exactement l'opposé de la vérité. Aussi lisez Mezzrow écrivain de talent, médiocre clarinettiste, exécrable doctrinaire. Mais ne l'écoutez pas. D'ailleurs, tout compte fait, ses concerts ne seront probablement pas mauvais : comme nous l'avons dit, il s'est bien entouré... et comme il n'est pas bête, il est probable qu'on entendra surtout les autres...

★

ARTS
24 septembre 1953

KENTON : UNE BELLE MACHINE SANS AME

Etant donné la tendance récente de tous les grands orchestres américains à se réorienter vers la musique de danse, on s'attendait bien vendredi dernier à ce que l'on a entendu sur la scène de l'Alhambra où se produisait la formation de Stan Kenton.

Ce dernier a depuis quelques années fait beaucoup parler de lui aux Etats-Unis, où il s'est posé — avec une certaine prétention — comme le champion d'une musique dite « progressive » dont tout le progrès consistait en une hypertrophie sans goût de clichés mis au point par d'autres et que l'on vous vociférait puissamment à l'oreille.

La critique française, de ce fait, s'est employée à rétablir un peu la balance et votre serviteur ne niera point qu'il n'a pas ménagé l'engueulade à ce bon Stan lorsque, faisant table rase de tout le reste, il se présentait comme le seul et unique rénovateur de la musique. Ceci dit, nous n'ignorions nullement que l'orchestre de Stan, techniquement parlant, est une mécanique bien au point, et nous n'avons pas été surpris d'en admirer le fonctionnement. En bref Stan Kenton a donné aux amateurs venus bourrer l'Alhambra une parfaite leçon de technique de l'orchestre de danse. Il a une section de trombones, en particulier, assez étonnante ; les cinq trompettes « rentrent dedans » avec un ensemble impeccable, et les saxos garnissent les fonds de fort bonnes sauces. Assurément, ce n'est pas déplaisant ; et des solistes comme Frank Rosolino valaient qu'on les connût... mais...

Car il y a un mais. Un mais assez terrible. C'est qu'à aucun moment, cet orchestre ne donne l'impression d'être « habité ». En vérité tout ceci a autant d'âme qu'un ouvre-boîte de conserves. Je n'incrimine pas les arrangements, dont certains furent assez bons (l'arrangement de Gerry Mulligan, et celui, de je ne sais qui, qui s'ouvrait sur une petite acrobatie de la section des trombones dont la mise au point vous coupait un peu la chique, etc.). — Mais il est heureux que Kenton, pour s'exprimer, dispose de ses dix-huit bonshommes et de son piano, car il n'a pas grand-chose à dire... Le volume sonore le sauve. On en eut la preuve éclatante lorsque parut sur scène la chanteuse June Christy. Elle résume à elle seule toute la personnalité de l'orchestre ; elle est blonde, bien profilée, elle a un visage régulier et fade, elle est habillée de façon éclatante et sans goût, ni bon ni mauvais, elle a un timbre mat agréable, et elle chante faux parce qu'elle essaie d'imiter Ella Fitzgerald et qu'on ne peut pas imiter une dame qui a dans la voix le « perfect pitch », le diapason le plus inflexible de la terre. Attaquer en dessous de la note, à la manière noire, c'est charmant quand on finit sur la note — mais pas quand on reste en dessous. Et reproduire quelques-uns des trucs de la chanteuse de jazz la plus remarquable de l'époque ne suffit pas à faire une autre chanteuse.

June Christy, soyons francs, fut emboîtée. Notre vieille galanterie française fait que nous le déplorons : il suffisait de ne rien dire. Mais surtout, si l'on emboîtait June Christy (lors même qu'elle donnait un *Willow, weep for me* à peu près correct) il aurait fallu emboîter tout le monde : ce qui sortait de son gosier n'était ni plus ni moins que ce qui sortait du pavillon des quinze bonshommes, dans son essence : une sorte de jazz synthétique, aérodynamique, calibré, avec des nuances contrôlées au pied à coulisse, des ensembles mis en place au métronome et là-derrière, rien de vrai à exprimer.

Déculottons donc notre pensée ; nous serions absolument ravis si, dans un dancing parisien, on pouvait trouver une formation aussi bien rodée. On n'a pas besoin de faire attention : ça vous porte. Mais il n'y a rien dans tout cela qui ait été inventé par Kenton : les créateurs à qui il faut rendre hommage se nomment Ellington, Lunceford, Basie, Gillespie. Or, c'est Kenton le plus « publicisé » : il jouit d'un prestige considérable aux U.S.A., en Angleterre et ailleurs, tandis que, depuis déjà trois ans, Gillespie n'a plus son grand orchestre. (Et pourtant, quelle différence ! Là, on sentait passer le vrai souffle.) Certes, des solistes comme Zoot Sims, Lee Konitz, Conte Candoli, sont estimables ; eux aussi reproduisent, sur-léchées et ultra-polies, les découvertes des Parker. Lorsque Kenton disparaîtra, n'importe quelle formation blanche pourra le remplacer aux U.S.A. : Ray Anthony, Woody Herman, Billy May ; il leur suffira de se servir dans la « librairie » des arrangements Kenton.

Mais où est-elle cette petite flamme... Cette petite flamme qui fai que Manet et Jean-Gabriel Domergue, ce n'est pas tout à fait la même chose...

*

ARTS
24 février 1954

CLAUDE LUTER A L'OLYMPIA

Le deuxième programme de l'Olympia semble nettement meilleur que le premier. Liquidons tout de suite ce qui ne va pas : le monsieur qui s'occupe du rideau, celui qui s'occupe de la lumière et la présentatrice, décidément impossible. On hésite à dire du mal d'une fille qui a besoin de travailler comme tout le monde ; mais d'un autre côté, elle met le public si mal à l'aise que cela dessert finalement ses camarades. Ceci fait, les attractions, cette quinzaine, sont bonnes ; Gasty est un jongleur honnête, les Heinkes manient habilement leur bécane, les Shivers ont des moments excellents — (le porteur a des biceps qui font rêver) — tandis que les Viganos, sauteurs à la bascule, ont réellement un numéro remarquable et méritent mieux que cette queue de programme. Côté tours de chant, voici Jean Valton. Plus à son aise qu'à la Lune Rousse, il remporte un succès mérité avec le même tour, qui, on ne sait pourquoi, passe bien mieux ici. Tohama chante. Tohama a un côté désespérant. Voilà une femme qui peut avoir une voix charmante — elle la prend pour quelques jolies chansons, telle *Moulin Rouge*. Mais elle semble s'imaginer que son avenir est dans la chanson gueulée. Le choix de son répertoire est atterrant à cet égard. Quel dommage ! Car cela peut être si bien par moments. Presque la même remarque pour Patrice et Mario qui remplaçaient Brassens, malade. Ces deux garçons chantent agréablement, leur tour est au point — mais l'indigence de neuf sur dix de leurs chansons est à faire hurler. Ce ne sont que petits ânes brésiliens, caravaniers, montagnes d'Italie et autres sucreries d'un exotisme digne du Bazar de l'Hôtel de Ville (sans vouloir vexer cet honorable établissement). On demande grâce — les paroles sont trop idiotes. Et ils articulent fort bien !... C'est un vrai repos pour l'esprit que la malice et l'humour de Poiret et Serrault ; en vérité, voilà un couple qui mérite d'aller loin... et il y va.

Enfin, ce second programme sacrifie à la musique, avec Claude Luter, toujours égal à lui-même, et à la danse, avec les Latin Bop Stars, au nom bizarre, deux mignonnes filles, et deux garçons qui ont un numéro très bien réglé, et d'autre part, Ina et Bart — lui la force, elle la souplesse — justement applaudis. Programme copieux, lestement enlevé, qui fait passer, dans l'ensemble une bonne soirée.

★

ARTS
9 juin 1954

LA VIE DIFFICILE DU MUSICIEN DE JAZZ

Pour moi, l'intérêt du jazz est d'une telle évidence que je ne peux que plaindre sincèrement les oreilles et les cœurs (il en est paraît-il), qui refusent de le reconnaître et de s'y abandonner.

Georges AURIC.

Déjà la première à l'avant-garde de la critique du jazz, la France a également le mérite d'avoir créé cette originale manifestation que l'on nomme Salon du jazz. Et si le Salon du jazz n'attire pas — pas encore vous diront les « fans », mais patience ! — autant de visiteurs que la Foire de Paris, c'est déjà un salon solide, vieux de trois ans, et qui ne manifeste aucune anémie.

C'est salle Pleyel que s'est tenu le salon de cette année, et un effort particulier a été fait pour son installation. Le grand hall de la salle Pleyel fut à cette occasion métamorphosé en vieux quartier de la Nouvelle-Orléans par les soins du décorateur David-Gil, fidèle illustrateur des salons successifs. Comme de coutume, les concerts alternaient régulièrement avec les présentations de courts métrages consacrés au jazz, et cette année même on a pu assister à la création d'une académie nouvelle, l'Académie du jazz, qui décerna un Oscar mérité au meilleur disque de l'année, en l'espèce un microsillon du grand vibraphoniste Milton Jackson, tandis que le prix Django Reinhardt, fondé en mémoire du fameux gitan, était attribué au saxo ténor Guy Lafitte.

Parallèlement à ces brillantes manifestations épidermiques, qui témoignent de la vitalité d'un art souvent encore méconnu par ceux-là mêmes qui devraient lui accorder le plus d'attention, un travail beaucoup plus profond a été accompli dans notre pays.

Comme le remarque le critique André Hodeir, il n'est plus permis aujourd'hui de se demander ce qu'est le jazz ; non que chacun soit en mesure de répondre à cette question, mais on sait à tout le moins où se documenter ; et si le niveau moyen de l'échotier est resté à peu près le même qu'il était avant la guerre, la critique a fait des progrès surprenants. Ce n'est plus avec un respect teinté de mysticisme très « minorité persécutée » que l'on aborde le jazz et ses problèmes — attitude de règle voici quinze ans. C'est avec une objectivité lucide et une compréhension finalement beaucoup plus nette des moyens et des nécessités de cette musique. Le clan des musiciens a réalisé des progrès techniques énormes reculant plus que jamais les limites d'instruments réputés inexpressifs ou déjà « usés ». Les arrangeurs sont parvenus à une écriture de plus en plus voisine, par sa richesse, de celle des grands classiques. Quant aux auditeurs, ils ont fait un sérieux effort pour « s'élargir » l'oreille et l'on peut désormais assister à peu près tranquillement aux concerts de jazz dit « moderne ».

Il n'est pas jusqu'aux éditeurs de disques qui n'accomplissent des prodiges ; et si le jazz a naturellement des attraits commerciaux, il faut dire et il faut faire savoir au public que plusieurs jeunes éditeurs y sont venus par passion : ce n'est un secret pour personne que Eddie Barclay, des disques Blue Star, que Léon Kaba et Albert Ferreri des disques Vogue, furent amateurs, collectionneurs, musiciens, avant de presser des cires. Cela vaut tout de même d'être précisé. Grâce à l'effort de ces pionniers, de grosses maisons d'éditions commencent enfin à nous livrer les trésors de leurs inépuisables réserves : Pathé-Marconi, par exemple, réédite Jelly Roll Morton et Armstrong, voire même Johnny Dodds...

Il faut le dire, hélas ! si l'on montre aujourd'hui tant de bonne humeur c'est encore pour des buts de propagande. L'amateur de jazz qui est en même temps un amateur de musique tout court reste le grand pourvoyeur du public du jazz. C'est encore

Hodeir qui le souligne : « Tout cela perd son prix en très peu de temps. On passe le flambeau aux cadets, et de lustre en lustre les concerts de jazz et les magasins spécialisés continuent d'être fréquentés par le même juvénile public où seuls les visages changent. »

Et cela entraîne automatiquement la conséquence suivante : il est presque impossible à un musicien de jazz d'exister en France en tant que tel.

Car le public jeune n'a que peu d'argent. N'ayant que peu d'argent, il hésite à se rendre au concert et peut encore moins fréquenter le cabaret ou la boîte de nuit. Une consommation à 500 francs, avec un service, c'est le prix d'un disque.

N'ayant que peu d'argent, l'amateur de jazz préfère donc l'investir dans une mine solide de satisfactions : il achète le disque.

C'est la raison pour laquelle l'industrie du disque de jazz fonctionne si bien. Ajoutons à cela que le jazz, lorsqu'il est improvisé, à besoin du disque pour avoir une existence autre qu'éphémère. Le jazz se prête mal à l'écriture, de par un certain nombre de caractéristiques qui lui sont propres et pour lesquelles on n'a pas encore trouvé de notation satisfaisantes. Ce n'est pas à dire que l'on ne puisse l'écrire du tout : mais pour déchiffrer une partition de jazz, il faut un musicien « de jazz » qui en connaisse la tradition. En résumé, si le jazz a connu en cinquante ans un développement si rapide, c'est à la date de naissance qu'il le doit, et à l'heureux hasard qui la fit coïncider avec celle de l'enregistrement, ou à peu près. En contrepartie, on pourrait sans doute assurer que si le développement du jazz avait duré un temps comparable à celui du développement de la musique dite classique, on aurait fini par découvrir un système cohérent et complet d'écriture qui lui eût été propre. Le disque et le jazz, donc, sont inséparables. L'amateur de jazz fait porter son effort sur le disque.

Il faut des orchestres réguliers.

Paradoxe curieux, c'est pour cela que le musicien de jazz n'a pas de travail en France.

Comment en effet, sans la pratique quotidienne de son art, et ce devant le public, le musicien de jazz français, voire européen, peut-il espérer réellement progresser et se développer ?

Il faut tout de même vivre. Il faut ramasser les malheureux 3 000 francs par jour qui constituent un minimum absolu pour des gens généralement obligés de vivre en hôtel, au hasard des engagements et de vivre la nuit, ce qui revient cher.

Le musicien de jazz accepte donc l'inévitable, et se commercialise.

L'amateur de jazz, intolérant, ne le considère plus comme un pur et ne veut plus entendre parler de lui. Il achète des disques. La demande croît. Et c'est au moment où le musicien de jazz a enfin l'occasion d'enregistrer qu'il se trouve hors de forme, plus « dans le coup » et coupé du public. On le voit, c'est un cercle singulièrement vicieux.

Ajoutons-y que les critiques de jazz ne peuvent pas arranger les choses. Le critique de jazz, lors même qu'il a de l'amitié pour un musicien, est obligé de conserver une rigueur extrême de jugement s'il veut continuer son travail d'élargissement du public. Un public nouveau, malheureusement ne se conquiert pas à coup de nuances. Par devoir vis-à-vis de la cause qu'il sert — et qu'il sert les trois quart du temps pour l'amour de l'art — le critique de jazz sera donc brutal et définitif, ne pouvant entrer dans le domaine plus subtil de la critique constructive que lorsqu'il s'adresse à un public déjà spécialisé.

Il n'y a qu'un remède à cette impasse, et ce remède, heureusement, a déjà trouvé un début d'application. C'est la création d'orchestres réguliers de studio, et l'enregistrement régulier de ces orchestres. Sans être une solution complète, ce système présente l'avantage de « garder le contact ».

Il n'y a qu'un remède à cette impasse, et ce remède, heureusement, a déjà trouvé un début d'application. C'est la création d'orchestres réguliers de studio, et l'enregistrement régulier de ces orchestres. Sans être une solution complète, ce système présente l'avantage de « garder le contact ».

L'obstination des musiciens, là encore, sauve souvent la mise. Le musicien est obligé de jouer commercial. Il l'admet. Mais lorsqu'il arrive à imposer son nom, le jazzman réapparaît — et on le voit introduire dans son programme des arrangements tout à fait dignes d'intérêt, des soli valables. Ces efforts font beaucoup pour acclimater l'ouïe du gros public.

Lorsqu'un musicien comme Jacques Hélian, qui dirige un orchestre de variétés, engage comme il le fit un trompette comme Ernie Royal, il fait peut-être que l'amateur d'*Etoile des Neiges* le jour où il tombe sur un Count Basie, ne se sent pas dépaysé au point d'arrêter la musique. Ce genre de travail de noyautage, à notre sens, porte des fruits absolument certains. Bien des amateurs passionnés de jazz y sont venus par le commercial. Séduits par le côté facile ils se laissent insidieusement pénétrer par le côté vrai.

La vie du musicien de jazz reste pourtant précaire. Combien de talents véritables, cependant ! Le jazz de ces dernières années a acquis pour une part un caractère intime, intellectuel, qui le prive volontairement de cet aspect racoleur, éclatant et sympathique qu'il eut naguère. On admirera d'autant plus ceux qui persistent à rester purs, et qui, lorsqu'ils ont l'occasion de se produire en public ou en studio, savent résister à la tentation pour contribuer, dans la mesure de leurs moyens, à mener ce combat non pas décevant mais toujours renouvelé. Et on conservera son amitié et sa sympathie à ceux qui ont choisi une route moins semée d'épines peut-être, mais qui, devenus célèbres n'hésitent jamais, lorsqu'il s'agit de la « real thing » à reprendre leur trompette ou leur saxo et à venir prendre place, modestement, aux côtés des cadets pas encore « accablés » par la nécessité. Tous ces efforts ont porté et porteront leurs fruits, et le jour viendra, nous y croyons fermement, où cette dure période transitoire passée, un musicien de jazz pourra vivre en se consacrant à la musique qu'il aime.

*

ARTS
7 juillet 1954

BILLY ECKSTINE ARRIVE *

M. B..., comme le surnomment les Américains, est bien connu des amateurs de jazz français qui savent la part importante jouée par lui dans la création du style bop. Il faudrait se garder de croire que cette passion du bop se reflète dans ses interprétations vocales : Billy Eckstine, qui fut longtemps chanteur dans l'orchestre du grand pianiste Earl Hines, dont il était devenu l'un des principaux centres d'attraction, chante de façon parfaitement orthodoxe. Si la puissance de ses poumons fait qu'on ne peut guère le classer parmi les chanteurs de charme, il n'en reste pas moins qu'il a un talent particulier pour pousser la romance.

Billy Eckstine fit une partie de sa carrière comme instrumentiste sur cet engin curieux nommé trombone à pistons. Vers 1944, il eut même un grand orchestre, dont il était le chef. Ce fut, disent ceux qui l'ont entendu, une formation sensationnelle.

---

* (La première partie de cette chronique est consacrée à Ray Robinson et Larry Adler, elle est reprise dans *La Belle Epoque*, éd. Christian Bourgois.)

Dizzy Gillespie, le trompette le plus renommé d'Amérique en assumait la direction musicale. De fait, Eckstine est le créateur et le promoteur du premier orchestre be-bop.

Mais la gloire qu'il allait conquérir comme chanteur lui a fait abandonner cette activité un peu épuisante. 1947 le vit retravailler seul, et monter rapidement dans l'estime du public. Actuellement, c'est un des chanteurs les plus aimés d'outre-Atlantique.

*

ARTS
21 juillet 1954

BORIS VIAN A CHOISI POUR VOUS QUELQUES DISQUES DE DANSE

Ayant entrepris de distribuer en France les estimables produits de la marque Capitol, voici que Pathé-Marconi nous fournit à point nommé tout ce qu'il faut pour danser cet été : quelques microsillons bien choisi, et l'ennemi redoutable que constitue le poids éliminé, rien ne vous empêche d'organiser, dans votre retraite de vacances, les « parties » les plus réussies.

L'orchestre de Billy May a gravé huit morceaux qui se prêtent à merveille à la danse. Huit morceaux c'est-à-dire deux faces trente-trois tours. Billy May est un estimable trompette blanc, qui a tenté de créer un « new sound », en se référant aux maîtres du genre instrumental, Jimmy Lunceford en particulier, et qui a réussi. Il a un orchestre admirablement au point, et si son « slurping cound » peut sembler lassant à la quinzième édition, il faut lui savoir gré de l'avoir ressuscité ! De fait, son microsillon (H. 349) est un des mieux adaptés à la récréation que l'on puisse trouver. C'est toujours le problème majeur pour le critique de jazz que de faire taire ses préjugés en ce qui concerne les musiciens blancs. Indiscutablement, dans le style « musique populaire américaine », il s'agit d'une réussite, et d'une réussite entraînante. De *Charmaine* à *When my sugar walks down the street* (à noter, pour ce dernier titre, un arrangement absolument remarquable), voici deux faces — huit morceaux, disions-nous — de tout premier choix.

Duke Ellington, le fameux chef d'orchestre noir, a quitté

Columbia pour Capitol, et un des premiers enregistrements gravés pour la marque à l'étiquette violette est un recueil des « grandes premières » dont lui furent redevables quelques estimables compositeurs. *Flamingo, Stardust, Stormy Weather, Cocktails fort two, My old flame, Three little words, I can't give you anything but love* et *Liza* défilent ainsi sous le diamant du pick-up, rebriqués, polis et réajustés au goût du jour grâce aux vertus d'Ellington et de son arrangeur en chef Billy Strayhorn. L'orchestre d'Ellington a toujours les qualités uniques qui ont fait de lui le premier de tous, bon an mal an. Une savoureuse combinaison de timbre, une efficience discrète, et cette inimitable pulsation... tout ceci est présent dans l'enregistrement, qui se nomme Capitol H 440.

Stan Kenton dirige aux Etats-Unis un groupement dit « progressif » qui n'est autre qu'une grosse formation bien rodée et assez bruyante. Les arrangements, souvent intéressants, ne sont pas toujours d'une originalité extraordinaire, mais ils sont bien venus et bien mis en place, et le résultat est une musique de danse qui est un peu plus qu'une musique de danse. Le Capitol H. 190 que nous choisissons parmi plusieurs autres contient notamment le thème signature de l'orchestre, *Artistry in rhythm,* et en outre *Eager Beaver, Collaboration, The Peanut Vendor, Intermission riff* (encore un pillage, plutôt éhonté, de Lunceford) et *Concerto to end all Concertos,* dont le titre semble, à la vérité, quelque peu prétentieux. Il n'en reste pas moins que le tout s'écoule sans ennui. La section des trombones de l'orchestre fait un solide travail, et l'arrangement du *Peanut Vendor,* dû à Pete Rugolo, est efficace et saisissant. Si Kenton n'est pas, comme l'a souligné une publicité peu discrète, le génie du siècle, il n'en possède pas moins un vigoureux orchestre, et le dynamisme de ses hommes passe le micro.

Enfin, La Voix de son Maître présente un recueil, en 33 tours, qui, apparemment est réalisé sous l'égide du batteur Gérard Pochonet. Nombre de musiciens français de valeur l'entourent : Christian Bellest, Roger Guérin, Bernard Hulin, Guy Longnon, Benny Vasseur, André Persiany, etc. Michel de Villers est spécialement en valeur dans les divers soli d'alto, de clarinette et de baryton. En outre, le trompette noir Buck Clayton participait à la séance et son jeu précis et fin n'est pas un des moindres attraits de cet enregistrement. Le guitariste Sasson, Persiany et Pochonet sont responsables d'un certain nombre de compositions figurant au sommaire ; ils ont rempli leur tâche avec efficacité. (Voix de son Maître, FFLP 1022).

★

ARTS
4 août 1954

ANDRE HODEIR DANS *HOMMES ET PROBLEMES DU JAZZ* REMET LES CHOSES AU POINT

Le critique musical André Hodeir vient de publier chez Flammarion — au Portulan plus exactement — un volume de quatre cents pages, *Hommes et problèmes du jazz,* dont la parution vient à point. Ex-musicien de jazz et spécialiste reconnu de la musique classique, André Hodeir, plus que tout autre, était qualifié pour aborder le problème du jazz. Celui-ci, on peut bien le dire, et ceci malgré le nombre d'ouvrages qui lui ont été consacrés, n'est encore qu'effleuré, et le manque d'une étude objective et un peu fouillée tourmentait tout ceux qui placent cette musique au premier rang de leurs préoccupations artistiques.

Cinq parties composent l'ouvrage. Une introduction précise sémantiquement, si l'on peut dire, l'étendue et les limites de la notion de jazz. A ce propos, Hodeir est amené à définir ses conceptions de la critique ; de fait, plus qu'en n'importe quel autre domaine encore, il faut au critique de jazz une connaissance très aiguë de la profession de jazzman ; et, naturellement, puisqu'il s'agit de musique, les moyens nécessaires à l'analyse et à la mise en lumière des phénomènes. Art longtemps « volatile », le jazz nous parvient en effet le plus souvent par disque, et échappe bien souvent à la transcription ; on devine qu'il faut, si l'ont veut mettre en lumière sa structure et son articulation, avoir une « science » suffisante.

En seconde partie, l'auteur fait le point de l'évolution, des « primitifs aux modernes », et ceci en prenant pour référence de grands exemples d'œuvres jazz. Ici, les vérités premières communément acquises par le profane, en vertu des articles généralement ineptes qu'il lit dans son journal, prennent une sévère « déculottée », si l'on ose dire. Déboulonnant les fausses idoles — généralement érigées par des critiques dont les admirations étaient à la mesure de leurs moyens, hélas ! par trop limités — Hodeir se taille une route claire dans le confusionnisme existant. Remplaçant la véhémence par l'intelligence et le sentiment par la sensibilité, avec une certaine rigueur — combien reposante — il fait justice des inepties répétées de génération en génération par des suiveurs avides de mots d'ordre.

Le problème de l'improvisation, le problème de l'essence du jazz, suivent. C'est là la partie la plus remarquable du livre, et ces deux chapitres classent leur auteur tout à fait en tête de la critique de jazz moderne. Nous ne pouvons faire mieux que d'y renvoyer l'amateur.

Enfin l'ouvrage se conclut par un chapitre intitulé « Le Jazz et l'Europe », où il est, avec un glacial humour, procédé à l'exécution en fanfare du dicton selon lequel des hommes comme Milhaud ou Stravinsky avaient compris le jazz. Hélas ! On s'aperçoit vivement du contraire... et l'on apprend quelques surprenants phénomènes. C'est un chapitre capital.

Une sorte d'appendice, la « Religion du Jazz », vient compléter le livre. Cette fois, c'est un homme qui est en cause, Hugues Panassié. Hugues Panassié fit beaucoup de bien au jazz avant 1940 en gros. Le jazz le lui a bien rendu ; mais depuis 1940, on peut dire que Panassié s'est rattrapé, faisant régner pour le plus grand bien de ses amis et de lui-même, une extrême confusion en la matière ; confusion qui est, hélas, le reflet sincère de celle de son esprit.

L'impitoyable décortiquage de ses volte-face, de ses changements de position, de ses palinodies, de ses stupidités — il faut bien le dire — est mis en relief avec une précision que d'aucuns prendront pour de l'acharnement ; il n'en est rien : l'objectivité la plus parfaite règne tout au long du chapitre, et c'est encore aimer le jazz que de le défendre contre ses faux amis. Certes, ce chapitre est plus réjouissant encore pour le spécialiste que pour le profane ; néanmoins, ce dernier en goûtera toute la férocité froide et l'humour latent.

On peut le dire : avec *Hommes et problèmes du Jazz*, Hodeir n'est pas loin de nous avoir donné le livre de base que l'on attendait.

★

ARTS
18 août 1954

DEUX GRANDS PIANISTES
NAT KING COLE ET MARY LOU WILLIAMS

Pour le plaisir des amateurs, il existe désormais les microsillons enregistrés par l'excellent pianiste-chanteur qu'est Nat « King » Cole. Sans être, à proprement parler du jazz, les disques de « King » Cole en restent quand même très voisins ; si l'on veut, c'est la bonne chanson commerciale traitée par un pianiste de jazz. Le renom de chanteur de Cole l'emporte actuellement sur son talent d'instrumentiste. On se rend compte à l'audition de ces cires que ce dernier n'est pourtant aucunement négligeable.

Deux sélections : le 11 220 [1], qui contient une série de thèmes classiques, tels que *Body and Soul, Embraceable You, Paper Moon,* etc., et l'autre qui renferme notamment le fameux *Nature Boy* avec un accompagnement de grand orchestre plutôt moins heureux, le 11 213. (Harvest of Hits). Dans l'une comme dans l'autre, Cole déploie tout son charme et toute sa verve. Le point intéressant de ce genre de disques est que chacun y trouve honnêtement son compte : on peut les écouter, on peut danser, on peut analyser, bref : ce sont de fort heureuses acquisitions.

Le Club Français du Disque [2], de son côté, édite (J 12) un microsillon consacré à la très remarquable artiste qu'est Mary Lou Williams. Formée à la rude école du piano d'orchestre de jazz, compositrice, arrangeuse et prestigieuse exécutante, Mary Lou Williams est l'une des personnalités les plus douées qui se soient imposées au monde du jazz pourtant riche en grands noms. Elle a un tempo remarquable et une imagination jamais en défaut ; elle sait l'importance de la main gauche et ne la perd jamais de vue (pas la main, bien sûr, l'importance...) Entourée de petits groupements variés, elle nous donne là dix échantillons de son grand talent ; dans les deux soli de piano qui y figurent, *Club Français Blues* et *I Made You Love Paris,* elle est à sa plus grande forme. Le drummer Kansas Fields et le trompette Nelson Williams complètent notamment la distribution.

★

ARTS
29 septembre 1954

QUELQUES GRANDS DU JAZZ

Le nom de Coleman Hawkins aurait plutôt tendance à être oublié aujourd'hui des nouvelles générations d'amateurs de jazz ; et c'est vraiment regrettable ; car Hawkins reste un des grands champions de cet instrument difficile qu'est le saxo-ténor. Si sa sonorité n'est plus celle que l'on recherche aujourd'hui, elle n'en constitue pas moins un régal pour l'oreille — et elle est parfaitement adaptée au phrasé lyrique et inspiré de Hawkins. C'est donc avec joie que l'on accueillera la parution de huit morceaux enregistrés par Hawkins « The Bean » en février et

1. Nat King Cole and His Trio. Harvest of Hits (*Capitol* H. 213.)
2. Mary Lou Williams et ses formations (*Club Français du Disque* J. 12.)

mars 1945 à Hollywood. Hawkins y est entouré d'excellents musiciens. McGhee à la trompette, Allan Reuss à la guitare, Pettiford à la basse, « Sir Charles » Thompson au piano et Denzil Best aux drums. Sur tempo rapide ou sur tempo lent — avec une préférence pour ceux-ci qui lui permettent de développer ces arabesques tourmentées qui sont sa marque, Hawkins donne le meilleur de lui-même. Cela n'a pas vieilli d'un brin. On appréciera surtout *April in Paris, Wrap your trouble in dreams, Someone to watch over me...* mais tout le recueil est à citer ; et quelle parfaite section rythmique... — (Capitol — Classics in jazz — H. 327.)

La vogue actuelle de la chanson rythmique du style « Goualante du pauvre Jean » vient sans doute du renouveau, amorcé voici quelques années, de la musique Dixieland, dont le représentant le plus connu en France est Claude Luter, et qui a abouti naturellement à ramener à la surface le ragtime, encore plus ancien. Bien connu pour ses interprétations en solo, le pianiste Joe « Fingers » Carr s'est entouré cette fois de quelques compères et recrée la joyeuse atmosphère des dancings du début du siècle — pas toujours très bien famés, mais toujours pleins de dynamisme. Les huit morceaux que groupe le Capitol H 443 comprennent entre autres le fameux *Wang Wang Blues, Alabama Bound, Sweet Georgia Brown* et le reste est du même tonneau : musique de danse entraînante et sans prétention, avec trombone jovial, trompette pétulante et trois cents touches au piano.

Aboutissement du style « piano de bar », revoici le délicieux King Cole qui ne chante pas ici, mais se livre à quelques improvisations sur des thèmes bien choisis. King Cole rappelle opportunément à l'amateur qu'il est aussi un pianiste de jazz ; non pas de la classe des Fat's et des Tatum, mais bien personnel et plein d'idées. Un premier album, *Penthouse serenade,* avec *Laura, Penthouse serenade, Polka dots and Moonbeams,* etc. se tourne résolument vers la romance pleine de sentiment — et, bonne surprise, le disque comporte deux morceaux de plus que l'on n'en annonce sur pochette. (Capitol H 332). Un second album, *King Cole at the piano,* fait des incursions dans les rythmes plus dévergondés (*Cole Capers*). Toucher net et délié, inspiration intelligente, phrasé un peu sec, mais astucieux, font de King Cole un des pianistes les plus agréables à écouter en tout temps. Des thèmes comme *How High the moon, These foolish things, Three little words,* attireront le profane qui veut « reconnaître l'air », tandis que l'amateur de jazz y trouvera une pâture légère et digeste (Capitol H 156).

(*A suivre.*)

★

ARTS
24 novembre 1954

Concerts

LIONEL HAMPTON REVIENT

Une dynamo — une usine — une chambre des machines — un tremblement de terre — voilà quelques-uns des qualificatifs que l'on peut glaner au hasard des articles parus sur Lionel Hampton, depuis tantôt vingt ans qu'il a gravi le sommet du succès. Et rien de tout cela ne donne une idée de l'effet que produit l'orchestre Hampton, lorsqu'il est en forme.

Né en 1913, à Louisville, le chef a tout juste dépassé la quarantaine. Jusqu'au début des années 1930, Hampton pratique la batterie ; il se met au vibraphone, un peu plus tard et ne tarde pas à faire sur l'instrument des progrès stupéfiants sans toutefois cesser de pratiquer les « drums ». Le gros succès lui vient lorsque Benny Goodman, qui jouit à l'époque d'une publicité énorme, l'engage avec le pianiste Teddy Wilson, créant le quartette et lançant ainsi la première formation mixte de jazz : deux noirs Hampton et Wilson, deux blancs Goodman et le batteur Krupa. Le succès des premiers enregistrements est instantané et vaut bientôt à Hampton, des contrats indépendants chez R.C.A. L'avant-guerre immédiate lui doit une série d'enregistrements de toute première qualité où l'on relève les noms des plus grands solistes : les saxo alto Johnny Hodges et Benny Carter ; les trompettes Cootie Williams et Dizzy Gillespie ; les ténors Hawkins et « Choo » Berry, etc...

Lionel Hampton crée son orchestre personnel en 1940 et ne cesse depuis lors de connaître le succès. Acclamé par tous les publics, il « tourne » dans toute l'Amérique, soulevant l'enthousiasme le plus frénétique partout où il passe. Dans ses rangs se forment des musiciens comme le pianiste Milton Buckner ; le saxo ténor Illinois Jacquet ; le trompette Ernie Royal, etc. Venu en France une première fois voici quelques mois, il y remporte un gros succès et révèle les nouveaux talents de Clifford Brown et de Gigi Gryce. Il revient cette fois-ci avec une formation en partie renouvelée et on peut s'attendre à voir voler les étincelles à l'Olympia, à partir du 26 novembre.

Lionel Hampton doit son principal titre de gloire au fait qu'il est le premier musicien de jazz à avoir révélé les énormes possibilités d'un instrument méconnu, le vibraphone. Sur cet engin ingrat, il a accompli des prodiges.

Toute une école de vibraphonistes s'est créée dans le monde

entier, et tous reconnaissent la suprématie incontestable de Hampton. La chaleur et l'invention dont il peut faire preuve au long de ses solos — et il est capable d'improviser des heures durant — passent l'imagination. Particulièrement à l'aise sur tempo lent, il crée des contours mélodiques extrêmement variés, au phrasé riche et délié, soutenu en permanence par un sens du « swing » qu'il possède à un degré exceptionnel. Il est capable de faire « chauffer » tout un orchestre et toute une salle sans jamais perdre le caractère avant tout musical de son jeu.

Oh ! ce n'est pas toujours du jazz cérébral et raffiné ! Mais ça vit, c'est chaud, c'est dynamique — c'est du spectacle !

*

ARTS
15 décembre 1954

LE JAZZ

La production continue d'être abondante et variée, tant en ce qui concerne les faces gravées à l'étranger que celles dues aux jazzmen locaux. Voici quelques cires qui nous ont paru dignes d'être retenues pour la discothèque de l'amateur éclectique. Honneur aux citoyens de notre république, d'abord, avec « Promenade dans Paris » qui est une série d'arrangements jazz sur des succès éprouvés comme *Mademoiselle de Paris, l'Ile Saint-Louis, Paris-Canaille,* etc. Entouré de Jean Liesse (trompette), Jean-Louis Chautemps (saxo ténor), Jean-Marie Ingrand (basse) et Jean-Louis Viale (batterie), Claude Bolling, au piano, démontre les ressources de sa sûre technique et de son goût. Les connaisseurs qui tiennent Liesse pour un des plus personnels parmi les jeunes jazzmen français, ne seront pas déçus par son travail dans ces huit morceaux ; et la section rythmique fait preuve d'une parfaite solidité. Bonne exploitation d'une formule intéressante. (Vogue L.D. 211.)

Avec opportunité, Columbia plonge dans ses caves et nous ramène, groupées sur un microsillon 25 cm., dix des plus brillantes réussites de l'orchestre Count Basie pendant la période 1942-1946. Count Basie dirige actuellement le seul qui subsiste des grands orchestres « usine » qui naquirent peu avant 1940 et qui devaient révéler tous les solistes célèbres des années qui suivirent. On connaît le style pur et dépouillé de Basie pianiste, ces phrases sobres et déliées lancées sèchement dans le registre aigu du piano, auxquelles répond l'orchestre entier. Les arrangements sont écrits de telle sorte que le piano, et chaque soliste, prennent un étonnant relief sur ces fonds de riffs puissamment enlevés. *The King* nous donne un Illinois Jacquet déchaîné au saxo ténor ; dans *Mutton Leg,* on notera la « pompe » fantastique de la section rythmique. Chaque face est riche en perles de même valeur, mais on garde un faible pour l'extraordinaire arrangement que James Mundy fit à l'époque pour *Queer Street* avec le solo de trompette de Harry Edison. (Columbia 33 F.P. 1026.)

Neuf pianistes de jazz ont été réunis par la Voix de Son Maître et non des moindres puisqu'il s'agit de Duke Ellington et Billy Strayhorn, d'Andy Prévin, Art Tatum, Mary-Lou Williams, Oscar Peterson, Beryl Booker, Erroll Garner, Lennie Tristano. Ces messieurs et ces dames s'en donnent à cœur joie, et le résultat est plus que satisfaisant. De l'éblouissant *Tonk* de Duke et Strayhorn, enregistré en 1946 et que l'on dirait sorti des mains d'un Debussy jazzophile, au bizarre *Ghost of a chance* de Tristano, que de richesses ! Signalons comme face la plus faible, celle de Beryl Booker, et comme face la plus surprenante, celle d'Andy Prévin, pianiste blanc quasi inconnu ici et qui révèle une technique du piano assez fabuleuse. Les autres, Mary-Lou et Garner en tête, sont tous en pleine forme : une véritable petite anthologie. (Voix de Son Maître F.F.L.P. 1 036.)

Profitant de la venue en Europe de l'orchestre de Lionel Hampton, Philips a enregistré la formation au complet durant son passage en Hollande. L'atmosphère du concert étant un élément particulièrement caractéristique en ce qui concerne Hampton, on ne peut que se féliciter de la formule si l'on désire retrouver ce climat bien spécial — apprécié, semble-t-il, des spectateurs français de l'Olympia !...

How High the moon débute la séance et c'est l'occasion d'un premier long solo de vibraphone de Hampton. Il est bien évident que Lionel est l'élément le plus intéressant de son orchestre actuel, rassemblé un peu à la diable — aussi se félicite-t-on de l'entendre d'un bout à l'autre de cette première exécution, à l'issue de laquelle la formation l'aide à conclure grâce à quelques riffs bien sentis. Viennent alors dans l'ordre, *Stardust, Lover Man, Midnight Sun, Love is here to stay, The Nearness of you, Vibe Boogie* et l'éternel *Flying Home* sans lequel une séance Hampton ne serait pas une séance Hampton. Voici un bel échantillon vivant de la manière actuelle du champion du vibraphone. (Philips N. 77 301 L.)

Je veux signaler pour terminer, à tous les amateurs de jazz qui ne dédaignent pas la chanson américaine, la sortie d'une seconde série d'enregistrements du chanteur Frankie Laine, dont on a regretté la brièveté du séjour récent à Paris. De vieux succès tels que *All of me, Stay sweet as you are,* etc., sont vigoureusement enlevés par celui qui sert de modèle, encore inconnu en France, à diverses célébrités un peu tapageuses du moment. Une belle voix et une belle technique du « suspense ». (Mercury M.G. 25 025.)

★

ARTS
29 décembre 1954

JAZZ, POUR « DIGERER LE FOIE GRAS »

Vous allez danser, entre Noël et le Jour de l'An, avec des gros ventres pleins de foie gras et de dinde truffée, et il faudra quelque chose de sérieux pour arriver à vous faire remuer. Voici justement quelque chose de sérieux : un recueil d'anciens enregistrements de ce Lionel Hampton, qui vient de défrayer la chronique parisienne, réunis sur un 33 tours par la Voix de son Maître. Intéressant détail, il y a dix morceaux et qui représentent le meilleur de ce qui parut à l'époque. Hampton réunissait alors, pour le studio, des musiciens de tout premier plan, et une pléiade de vedettes — *que l'on entend effectivement* — décore la couverture du disque : Chu Berry, Ben Webster, Herschel Evans, Johnny Hodges, Coleman Hawkins, Carney, Cootie, Rex, Gillespie, King Cole, Jo Jones, Cozy Cole, autant de noms qui martyrisent les typographes mais qui réjouissent l'amateur éclairé (que vous êtes, évidemment).

Quelques brèves notes : *On the sunny side* contient un remarquable travail d'alto de Johnny Hodges, *Memories of you* met en valeur la trompette de Rex Stewart, *Whoa Babe* comporte des interventions violentes de Cootie Williams et de Hodges, tous deux musiciens de chez Ellington, *The Jumpin' give* y ajoute le puissant baryton sax de Harry Carney, *Shoe Shiners drag* swingue d'un bout à l'autre avec une section enlevée par Jo Jones. La seconde face voit briller Chu Berry dans *Shufflin at the Hollywood, Sweet Hearts on Parade* et *When Lights are*

Low, enfin *House of Morgan* et *Central Avenue Breakdown* « featurent » King Cole. Voilà un solide cadeau de Premier janvier, mesdames, enfilez vos blue jeans et venez guincher avec Lionel... (VSM FO LP 8003). Entre parenthèses, ce disque vient d'obtenir un des Grands Prix de la revue *Jazz Hot.*

Une institution traditionnelle des U.S.A. est le « barbershop quartet ». Il semble, à la lumière des travaux d'exégètes connus, tels le professeur Klugenstrupf de l'Université du Visse-Cousin, que le quartette vocal ait, outre-Atlantique, été suscité par le bruit rythmique des ciseaux de coiffeur. Quoi qu'il en soit (et il n'en est rien), voici un bien bon recueil de spirituals gravé par les belles voix du Golden Gate Quartet. Modernisation habile des vieux chants religieux noirs, ces quatre morceaux (tout va par quatre, ici) approchent de l'excellence : *Listen to the lambs, Nicodemus, Mose Smote the waters, Bones, bones, bones.* Une explication de Sim Copans accompagne chaque titre. (Columbia 45 tours, ERSF 1020.)

Les amateurs d'Ellington sont submergés par la bonté insigne des presse-galettes, ces temps-ci. Voici coup sur coup, outre un Philips important que nous n'avons pas sous la main mais dont nous reparlerons, deux capitaux Capitol. *Ellington 55* et *The Duke plays Elington. Ellington 55* est une collection de *longs* Duke ; pour une fois, l'orchestre joue sans se soucier de la dimension des disques. Il en résulte une série de prestations dont la plus courte, *Honeysuckle Rose,* dure quatre minutes seize secondes (la couverture est précise à ce sujet). Huit thèmes dont trois sont du Duke et dont cinq montrent ce qu'il peut faire avec le matériel des voisins. Un seul reproche à ce disque (et qu'on aimerait le faire plus souvent !) : c'est de la drogue tellement forte qu'on en sort un peu épuisé. Ça vous prend au départ et ça ne vous lâche plus pendant quarante-cinq minutes. Le personnel au complet est détaillé sur la pochette. Prenez un bon fauteuil, mettez le disque sur le pick-up et allez-y. (Capitol W 521.)

The Duke plays Ellington est peut-être encore plus intéressant. On a trop rarement l'occasion d'entendre abondamment le grand pianiste qu'est Duke pour ne pas jubiler à l'idée de ces huit morceaux interprétés par lui tout seul et une section rythmique formée de Wendell Marshall (basse) et Butch Ballard (drums). Séance d'enregistrement détendue et pleine d'atmosphère, ce qui ne veut rien dire mais se comprend aisément lorsque l'on parle de Duke. Deux 45 tours indispensables. (EAP 1-477 et 2-477.)

Enfin, avis aux amateurs de Blues, M. T. Bone Walker nous administre quatre faces fort réconfortantes. S'accompagnant lui-même à la guitare, il « envoie le paquet » dans le style le plus orthodoxe. Ceci n'est pas de la chanson à la mode : c'est du blues solide et durement charpenté, qui traite des femmes, du cafard, de l'humeur du moment... de tout ce qui peut passer dans l'esprit d'un gars bien vivant et pas toujours tellement ravi. Travail artisanal et soigné. (Capitol EAP 1-370.)

*

ARTS
5 janvier 1955

JAZZ POUR L'AN NEUF

Commençons l'année avec un enregistrement sur lequel l'accord ne peut manquer d'être unanime : le nouveau microsillon 33 tours Capitol, consacré à Art Tatum. Tatum, de l'avis général, est le plus grand des pianistes de jazz vivants, et vous pouvez le répéter sans crainte d'être contredit par un jazzman d'opinion opposée. Qu'on puisse lui reprocher par-ci par-là de suppléer à une idée absente par un trait purement technique n'empêche que la technique en question serait suffisante à faire le renom de n'importe qui. Bourreau de la quintuple croche, il joint à la précision de son toucher une imagination sans limites sitôt qu'il s'empare d'un tempo médium ou lent. Le présent recueil réunit de très jolis thèmes. *Nice work if you can get it, Willow weep for me* (où Tatum réalise quelques-unes de ses meilleures phrases), *Dardanella,* un thème plaisant et pas trop rebattu, *I got a right to sing the blues, Blue Skies, Aunt Hagar's Blues, Dancing in the dark.* Le mouvement lent domine, et c'est tant mieux ; voici assurément un des meilleurs recueils de Tatum (Capitol H 216).

Chez Vogue, dans la série du jazz européen, voici un album gravé par la formation du vibraphoniste belge Sadi que tous les amateurs français ont appris à apprécier depuis son séjour dans le petit groupement fameux des Bob Shots. Entouré de Roger Guérin à la trompette, Nat Peck au trombone, Bobby Jaspar au saxo ténor, Jean Aldegon à la clarinette basse, et d'une excellente section rythmique formée de Maurice Vander (piano), Jean-Marie Ingrand (basse) et Jean-Louis Viale (batterie), Sadi, sur huit arrangements originaux, déploie tous ses dons rythmiques et mélodiques. Tous les musiciens sont à louer, et ce disque est un repère agréable des progrès accomplis depuis quelques années par les musiciens européens et plus particulièrement les rythmiques. (Vogue LD 212.)

Toujours chez Vogue, le troisième des recueils consacrés à ce merveilleux guitariste qu'est Jimmy Raney. Agé de vingt-sept ans, ce dernier s'est produit à Paris lors de la récente tournée Jazz Club U.S.A. organisée par Leonard Feather. Il en a profité pour graver un certain nombre de morceaux, et le présent recueil a été enregistré avec l'étonnant bassiste Red Mitchell, le pianiste Sonny Clarke et le batteur Bobby White. Ainsi que le souligne le texte figurant au dos de la pochette (astucieusement illustrée par Charles Delaunay) Raney est particulièrement remarquable par son articulation, mise au service d'un phrasé classique et logique. Nous tenons à coup sûr ces deux faces pour les plus riches que nous ayons entendues depuis longtemps ; les étonnantes parties de basse de Red Mitchell y contribuent pour beaucoup. Jimmy Raney, malgré son jeune âge, a déjà influencé toute une génération de guitaristes : il suffit de l'écouter pour comprendre comment. (Vogue LD 201.)

On ne louera jamais trop l'effort fait par les compagnies phonographiques pour vulgariser enfin, le microsillon 45 tours dont les qualités techniques éclatantes et la commodité imposaient l'adoption. En voici trois de plus, derniers-nés de la firme Pathé-Marconi, et des plus variés. Un Ellington, d'abord, qui fut enregistré en mai 1951 et met en valeur le jeu solide du batteur Louie Bellson, ainsi que ses dons d'arrangeur (*The Hawk talks*). Tous les solistes habituels du Duke participent à la séance et le tout est indispensable à l'amateur (Columbia ESRF 1017).

*

ARTS
19 janvier 1955

JAZZ POUR LES ROIS

Un nom à retenir, un nom que connaissent bien les amateurs de jazz, c'est celui du saxo ténor Guy Lafitte. Voici que sortent coup sur coup deux microssillons de cet excellent musicien ; rarement vinylite fut mieux employée. Premier en date, un disque publié par le Club français du Disque groupait une sélection de thèmes éprouvés, tels *Blue and sentimental, Stardust, Get Happy,* etc., où Guy Lafitte jouait entouré de Raymond Fol (piano), Bonal (guitare), Bret (basse), Planchenault (dms) et Daly (vibra), avec quelques autres à l'occasion. Déjà, cet enregistrement d'excellente qualité mettait en valeur le timbre chaud et puissant de Lafitte, sa sonorité généreuse et l'excellence de son phrasé. Les sept arrangements de Persiany groupés par Pathé montrent un Lafitte toujours en grande forme, avec des fonds plus élaborés qui mettent peut-être encore mieux en valeur son talent.

Bref, deux cires de grande classe entre lesquelles on ne sait trop choisir (Club Français du Disque J 21 et Pathé ST 1057).

En microsillon 45 tours, Pathé Marconi a l'heureuse idée de réunir les quatre faces gravées jadis par Rex Stewart, trompette de l'orchestre Ellington, en avril 1939, à Paris. Ces faces sont bien connues des vieux fanatiques du jazz qui les réentendent toujours avec plaisir ; et elles découvriront aux jeunes un talent qu'ils n'eurent l'occasion de goûter en chair et en os que plus tard, lorsqu'il était hors de forme, celui de Rex. Trompette « d'atmosphère », Rex est admirablement servi par la compagnie du fluide Barney Bigard et du regretté Django. Ces quatre compositions méritent de figurer parmi les classiques du jazz de chambre (Pathé 45 EA 26).

Django, l'immortel, fait une nouvelle réapparition sur disque, avec deux solos historiques eux aussi, qu'il enregistra à Londres le 27 avril 1937 et deux autres morceaux gravés vers la fin de la même année. Les premiers, *Parfum* et *Improvisation,* n'ont jamais été édités en France ; c'est au duplicatage d'un exemplaire intact que l'on doit de pouvoir les entendre ici, la matrice ayant (ainsi que l'indique Hugues Panassié au verso de la pochette), été détruite en Angleterre pendant la guerre. Qu'il suffise de dire que c'est du meilleur Django (VSM 7 EMF 40).

Et dans une veine extrêmement différente, on écoutera un recueil de huit morceaux enregistrés par un des plus curieux phénomènes du jazz, Slim Gaillard. Lewis Carroll de la musique de jazz, Slim Gaillard est une sorte de clown dément et jovial qui se fabrique une langue à lui et la chante à sa façon à lui en s'accompagnant sur la guitare, au piano, sur une batterie, sur n'importe quoi, avec accompagnement d'éclats de rire, de bongo, de basse, de tout ce qui se trouve là... Généralement, il se trouve aussi quelque musicien de jazz car Slim est un des « swingmen » les plus « swing » que l'on puisse rencontrer et ce doit être assez réjouissant de jouer en sa compagnie. Il parodie avec humour les rythmes cubains, la basse-cour, Yma Sumac, les menus arméniens, les saxo-ténors déchaînés... Rien de plus tonique qu'un disque de Slim ; passez celui-là au matin et vous démarrerez du bon pied... (Blue Star GLP 6998).

*

ARTS
2 février 1955

CHANSONS AMERICAINES ET JAZZ

Ce ne tombe pas exactement dans la catégorie « disques de jazz », mais je m'en voudrais de ne pas attirer l'attention des amateurs sur une des plus parfaites réussites de Capitol : seize chansons enregistrées par Frank Sinatra qui viennent de paraître et qui constituent réellement une sensationnelle performance. Du point de vue chanson proprement dite, quand on vient de jouer ces disques, on a du mal à écouter d'autres chanteurs, et on est presque tenté de prendre un artiste comme King Cole pour un amateur... c'est dire la perfection du travail de Sinatra. Le premier recueil *Songs for young lovers* rassemble huit petits chefs-d'œuvre : *My funny Valentine, Like Someone in love,* etc. Détendu, précis, sans aucune recherche d'effet, Sinatra chante simplement, avec une présence, une conviction, et une voix qui « emportent le morceau ». Beaucoup plus proche du jazz, mais avec la même détente, le même feeling, il interprète le second album sur le thème « Swing easy » et une fois encore on se trouve à court de superlatifs. On comprend, en outre, à écouter cela, pourquoi on est obligé, souvent, de critiquer la prise de son française et le peu de soin qui préside, ici, aux enregistrements. Manque de débouchés aussi importants ? Ce n'est pas plus cher de faire du bon travail. (Capitol 33 tours H 488 et Capitol EAP 1 et 2 - 528.)

Nellie Lutcher, the « real gone » girl (« Complètement partie », ce qui a un sens non alcoolique en matière de jazz) est également le sujet de la publication d'un recueil Capitol. S'accompagnant au piano avec un swing peu commun, et soutenue par une solide section rythmique, Nellie Lutcher a un style bien à elle, et un tempérament du tonnerre. En outre, nombre de ses chansons sont très drôles. Voici qui est beaucoup plus près, naturellement, du folklore traditionnel chanté qui constitue une branche du jazz ; sans se questionner sur la légitimité du plaisir qu'ils y prendront (c'est qu'ils sont comme ça) les amateurs de jazz pourront l'écouter et joyeusement, sans remords. (Capitol H 232.)

Les innombrables amateurs de King Cole vont se trouver comblés ; voici, à l'occasion du 10e anniversaire du « mariage » de Cole avec la firme, un album, toujours chez Capitol, qui ne rassemble pas moins de seize interprétations du chanteur, soutenu par son trio pour moitié d'entre elles, et par diverses solides formations pour les huit autres. On sait la place excellente que Cole a su se tailler, et dans l'estime des amateurs de jazz, et dans celle des amateurs de chanson. Seize morceaux... cela doit suffire pour décider les deux.

Et, avant que le manque de place ne nous oblige à nous interrompre, nous voudrions, non plus dans la catégorie chanson, mais dans la catégorie « danse » signaler l'effort accompli par des musiciens français pour réaliser quelques cires de qualité. Jack Brienne et son orchestre de danse viennent de sortir une demi-douzaine de disques 78 tours chez Ducretet-Thompson. Sous le nom de Jack Brienne se cache Jean Gruyer, qui fut l'un des meilleurs trombones de jazz et qui reste l'un des meilleurs arrangeurs du moment. En compagnie de Landreau, il a écrit un certain nombre d'arrangements de facture simple mais impeccable et les dirige avec une parfaite précision. Il y a là tout ce qu'il faut pour danser sur une musique précise, rythmique et intelligente. A vous de trouver les partenaires. (Ducretet 790 V 138, 790 V 180, 790 V 137, 790 V 011, 790 V 012.)

*

ARTS
2 mars 1955

GARNER, BELLSON ET HODGES

Erroll Garner occupe actuellement dans le jazz une place unique : chaînon entre les modernes et les traditionnels, pianiste qui réussit la performance de satisfaire à la fois ceux qui ne jurent que par le swing et ceux qui désirent en même temps cette complexité (de bon aloi) qui caractérise les tenants de l'avant-garde, Garner est cet oiseau rare.

Le récent microsillon qui sort chez Columbia le présente

sous son aspect dynamique, négligeant le côté langoureux et quelque peu « bar » parfois caractéristique de son jeu. Sur dix morceaux qui sont rassemblés ici, neuf sont pris sur tempo vif ou moyen, et pratiquement, cela se balance d'un bout à l'autre de ces deux faces.

Un de ces disques que l'on achète les yeux fermés sans même l'écouter (Columbia 33 FP 1028).

Deux autres faces à ne pas manquer, ce sont celles que publie la Maison Philips, sous le titre « Ellington Uptown ». Cinq longues interprétations par le maître-orchestre du jazz, dont celle de la composition importante *A tone parallel to Harlem,* constituent ce microsillon 30 cm, qui comporte notamment le solo de Louie Bellson, à la batterie, sur *Skin Deep.* Sans être amateur de soli de batterie, on ne peut manquer de considérer avec respect la technique et la mise en place de Bellson ; un peu mécanique, peut-être, ce drummer est doué des qualités les plus éclatantes et il en fournit une belle démonstration. On préférera cependant les anciens succès que sont *Perdido, The Mooche et Take the A Train,* arrangés en version de concert. Un disque que l'on remet. (Philips BO 7008 L.)

C'est encore Bellson que l'on retrouve sur un double 45 tours EP paru chez Capitol, où il est entouré des hommes de son choix : Willie Smith, Harry Carney, Tizol, Wardell Gray, Clark Terry, Strayhorn, Wendell Marshall et John Graas, dont les amateurs connaissent bien les noms. Huit compositions classiques et modernes permettent aux divers solistes de briller. Naturellement, la prise de son est excellente, ce qui ne gâte rien. (Capitol EBF, 1-348 et 2-348.)

Et, chez Pathé, un remarquable 45 tours réunit quatre faces de Johnny Hodges, accompagné par les musiciens qui, de 1938 à 1942, gravèrent les fameuses cires de petites formations ellingtoniennes, notamment Harry Carney et Cootie Williams. Le jeu rare de Johnny Hodges n'a jamais été mieux en valeur, et la sonorité unique de son saxo alto prend un relief particulier devant ces fonds de tonalité caractéristique. Au piano, on a la joie d'entendre les incursions du Duke, lui-même... (Pathé 45 EA 32.)

Enfin, signalons un recueil de Louis Armstrong paru chez Philips, et qui est le prototype de la cire indispensable au collectionneur. Douze enregistrements classiques de Louis, datant de 1928 à 1931, sont réunis là.

★

ARTS
16 mars 1955

DUKE ELLINGTON

Tous les amateurs et les critiques de jazz sont bien d'accord : le point culminant de l'œuvre de Duke Ellington se situe vers 1940. Voici ce qu'écrit Frank Ténot au revers de la pochette d'un remarquable microsillon sorti récemment sous le titre *Duke Ellington Masterpieces*. Eh bien, je ne suis pas d'accord ; car placer le point culminant de Duke Ellington en 1940, c'est déclarer par contrecoup qu'il aurait subi, depuis, une baisse de forme. Voilà ce qu'il est fort difficile d'admettre quand on a suivi sa production depuis 1940 : en quinze ans, que de chefs-d'œuvre, insoupçonnés en 1940, depuis *Blue Skies* jusqu'à ses derniers disques déjà chroniqués ici, en passant par les suites et les grandes compositions d'orchestre.

Par contre, ce sur quoi je suis d'accord, c'est sur le fait que les huit enregistrements réunis ici figurent au nombre des meilleurs que Duke ait faits — mais ce nombre est fort grand, voilà toute la nuance, et il est loin d'avoir atteint son maximum. Echelonnées de février 1940 à février 1941, les cires groupées sous le signe FOLP 8002 présentent la particularité de comporter, les unes comme les autres, le bassiste Jimmy Blanton, dont la mort déjà lointaine est et sera toujours déplorée par les amateurs de jazz. Blanton était un des bassistes les mieux adaptés à l'esprit ellingtonien que le Duke puisse trouver. La composition des orchestres est rappelée sur la pochette ; les solistes étaient encore, à cette époque, Cootie Williams (trompette), Rex Stewart (trompette), Johnny Hodges (saxo alto), Harry Carney (baryton), Ben Webster, un saxo ténor que l'on oublie trop souvent de citer parmi les plus grands, le regretté Joe « Tricky Sam » Nanton, trombone spécialisé dans les effets de growl, enfin Lawrence Brown, trombone et Barney Bigard (clarinette). Toutes ces faces ont une saveur inoubliable et semblent indispensables au jazzophile ; ce sont *Never No Lament, Conga Brava, Cotton Tail,* où se trouve une stupéfiante partie de Ben Webster, *Ko-Ko, Blue Serge,* une des plus poignantes compositions de Duke, *Dusk,* qui met en valeur la délicatesse d'un Rex des grands jours, *In a Mellotone,* et le ravissant *Warm valley* où Johnny Hodges déploie toute sa suavité.

(Voix de Son Maître FOLP 8002.)

Jazz News

Annie Ross et quelques musiciens anglais célèbres tels que Jimmy Deuchar, Don Rendell et Tommy Crombie passent actuellement à l'Olympia.

*

ARTS
13 avril 1955

LES CHAMPIONS DU CLAVIER

Le grand pianiste Erroll Garner à fait l'objet d'une chronique récente ; citons un troisième microsillon, *Erroll Garner Gems* qui vient de sortir chez Columbia comme les deux précédents et qui contient huit morceaux enregistrés en janvier 1951. Tout aussi réussi que les deux précédents, ce recueil contient un des thèmes qui ont popularisé le talent de ce pianiste au jeu si personnel, *Play Piano Play ;* c'est une version différente de celle que l'on connaît, et aussi bonne. On trouvera encore *Indiana, Laura, Body and Soul, I cover the waterfront,* etc. Tous thèmes qui se prêtent admirablement au traitement roboratif du professeur Garner. Mention spéciale à l'excellente couverture de la pochette, signée David-Gil (Columbia 33 FP 1035).

La même marque a l'heureuse idée de publier une série d'enregistrements de Teddy Wilson, déjà classiques (il s'agit de jazz !) puisqu'ils datent de 1941 et 1942 et qui à notre connaissance n'étaient jamais parus en France. Teddy Wilson est un de ces très grands musiciens de jazz dont la personnalité discrète fait qu'ils n'ont pas auprès du public la réputation dont ils jouissent dans l'esprit des professionnels ; les vrais amateurs ne s'y trompent pas et lui accordent toujours une place de choix dans leur petit referendum personnel.

Légèreté, netteté, vélocité et discrétion semblent être ses qualités les plus notables ; il y faut ajouter un sens rythmique jamais en défaut. Le toucher perlé de Wilson fait merveille, qu'il s'exerce sur des thèmes lents comme *Body and Soul,* ou sur des morceaux rapides comme l'agréable *Them There Eyes.*

Entouré de Al Hall à la basse J. C. Heard à la batterie, l'élégant Teddy déploie ici toutes ses grâces ; c'est un régal pour l'oreille. (Columbia FP 1032.)

Et voici un troisième maître du clavier, celui que nombre de critiques et d'amateurs n'hésitent pas à considérer comme le plus grand de tous, nous avons nommé Art Tatum. Cinq microsillons de 30 cm sont sortis d'un coup chez Blue Star dans la série Norman Granz.

« *J'ai senti, je le dis très sincèrement, qu'il était de mon devoir, puisque j'aime le jazz et que j'en vends, d'enregistrer Tatum pour la postérité* », signale Granz au revers de la pochette.

Heureux sentiment qui nous permet de jeter sur l'œuvre de Tatum un peu plus qu'un coup d'œil : si l'on songe que chaque face de 30 cm ne comporte en moyenne que quatre morceaux, on se rend compte qu'enfin on entend Tatum « en liberté » et sans limitations. Art Tatum que tous les lecteurs de ce journal connaissent à coup sûr s'ils s'intéressent au jazz, est un phénomène unique. Sa technique est pratiquement insurpassée — nous ne disons pas insurpassable, mais dans l'état actuel des choses, nous pourrions le dire sans nous gêner — ses idées sont innombrables, et son style parfaitement caractéristique ; c'est de combinaisons de ce genre que sortent les chefs-d'œuvre, et quiconque aime le piano et le jazz ne nous contredira pas si nous précisons que ces cinq microsillons sont tous à ranger dans la catégorie chefs-d'œuvre en question. (Blue Star GLP 3501 et la suite.)

Le grand trompette Jonah Jones fit l'ornement de plusieurs concerts de jazz parisiens l'an dernier et l'on a eu l'heureuse idée de l'enregistrer.

On sait les qualités de Jones, trompette de la lignée Armstrong : remarquable puissance, sonorité ronde et ample, inspiration classique, enfin, générosité et lyrisme qui lui ont permis de conquérir une place de choix dans le cœur des « fans ».

Au cours de la séance qui fait l'objet de ce disque, il était entouré de quelques-uns des meilleurs musiciens européens, dont Sasson (guitare), Fohrenbach (saxo-ténor) et Benoît Quersin (basse).

La séance est animée par Gérard Pochonet (batterie), et l'on y remarque encore le mystérieux Low Reed et l'excellent trompette Guérin. Jonah fait une belle démonstration de son talent dans ces deux faces où on l'entend abondamment, et son entourage se montre plus qu'à la hauteur ; à l'exception, peut-être, du trombone Tamper, pas très inspiré.

Excellente ambiance. (Voix de son Maître FFLP 1039.)

Signalons en outre le pressage par la même marque d'un

extended play 45 tours qui réunit les quatre remarquables faces de Jones jadis parues sous l'étiquette Swing.

I Cant give you vaudrait à lui seul qu'on se procure ce disque. (7 EMF 48.)

Sous la même étiquette VSM, également en 45 tours, saluons la sortie du 7 EMF 34 qui réunit quatre enregistrements introuvables du trombone Dicky Wells, réalisés à Paris en 1937, et qui sont des classiques du jazz. Le grand Django participait à la séance...

*

ARTS
20 avril 1955

POUR LES OREILLES ET POUR LES JAMBES

Il ne faut pas manquer la *Liberian Suite* de Duke Ellington parue tout récemment en France. Composée d'une introduction et de cinq danses, cette suite orchestrale a été commandée à Duke Ellington en 1947 par le gouvernement du Liberia ; c'est une œuvre pétrie de jazz d'un bout à l'autre et l'amateur y trouve son compte. On se souvient que lors de la venue de l'orchestre en France voici quelques années, deux extraits de cette suite figuraient au programme ; on les retrouve ici dans leur cadre et on y entend la trompette du regretté Killian. Tous les solistes, Sears au saxo ténor, Hamilton à la clarinette, Tyree Glenn au vibraphone et au trombone, Ray Nance dans un étonnant solo de violon, Harry Carney au baryton et Johnny Hodges à l'alto, s'y font entendre. C'est là un remarquable exemple de l'œuvre d'Ellington. (Philips B 07611 R.)

Voici un des meilleurs enregistrements du sextette Benny Goodman parus en France ; huit morceaux bien choisis où l'on retrouve le talent de ces grands « sidemen » que sont Teddy Wilson (piano) et Slam Stewart (basse). Sous l'impulsion d'une section rythmique légère et précise, Benny arrive à jouer de façon supportable, sans trop d'effets « petits oiseaux ». Excellent recueil pour la danse. (Columbia FP 1031.)

Egalement pour la danse, et ceci par définition, *Let's dance* réunit les noms bizarrement acoquinés de Harry James, Jimmy Lunceford, Frankie Carle, Benny Goodman, Les Elgart et Dan

Terry. Au fond, le seul nom bizarre est celui de Lunceford, les autres étant d'honnêtes orchestres de danse. Lunceford est en minorité puisqu'il n'est représenté que par une face, mais une de ses plus belles : *T'ain't what you do.* Sans ce petit cygne au milieu de canards, le disque serait homogène et il reste, comme son nom l'indique, un bon disque à danser, illuminé par la présence d'une face de vrai jazz. (Philips B 07.670 R.)

Voici toute une série de 45 tours « extended play » où nous retrouvons nos jazzmen favoris : Count Basie d'abord, avec *Bluebeard blues, Beaver Junction, Harvard Blues* et *Bambo.* Ces quatre morceaux sont des classiques de l'orchestre et ne méritent que les éloges les plus sincères ; applaudissons à leur parution sous cette forme commode. (Columbia ESDF 1010.)

Erroll Garner a également les honneurs du 45 avec *Talk of the town, Robbin's Nest, Sophisticated Lady* et *How High the Moon.* Félicitons-nous de ce déluge de Garner ; c'est un des plus dignes de notre discothèque. Il est aidé ici du grand batteur Shadow Wilson et de la basse de John Simmons. (ESDF 1017.)

Autre pianiste de génie, mais génie décédé hélas, notre bon ami Fat's sourit sur la pochette qui contient *Darktown Strutters ball, Tain't nobody biz-nezz if I do, If I were you* et *Hey Stop Kissin' my sister,* que l'on pourrait traduire par « Dis, t'as pas fini d'embrasser ma frangine ? » (Voilà un bon titre de chanson, non ?) Ces quatre morceaux datent de la période 1938-1940 et sont marqués de l'inimitable patte de Fat's. Quatre machins formidables qu'il ne faut pas rater. (VSM 7 EMF 41.)

Enfin deux « extended play » consacrés à Lionel Hampton, la coqueluche de l'Olympia. Certaines des meilleures gravures jamais réalisées par Hamp se trouvent ici, notamment le *Sunny Side* où il était entouré de Johnny Hodges, John Kirby, Cozy Cole, etc. Le célèbre *Drum Stomp, Whoa Babe* et *Central Avenue Breakdown* se retrouvent également sur ce premier recueil. (VSM 7 EMF 43.) Le second groupe *The Jumpin Jive* (on se souvient que c'était le morceau exhibition de Cab Calloway dans « Stormy Weather »), *Memories of you,* un des plus jolis thèmes du jazz, *Fiddle Dee Dee* et *Three Quarter Boogie.* Gravées entre 1939 et 1942, ces quatre faces nous montrent quelques-uns des plus grands du jazz au sommet de leur forme. (VSM 7 EMF 46.)

*

ARTS
25 mai 1955

LUNCEFORD, LE PRESIDENT, GETZ ET CAMERON

L'apparition récente et le succès d'un orchestre comme celui de Billy May, excellente formation commerciale dont le mérite essentiel consistait à recréer une atmosphère rythmique bien particulière, celle de l'orchestre du regretté Jimmie Lunceford, montre à quel point ce dernier avait su créer quelque chose de valable, puisque près de dix ans plus tard il inspirait encore la « pointe de l'actualité ». Il manquait cependant à Billy May, pour qualifiés que soient ses hommes, cette pléiade de vedettes qui le devinrent au sein du groupement de Jimmie, les Willie Smith, Sy Oliver, Edwin Wilcox, etc., solistes et arrangeurs admirables qui donnèrent le meilleur d'eux-mêmes durant la seconde moitié des années 1930.

Les huit morceaux réunis par la marque Allegro Elite et qui viennent de paraître sur un microsillon datent, malheureusement, de la dernière période d'enregistrement du groupe en 1946 — et l'absence, notamment, du formidable drummer James Crawford fait que l'on ne retrouve pas le « grand » Jimmie des années 1934 à 1941. Néanmoins, cela constitue, pour la danse, un recueil assez satisfaisant et pour le collectionneur, un complément qui lui manquait.

(Allegro Elite LDA-A 84.)

Ceux qui continuent à considérer Lester Young comme un des plus grands solistes qui soient apparus au firmament du jazz (et nous avouerons être de ce nombre) seront heureux de le retrouver, abondamment enregistré, sur le microsillon « The President, Lester Young ». On sait que « Prez » est le surnom du fameux saxo ténor, et jamais il n'a mieux mérité son titre. Entouré de Ray Brown (basse), Barney Kessel (guitare) et J.-C. Heard (batterie) pour sept morceaux, il est accompagné de Joe Shulman (basse), John Lewis (piano) et Bill Clark (drums) pour trois autres. Le style extrêmement caractéristique de Lester a été copié cent fois, mais ce que l'on n'a jamais pu imiter, c'est sous ce détachement apparent la chaleur et la vigueur de son inspiration ainsi que sa richesse inépuisable. On en aura un aperçu, quand bien même on ne connaîtrait rien de lui, en écoutant ce remarquable recueil. (Blue Star GLP 3517.)

Ayant longtemps considéré Stan Getz comme un musicien fort ennuyeux et, disons le mot, « sous-développé », nous n'en avons que plus de plaisir à reconnaître ses mérites. Dans un nouveau long-playing (Interpretation by the Stan Getz Quintet) où il nous semble qu'enfin Getz a quelque chose à dire et quelque chose d'intéressant. Certes, on trouve dans ce recueil de six très longs morceaux (c'est un 30 cm. 33 tours) certains des tics particuliers à nombre de musiciens modernes (d'ailleurs, ceci se sent plus chez ses compagnons que chez lui-même) ; mais l'ensemble s'écoute avec beaucoup d'intérêt et est bourré d'heureuses trouvailles (ainsi le solo de basse de Teddy Kotick sur la discrète section rythmique de *Willow, weep for me*). Getz est assisté, outre Kotick, de John Williams et Frank Isola qui complètent la section rythmique, et de Bob Brookmeyer, un spécialiste du trombone à pistons que la jeune génération place parmi les tout premiers — et qui le mérite en tout cas pour sa technique et la propreté de son jeu. Brookmeyer a joué pour ce microsillon le rôle d'arrangeur, nous apprend la pochette. Parmi les plus réussies de ces six prestations, on notera un étonnant *Crazy rhythm* qui renouvelle cette matière plus qu'éculée avec une vigueur étonnante et où on appréciera le travail de la section, tout autant que celui de Getz et Brookmeyer.

(Blue Star GLP 6997.)

Les « anciens » de Saint-Germain-des-Prés se souviennent sans doute de ce grand gars blond et pâle qui taquinait à l'époque le saxo alto et passait littéralement sa vie en compagnie des musiciens. Nous parlons de Jay Cameron, Américain de naissance et Européen d'adoption, qui vient de réunir trois des jeunes saxos ténors les plus estimés de la place autour de son propre saxo baryton pour nous donner un microsillon 25 cm très intéressant : Jay Cameron and his international Saxo-Band. On rapprochera cette tentative réussie de celle qui avant-guerre nous donna le fameux Swing n° 1, ce disque où Combelle, Ekyan, Carter et Hawkins imposaient pour la première fois cette formule originale des quatre saxos. Bobby Jaspar, Barney Wilen et Jean-Louis Chautemps tiennent donc le sax-ténor aux côtés de Cameron, avec une section composée de Henri Renaud, au piano, Benoît Quersin (basse) et Mac-Kak (drums). Le résultat de leurs efforts est plus que satisfaisant : voici un microsillon de classe et de composition originale, ce qui fait bien plaisir. (Swing M 33.341.)

*

ARTS
8 juin 1955

CLASSIQUES ANCIENS ET MODERNES

Si le piano se prête particulièrement à l'enregistrement microsillon, c'est que la richesse de l'instrument suffit à faire passer sans ennui les faces de 12 à 15 minutes réunissant 4 ou 5 morceaux ; lorsque l'interprète est Earl Hines, un des grands contemporains ce « sans ennui » devient « avec un intérêt prononcé ». Hines, qui a dépassé de peu la cinquantaine, est le père d'un style pianistique caractérisé par sa netteté et sa découpe extrêmement remarquables, qui lui ont valu le nom de « trumpet-piano style ».

C'est une sorte de dialogue des mains — dialogue qui n'exclut pas les brutales oppositions et fourmille de syncopes originales et logiquement amenées.

Les huit morceaux que Columbia a réunis sur le PF 1036 ont été enregistrés en 1950 à New York et Hines y est accompagné par le drummer J. C. Heard et le bassiste Al Mc Kibbon que les amateurs de jazz se souviennent avoir applaudi dans l'orchestre de Gillespie en 1948. Ce sont des interprétations excellentes de grands classiques du jazz et de quelques thèmes moins connus ; voici un disque de haute qualité qui ne déparera pas la collection du jazzophile le plus intransigeant. (Microsillon 33 tours Columbia FP 1036.)

D'un intérêt au moins équivalent, voici, sous forme de deux microsillons 45 tours à durée prolongée (puisque tel est leur nom barbare), des faces classiques de Louis Armstrong gravées entre 1926 et 1928, période que certains considèrent comme la plus inspirée du grand créateur. Les pochettes indiquent le personnel exact de ces enregistrements ; qu'il nous suffise donc de dire que l'on relève au passage les noms de Johnny Dodds, Lil Armstrong, Kid Ory, John St-Cyr, Baby Dodds, Zutty Singleton...

Voici les titres : *Twelfth Street Rag, S. O. L. Blues, King of the Zulus, Lonesome Blues, Potato Head Blues, Basin Street Blues, Melancoly Blues* et *Struttin' with some barbecue.*

Ceux qui ont usé leurs 78 tours à force de les jouer se réjouiront de retrouver tout cela présenté sur le 45 tours si commode, et les néophytes qui n'étaient pas encore au monde à l'époque où Louis enregistra ces perles ont une belle occasion d'enrichir leur discothèque classique. (Columbia ESDF 1012 et ESDF 1013.)

Il y a déjà dix ans que le monde du jazz découvrait avec surprise les noms de deux grands jazzmen dont l'un, hélas, est disparu récemment (Charlie Parker, puisque c'est de lui qu'il s'agit) et dont l'autre, heureusement ne donne pas le moindre signe de fatigue, Dizzy Gillespie. Pathé a groupé quatre faces de Gillespie et Parker qui comptent parmi les plus célèbres de l'impérissable équipe : voici avec le concours d'Al Haig, Curly Russel, Sidney Catlett (lui aussi prématurément disparu), *Shaw' Nuff, Salt Peanuts* et *Lover Man,* avec la voix de la « divine » Sarah Vaughan !

Stupendous, avec Parker seul, Howard Mc Ghee à la trompette et une bonne section, complète le recueil. Exemples typiques de ce que l'on a appelé le bop et qui est tout simplement une évolution naturelle — bien que révolutionnaire en apparence — du jazz, ces archétypes méritaient ce support d'honneur. (Microsillon 45 EA 30 Pathé.)

Enfin à tous ceux qui, outre le jazz, apprécient la chanson américaine, nous recommanderons sans réserve la voix gaie et bien timbrée de Kay Starr, et le disque Capitol H 363. Chansons classiques ou fantaisistes, cette personne aux poumons d'acier encore qu'elle sache détailler avec beaucoup de « feeling » la ballade sentimentale.

Elle est assistée dans sa tâche par le solide orchestre d'Harold Mooney.

Et pour les amateurs de Sinatra, voici le microsillon « Young at Hearth » où le chanteur numéro un des Etats-Unis déploie l'éventail de ses qualités, sur lesquelles nous nous sommes assez étendus par le passé pour nous dispenser de revenir. Ce Sinatra est aussi bon que les précédents. (Capitol EAP 1-510.)

★

ARTS
29 juin 1955

NOUVEAUX CLASSIQUES

Parmi les nouveaux classiques du jazz, ceux des débuts de l'ère du « bop » (comme on l'appelle abusivement...) peu de disques ont laissé en Europe une empreinte plus profonde que les huit faces enregistrées par le trompette Miles Davis et un groupement qui comprenait, avec des variantes de personnel, quelques-uns des musiciens les plus intelligents de la nouvelle école. Ne citons que pour mémoire le trombone Kai Winding,

Lee Konitz à l'alto, Gerry Mulligan au baryton, Max Roach aux drums, John Lewis au piano... nous en passons et des meilleurs. Les séances d'enregistrement auxquelles nous faisons allusion se déroulèrent le 21 janvier 1949, le 22 avril de la même année et le 13 mars 1950.

Les résultats en furent remarquables. A la fois sous l'impulsion du chef, Miles Davis, et des arrangeurs Gerry Mulligan et Gil Evans, la musique qui sortait de ces séances ne ressemblait à rien de ce que l'on avait entendu jusqu'alors ; sans viser à l'effet facile, s'attachant à fondre entre eux des timbres parfois insolites comme celui du cor de Junior Collins ou du tuba de John Barber, les responsables de cette entreprise réussirent à graver des cires dont l'originalité reste frappante aujourd'hui même que leur leçon a été assimilée. La maison Capitol, dans la série « Classics in jazz », a été bien inspirée de les publier sous la forme de deux albums « extended play » 45 tours qui constituent une des pièces basiques de la discothèque de l'amateur moderne.

(Capitol EAP 1-459 et 2-459.)

Nous n'avons pas rendu compte d'un microsillon déjà un peu plus ancien de la même série « Classics in jazz », celui de Woody Herman. Ce dernier, clarinettiste moyen, est surtout connu comme chef d'une des bonnes formations blanches d'après-guerre. Le temps est passé où il arrivait en tête des référendums américains... c'était en 1945, et bien des valeurs un peu soufflées se sont rétablies depuis à leur plus juste place, mais il n'en reste pas moins que Woody Herman sut s'entourer de bons arrangeurs et de musiciens solides et acquérir un style assez personnel. Les enregistrements groupés sur le présent disque comportent notamment le fameux *Early Autumn,* dont on appréciera l'arrangement caractéristique, le non moins célèbre *Lemon Drop,* et six autres gravures dignes d'être écoutées ; sans atteindre au génie, c'est là du bon travail de grande formation et certains solistes émergent du lot avec vigueur.

(Capitol 33 tours H 324.)

Parmi les séries variées publiées chez Capitol, il y a aussi les quatre microsillons *The History of Jazz* qui essaient, d'une façon peut-être un peu artificielle puisqu'on n'y fait pas appel aux cires originales, de recréer les divers styles les plus notables de l'évolution du jazz. Le dernier volume de cette série comporte une face de Coleman Hawkins, une face de Jay McShann — l'orchestre où Charlie Parker fit ses débuts — le trio King Cole, Billy Butterfield, Benny Carter, Bobby Sherwood, Eddie Miller et Stan Kenton. Assortiment varié, on le voit, dans lequel on peut trouver de l'honnête, du bon et même du très bon ; le très bon, selon nous, est cet arrangement de Benny Carter sur *Love for Sale* où l'on entend trop brièvement Jay Jay Johnson et où l'alto de Benny fulgure avec sa souplesse et son brillant habituels. Un recueil fort commode pour danser, en tout cas.

(Capitol H 242.)

*

ARTS
13 juillet 1955

« VOIX D'AMERIQUE »

Une intéressante série de microsillons 45 tours est actuellement en cours de publication chez Philips sous le titre générique « Music from U.S.A. », et comporte notamment des enregistrements de cinq chanteurs ou chanteuses qui occupent outre-Atlantique des places très voisines du sommet. Aux dames d'abord : voici Rosemary Clooney, Jo Stafford et Doris Day. Chez les messieurs, Frankie Laine et Frank Sinatra. Remarque générale : saluons les techniciens : tous ces enregistrements sont réalisés d'une façon impeccable ; ils ont en commun une sorte de perfection qui est très rarement atteinte par les disques de « variétés » français. La règle des studios français est de prier l'artiste de se débrouiller pour que cela marche et non pas de prier les techniciens de se débrouiller pour prendre l'artiste sans le gêner (détail qui a une certaine importance). Mais ne ronchonnons pas...

Voix fraîche, franche et rythmée, voici Doris Day dans *Ready Willing and Able, when the red red robin,* et plus tendre et langoureuse dans *Secret Love* et *If I give my heart to you,* deux ballades dont la seconde est un peu rengaine. Jo Stafford se spécialise dans le « standard », les chansons « toujours vertes », telles que *Dancing in the Dark, Night and Day* ou *Make love to me* auquel selon l'étiquette, n'ont pas collaboré moins de sept auteurs. Plus dramatique que Doris Day, Jo Stafford a comme elle une diction parfaite et une mise en place impeccable...

Et à l'audition, on s'aperçoit que ce *Make love to me* est un nouveau nom greffé sur le vieux *Jarrm babies blues,* devenu ensuite *Tin roof blues* que tous les amateurs connaissent. Rosemary Clooney, dans le civil Mme José Ferrer, a gravé le *Petit*

Cordonnier, pour faire plaisir à Révil et Lemarque, des chœurs l'y soutiennent, et un accompagnement très cordonnier. C'est si l'on peut dire, une chanteuse d'un modèle plus viril que ses deux consœurs, mais elle possède les mêmes qualités professionnelles.

De Frank Sinatra, on sait le bien que nous pensons : ce microsillon ne nuit pas à sa réputation et les thèmes en sont, comme toujours, admirablement choisis. Enfin Frankie Laine, connu en France surtout par ses imitateurs, mérite qu'on l'écoute ; sa voix « du tonnerre » n'est jamais indifférente malgré les quelques trucs systématiques qu'il utilise. Souhaitons que Philips n'en reste pas là (Doris Day : n° 429 032 BE. Stafford : n° 429 031 BE. Clooney : n° 429 033 BE. Sinatra : n° 429 034 BE. Laine : n° 429 015 BE).

Un autre 45 tours vocal digne d'être écouté vient de recevoir l'Oscar 1955 de l'Académie du Jazz : le disque de Sarah Vaughan intitulé *Images.* Il contient *Shulie a bop,* une composition de Vaughan et Treadwell (Treadwell est le mari de la Vaughan en question) qui permet à Sarah de prouver son sens profond du jazz, *Lover-man,* le succès de Davis et Ramirez, *Body and Soul,* un classique de la chanson américaine, et enfin une des plus jolies compositions du team Burke et Van Heusen : *Polka dots and moonbeams,* chanson absolument ravissante que l'on ne se lasse pas d'écouter. Voici un Oscar mérité : Sarah Vaughan est une grande chanteuse de jazz et une grande chanteuse tout court. (Mercury MEP 14 072.)

Capitol nous administre, avec une vigueur digne d'éloges la voix surprenante de Gloria Wood, qui accompagnée par l'orchestre de Peter Candoli, se livre à une extraordinaire démonstration de souplesse vocale et de technique sans compter un sens du jazz peu commun. Utilisée comme un instrument, sa voix joue exactement le rôle de l'un des éléments de l'orchestre... un orchestre qui ne renâcle pas sur la lecture si l'on en juge par les arrangements. Un des disques les plus excitants du domaine « variétés » actuel. (Capitol EAP 1538.)

Enfin voici l'admirable Billie Holiday, accompagnée par Teddy Wilson, dont Columbia a l'excellente idée de publier un recueil en 33 tours. Dix interprétations célèbres de Billie, gravées entre 1936 et 1940 (on trouve au verso de la pochette le détail du personnel) figurent sur ces deux faces ; parmi lesquelles *Boby and Soul,* le fameux *Billie's Blues,* et le non moins fameux *Falling in love again,* qui n'est autre que la version anglaise du thème immortel de *l'Ange bleu : Ich bin von Kopf zu Fuss,* que chantait Marlène..

Outre la voix si caractéristique de Billie, avec son timbre félin et pervers, on entend ici tous les grands musiciens qui, a l'époque, constituaient l'avant-garde du jazz et dont Billie, avec un sens très sûr, aimait à s'entourer. (Columbia FP 1044.)

Ne terminons pas cette chronique sans mentionner une réédition attendue, celle en 45 tours, des inoubliables interprétations de la grande chanteuse de blues Bessie Smith. *Cold in Hand Blues, Saint-Louis Blues, Cemetery Blues, Any woman's blues,* sont des cires qui furent gravées voici trente ans ; elles conservent la poésie et le « feeling » qu'elles avaient à l'époque et sont un témoignage vivant de l'art âpre, gauche et puissant d'une des artistes noires les plus populaires de l'histoire du jazz. (Columbia ESDF 1 019.)

★

ARTS
27 juillet 1955

REEDITIONS ATTENDUES

Comme toutes les fois que cela se produit, nous allons commencer par répandre des fleurs sur les autels de ceux qui viennent de rééditer dix faces de Duke Ellington datant d'une de ses périodes créatrices les plus vigoureuses puisqu'elles ont été enregistrées en 1938 et 1939. En voici la liste : « Solid old man », « Smorgasbord and Schnaps », « Cotton Club Stomp », « Prologue to a black and tan fantasy », « A blues serenade », « The New East St Louis Toodle-O », « Portrait of a Lion », « Gipsy without a song », « The Gal from Joe's » et le fantastique « Braggin' in brass ». On conviendra aisément qu'il s'agit là d'une intéressante sélection ! C'est l'époque où l'orchestre comporte ces solistes qui l'ont rendu célèbre et qui se nomment Barney Bigard (clarinette), Cootie Williams et Rex Stewart (trompettes), Tricky Sam Nanton, Juan Tizol (trombones), Johnny Hodges, Harry Carney (saxos). On mesure à réécouter ces faces déjà vieilles de seize ou dix-sept ans à quel point l'avance de Duke en matière de jazz était énorme ; elles n'ont pas une ride et « swinguent » aussi allégrement qu'à leur parution. S'il fallait en souligner certaines, arrêtons-nous un moment sur la beauté du thème de « Gipsy without a song », la gaieté de « Cal from Joe's », et l'extraordinaire tour de force de mise en place qu'est « Braggin' in brass ». (Pathé P.A.C. 1 002, 33 cm microsillon).

Complétant et augmentant notre plaisir, Columbia, à son

tour, réédite en 45 tours quatre plages de 1947 et de 1951 du même Ellington. L'orchestre a subi de profondes modifications que l'on pourra constater au dos de la pochette où se trouve le détail du personnel. Il y a là « Hy a Sue », « Three cent stomp », « Smada » et « Brown Betty ». Mais l'atmosphère ellingtonienne, elle, est toujours là, et l'on ne saurait s'en passer ni s'en lasser. (Columba E.S.D.F. 1 015, 45 extended play.)

Voici maintenant Fat's Waller, notre bon gros Fat's, qui est mort physiquement mais qui garde sur cire une vitalité prodigieuse. Quatre thèmes, dont deux qu'il composa lui-même et qui sont d'ailleurs des classiques du jazz (« Honeysuckle Rose » et « Blue, Turning grey over you ») sont rassemblés sur un 45 tours et l'on y peut entendre les solistes Bill Coleman, Herman Autrey, Al Casey, etc. Le « Twelfth Street Rag » déchaîné qui, avec le joli « Baby Brown » complète la sélection, est un des morceaux les plus dynamiques enregistrés par Fat's ; et Dieu sait !... (Voix de son Maître 7 EMF 38.)

La marque Coral poursuit, elle aussi, un bel effort de réédition. Le volume 14 de la série « Connaissance du Jazz » sera à ce titre très apprécié des amateurs. Il réunit sur un 45 prolongé, deux faces de Luis Russell et son orchestre et deux faces d'Andy Kirk et son orchestre (où brillait la fameuse pianiste-arrangeuse Mary Lou Williams).

Luis Russel a dirigé un des premiers grands orchestres de jazz et a compté dans ses rangs de très grands solistes, tels Henry Allen (trompette) ou Albert Nicholas (clarinette). Les deux morceaux que nous avons ici sont « Saratoga Drag » et « Case on Down » dont il écrivit les arrangements. Quant à Andy Kirk, on trouvera par exemple dans sa première face le fameux ténor Don Byas, dans la seconde, le trompette Harold Baker, qui devait s'illustrer chez Ellington. « Floyd's Guitar blues », dû à son guitariste Floyd Smith, est un des premiers enregistrements de guitare électrique et n'est pas intéressant qu'à ce seul titre, car il constitue un fort beau solo. (Coral E.C.V. 18 040.)

Et voici maintenant quelque chose de fort ancien puisqu'il s'agit de morceaux enregistrés par le clarinettiste le plus représentatif, selon les puristes, du style Nouvelle-Orléans. Il s'agit de Johnny Dodds, dont on nous donne « Perdido Street Blues », « Gatemouth », « Too Tight » et « Papa Dip ». Johnny Dodds y est entouré du grand cornetiste George Mitchell, de Kid Ory (trombone), Joe Walker (alto), John Saint-Cyr (banjo). Les quatre faces datent de 1926 et sont caractéristiques du style primitif qu'ont remis à la mode les jeunes « revivalistes ». Un disque de collectionneur s'il en fut. (Columbia E.S.D.F. 1 028.)

On retrouve le trombone Kid Ory armé de la baguette du

chef dans une dernière série plus récente (octobre 1946) qui paraît également chez Columbia. « Tiger Rag », « The world is jazz crazy », « Mahogany Hall Stomp », « Georgia camp meeting » sont les titres interprétés par la petite formation où se distinguent Papa Mutt Carey, Barney Bigard, Buster Wilson, Bud Scott, etc. Voici du Nouvelle-Orléans moderne mais interprété par d'authentiques anciens ; l'esprit n'a pas changé si la technique de l'enregistrement s'est améliorée. Encore un disque qui réjouira les nombreux amateurs de cette joyeuse musique. (Columbia E.S.D.F. 1 016.)

*

ARTS
17 août 1955

DANSEZ SUR 45 TOURS

De Woody Herman et son orchestre, voici sept plages réparties sur deux microssillons 45 tours. « Wild Apple » occupe une face entière de sept minutes, et c'est une occasion d'entendre abondamment les solistes de la troupe, notamment les trompettes et les saxes qui se livrent à quelques exercices bien venus sur ce nouvel arrangement du vieux « Apple Honey ». Il y a plein d'atmosphère avec « Strange », sur un rythme jazzo-cubain, encore plus de sentiment dans « Misty morning » et les quatre autres morceaux ne lui cèdent en rien. C'est du travail solide, bien en place, avec de bons arrangements ; c'est absolument l'idéal pour la danse ; on remarquera encore un beau rajeunissement de la *Cucaracha*, traitée en mambo et avec vigueur. (Capitol E.A.P. 1-560 et 2-560.)

Sal Salvador et son quartette, avec *Round Trip* et *Cabin in the sky*, viennent d'être édités, si l'on peut dire, sous l'égide de Stan Kenton, dans la série « Kenton présente... ». On devine qu'il s'agit là d'un petit groupement extrêmement moderne ; la guitare de Salvador, fort bien enregistrée, donne une idée des possibilités de cet excellent musicien. C'est là, si l'on veut, de l'avant-garde standardisée, mais c'est une excellente démonstration technique, brillante et solide à la fois. (Capitol 6 F 65 005.)

Et voici Bill Holman, autre membre de l'orchestre Kenton ; on lui a attribué, à lui aussi, huit morceaux dont il est d'ailleurs l'auteur : Ce sont « On the town », « Locomotion », « Jughead », « Back to minors », « Sparkle », « Tanglefoot », « Song without words » et « Awfully Busy ». Huit morceaux et huit musiciens. Un résultat du même ordre que celui de Salvador : une musique assez travaillée, un peu froide mais extrêmement soignée et d'un niveau plus qu'honorable. Une place importante est faite aux solistes. Cette revue de détail de l'orchestre Kenton, débarrassée de la prétention du chef, est fort intéressante et mérite l'audition. Chaque face vaudrait une analyse : ceci, croyons-nous, est la meilleure recommandation que l'on puisse faire de ces deux disques. (Capitol E.B.F. 1-6500 et 2-6500.)

Chez Vogue, on donne aussi dans le moderne, voici un bon exemple du genre, le quartette du saxo ténor Zoot Sims. « Tenorly », « Slingin' hash », « Night and day » et « Don't worry about me », un air qui revient à la mode, font l'objet d'un 45 tours prolongé digne d'un excellent accueil. Enregistrés à Paris avec une section rythmique composée de Jerry Wiggins (piano), Kenny Clarke (batterie) et Pierre Michelot (basse), ces quatre morceaux ont été gravés en 1950, à l'époque où Sims jouait dans la formation de Benny Goodman. Sonorité solide et généreuse, swing constant, Zoot Sims se situe dans la lignée de saxo-ténors classiques. On remarquera l'intéressant travail de Wiggins au piano, et le bon soutien de la section. (Vogue E.P.L. 7063.)

Jean-Pierre Sasson peut être considéré comme un « underrated musician » — ou musicien sous-estimé — selon l'expression des critiques américains. Il vient se rappeler à notre souvenir avec un bon petit recueil qui est en même temps un hommage à Django, « Musique pour deux ». L'attaque nette, le joli phrasé de Sasson sont extrêmement agréables. Les tempos choisis ressortissent tous à la catégorie slow : un disque d'ambiance s'il en fut, et qui mérite mieux que cette appellation. « Summertime », « Portrait of Django », « The High and the mighty », « There's a small hôtel », sont pratiquement quatre soli de Jean-Pierre Sasson, excellent guitariste à qui La Voix de son Maître a intelligemment rendu justice. (Voix de son Maître 7 E.M.F. 49.)

Deux des meilleurs extraits du concert de Carnegie Hall 1938. « Stompin' at the Savoy » et « Dirry spells), paraissent chez Philips à l'enseigne du Benny Goodman Quartet. On se doute que le clarinettiste y est accompagné de ses deux compères, Gene Krupa (batterie) et Teddy Wilson (piano), et que Lionel Hampton vient glisser son grain de sel — et un fameux grain de sel. C'est fait tout exprès pour la danse, et par des gens qui savent ce qu'il faut. (Philips 429 003 B.E.).

Et maintenant, trouvez un cavalier, mesdemoiselles, et vous, jeunes gens, dénichez une jolie partenaire... vous avez là de quoi danser une heure ou deux...

★

ARTS
31 août 1955

CHANTEZ EN VOUS REPOSANT

Frank Sinatra, notre faible avoué, est encore là aujourd'hui, avec quatre jolies chansons publiées par sa marque habituelle, Capitol, et fort bien accompagnées — comme toujours. « Dont worry about me » fut un des grands airs à succès de l'avant-guerre. Cette nouvelle version renouvelle plaisamment cette ballade un peu trop sentimentale. Un vieux classique « I love you », swingué par l'orchestre de Billy May avec un rythme très Lunce-fordien. Au verso, le succès du film *La Fontaine des Amours* : « Three coins in the fountain » et « My one and only love », tous deux (comme « Don't worry ») accompagnés par l'orchestre de Nelson Riddle. Même si l'on n'aime pas Sinatra, il semble difficile de rester insensible à l'excellence de la réalisation technique. Chapeau à Capitol ! (Capitol E.A.P. 1-542.)

« Si je vous donne mon cœur, Prenez ma main, Papa aime le mambo, Apprenez-le-moi ce soir. » Voici la traduction des quatre titres interprétés par King Cole dans un de ses derniers disques. Nelson Riddle le soutient au long des deux premiers que l'on peut d'office, par conséquent, ranger dans la catégorie « ballades », et Billy May dans les deux seconds — qui sont, tout naturellement, plus nerveux. La moins bonne de ces quatre faces serait « Papa loves mambo », un air pas très inspiré dont les paroles ne le sont guère non plus, mais les trois autres sont du meilleur King Cole de charme, et si on regrette toujours un peu qu'un pianiste de cette qualité sacrifie à la vogue de la chanson, on l'aime bien quand même !... (Capitol E.A.P. 1-9120.)

Pratiquement inconnu en France, Sammy Davis Junior est une grande vedette sans avoir un petit quelque chose, et il en reste toujours quelque chose à l'enregistrement. Quatre chansons, dont trois classiques du jazz : « Please don't talk about me when I'm gone », « You are my lucky star », « The way you look to night » — et un air moins connu, « Smile, darn you, smile » que l'on pourrait traduire : « Ris donc, sacré nom, ris donc »... Il ressort de ce premier disque paru en France que Davis a un côté chanteur naturel assez rafraîchissant, et qu'il est fortement marqué par le jazz et les chanteurs bop, ce que nous ne saurions lui reprocher. Un excellent soutien rythmique caractérise ces quelques faces que l'on choisira indifféremment pour les écouter ou pour danser. Un disque très simple, un chanteur très détendu.

La marque Coral, distribuée par Vogue, vient de publier toute une série de chansons américaines enregistrées par des artistes ou des groupements... en vogue aux U.S.A. D'abord, les Modernaires ; un bon recueil qui s'ouvre par une savoureuse parodie des succès de « juke boxes » américains, « New juke box Saturday night ». Les Modernaires eux-mêmes, groupe de chanteurs de l'orchestre Glenn Miller, sont admirablement encadrés par les orchestres de George Cates et Fran Scott. La parodie de King Cole du second morceau est une des meilleures... mais il faudrait les citer toutes ; dynamique et réjouissant, voici un disque à retenir. (Coral E.C.V. 18 046.)

Les sœurs McGuire, entre lesquelles on aurait du mal à choisir s'il faut en croire la photo de la pochette, font l'objet d'une autre publication Coral. Comme Sammy Davis, elles font partie de la nouvelle génération de vedettes lancées outre-Atlantique par la télévision. Encore un de ces exemples, si fréquents en Amérique, de perfection technique, acquise au prix d'un énorme travail et d'une coopération parfaite de l'équipe technique. Mise en place impeccable, sens du rythme sans défaut, timbre séduisant... vivent les McGuire sisters et les chansons américaines. (Coral E.C.V. 18 043.)

Et voici Teresa Brewer... encore une personne à qui l'on ferait volontiers un peu la cour... Une sorte d'Aznavour femelle pour le tempérament (c'est dire qu'elle en a plus que sa part), une jolie voix métallique et claire, cette chanteuse de vingt-quatre ans à un petit côté incendiaire qui est sûrement un bel atout pour interpréter « Let me go, lover » ; et dans une chanson comme « Skinnie Mimie (fishtail) » on reste assez éberlué devant la perfection d'une diction qui ferait passer Yvette Guilbert, pour une bafouilleuse... on comprend jusqu'à la moindre virgule. Cent pour cent pour Teresa Brewer... c'est tout ce que nous pouvons ajouter. Achetez les yeux fermés. (Coral E.C.V. 18 047.)

★

ARTS
21 septembre 1955

MUSIQUE ULTRA-MODERNE

Au programme d'aujourd'hui, quelques musiciens d'avant-garde. Et pour commencer, le trompette Shorty Rogers et ses « géants » (Shorty veut dire : tout petit). Entouré du saxo alto Art Pepper et du ténor Jimmy Giuffre, du cor John Graas et du drummer Shelly Manne, pour ne citer que ces noms célèbres, Shorty Rogers, s'effaçant à l'occasion devant ces brillants seconds, a gravé chez Capitol huit plages dont on nous donne, chose fort utile, le personnel détaillé. On ne pourra que répéter, à propos de cette « West coast music » les commentaires habituels : voici d'excellents musiciens professionnels, exécutants une musique que l'on aime ou non, dans un style caractéristique qui tendrait à lasser à la longue mais qui à dose moyenne est intéressant et fort riche en trouvailles astucieuses. Exercices de style techniquement remarquables. (Capitol E.A.P. 1-294 et 2-294.)

Le trio Claude Williamson paraît dans la série « Kenton présente ». Pianiste de talent, il nous administre huit échantillons de virtuosité dont un « Salute to Bud » à retenir. Autres thèmes : « Thou Swell », « Indiana », etc., et diverses compositions de Claude lui-même. Toucher précis et net, sonorité pleine et mate, tels sont les attributs de Claude Williamson, un article décidément plus qu'honorable qui n'évite pas certains clichés modernes mais qui a quelque chose à dire. (Capitol 1-6502 et 2-6502.)

Miles Davis, entouré notamment du trombone J.-J. Johnson, de Kenny Clarke (drums) et Oscar Pettiford (basse), a enregistré chez Vogue quatre faces fort indispensables à ceux qui comme le signataire de ces lignes le considèrent comme un des musiciens sensibles et intelligents — révélés au cours de ces dernières années — et ils ne sont pas si nombreux. Avec « Chance it », une composition de Pettiford, et « Woody'n you », le thème célèbre de Gillespie, « Donna », un arrangement de Mc Lean (que l'on entend dans le disque au saxo alto) et le fameux standard « Yesterdays », voici un 45 tours bien rempli. Miles est spécialement en valeur sur « Yesterdays », mais les soli abondent et l'intérêt ne faiblit pas un instant. (Vogue E.P.L. 7 064.)

*

ARTS
19 octobre 1955

POUR DANSER OU POUR ECOUTER

Le volume 2 des enregistrements de l'orchestre Les Brown, paru chez Coral (Concert at the Palladium, disque C.V.M. 35002), ne le cède en rien au premier ; cette bonne formation homogène et équilibrée, nous régale encore ici de onze arrangements bien venus qui, à l'occasion, mettent en valeur les solistes de l'orchestre, en particulier Don Fagerquist, Dave Pell et Ronnie Lang, respectivement trompette, alto et ténor. L'enregistrement réalisé sur place pendant une « dance session », est de très bonne qualité et les amateurs de danse ne regretteront qu'une chose, c'est que l'orchestre de Les Brown ne joue pas à Mimi Pinson ou dans quelque autre lieu accessible.

Les enregistrements de Stan Kenton sont déjà nombreux, mais nous n'avons pas rendu compte de cet « Encores » à la couverture bleue très « dalinienne », où Stan réunit huit de ses interprétations les plus connues. Sans considérer l'orchestre Kenton comme cette pointe de l'avant-garde dont il jouerait volontiers le rôle, on ne peut dénier à cette formation un soin dans la mise en place et une qualité technique qui font merveille pour la danse... à condition de n'avoir pas les jambes trop rouillées, car le choix des tempos est souvent hardi : à titre d'exemple, écoutez seulement la plage « Lover » et vous verrez ce que nous voulons dire... Pour préciser notre pensée, disons que nous recommandons ces deux faces comme matériel d'entraînement à l'intention des hardis novateurs de dancing. La gravure, comme celle de tout ce qui sort sous l'étiquette Capitol, est admirable (Capitol H 155).

Et revenons à des tempos plus orthodoxes avec cette réédition de vieux classiques du jazz que nous offre Columbia sous le titre « Rendez-vous at the Sunset Cafe »». C'est notre étonnement permanent de constater l'engouement actuel du public pour la musique 1925... telle qu'elle est exécutée en 1955. Voici dix enregistrements de Louis Armstrong qui datent à peu près de l'époque en question et qui sont certainement plus authentiques que la majorité de ce que l'on publie sous l'étiquette à la mode... Ecoutez-les et vous constaterez que la vraie musique de jazz de 1925 avait plus de consistance et de vigueur que celle que l'on débite au kilomètre aujourd'hui. Ces dix faces du Hot Five, où l'on entend, outre Louis Armstrong, Johnny Dodds, Kit Ory, Lil Hardin et John Saint Cyr, n'ont pas une ride, bien qu'il s'agisse pour la plupart d'enregistrements mécaniques !... Le savoureux banjo de John Saint Cyr vaut à lui seul l'audition. Un bon disque de collection. (Columbia FP 1053.)

A notre grande joie, les rééditions de Duke Ellington se succèdent chez Pathé Marconi ; voici, sous le numéro FP 1055 et l'étiquette Columbia, une des plus belles séries de faces encore publiée. On y trouvera notamment le rare « Raisin'the rent », le délicieux « Drop me off at Harlem », « Blue tune », « Merry go round », et six autres plages tout aussi remarquables. Le swing dégagé par cet orchestre dès l'époque 1930 est déjà incomparablement plus réel que celui de formations qui se couronnaient durant la même période de titres ronflants autant qu'immérités. Tous les immortels solistes du Duke, Bigard, à la clarinette ; Hodges, à l'alto ; Harry Carney, au baryton ; le regretté Tricky Sam, au trombone ; Rex Stewart et Cootie Williams, à la trompette... et on en oublie, sont là au meilleur de leur forme. La vérité évidente apparaît une fois de plus : Duke a été, est et restera toujours le plus grand des compositeurs chefs d'orchestre que le jazz ait connus. Un des vingt disques de base de toute collection sérieuse, voilà ce qu'est ce Jazz Cocktail Columbia...

★

ARTS
2 novembre 1955

DU PIANO ENCORE ET TOUJOURS

Capitol, nous voilà... prêts à vous remercier de ce superbe cadeau : Trente centimètres d'Ellington en microsillon 33 tours... et d'Ellington en *piano solo, s'il vous plaît. Solo, ou accompagné d'une discrète section rythmique.*

« Tous ces morceaux ont été enregistrés pendant la nuit, aux studios Capitol de Melrox Avenue, à Hollywood, sans aucune répétition ni plan..., c'est arrivé, voilà tout... » Ainsi s'exprime le verso de la pochette, et rien ne traduirait mieux l'impression de détente que l'on ressent à l'audition de ces versions d'Ellington par lui-même. Jamais le Duke n'a prétendu passer pour un virtuose du piano ; mais son jeu inimitable, cette façon qu'il a de jouer avec son clavier comme un gros ours, le caressant pour le gifler soudain d'un coup de patte velue, cette attaque qui va parfois jusqu'au coup de matraque sur la note, et cette sonorité claire et ronde, tout cela n'appartient qu'à lui et suffit à en faire un des pianistes de jazz les plus passionnants. De jazz ? C'est un peu limiter le Duke, dont certaines compositions s'écartent de cet idiome, en restant de la belle musique tout court. Rien de plus qui porte le joli numéro T 477.

Solo Flight, un 25 cm, 33 tours, du prestigieux Erroll Garner, paraît chez Philips et réunit huit excellentes plages de ce pianiste si apprécié — et à si juste titre — des jazz-fans. Il contient du grand Garner, volubile et lyrique ; du Garner, carré, nourri et puissant ; du Garner nerveux et délié ; bref, du Garner, sous tous ses aspects bien connus de ses partisans. *Cocktails for two* est un prétexte à riches arpèges, *It dont mean a thing* répond bien à sa définition, tout en acquérant de curieux rapports avec le fameux prélude en do dièse mineur de feu Rachmaninoff (non point tant dans son esprit que dans l'introduction des accents). *Chopin Dupressions* réjouira l'âme de ceux qui n'ont point peur de chatouiller un peu la perruque des classiques et fera hurler les autres, *Love me or leave me*... et la suite... combleront les garnerophiles fort abondants sous nos latitudes. (Philips BO 1602 R.)

Fats à Londres réunit sur un microsillon 30 cm, un certain nombre d'enregistrements du défunt maître du piano... et de l'orgue, car il se trouve que ce disque rassemble toute une série de plages d'orgue gravées lors d'un séjour de Fats dans la capitale des Godons. Douze morceaux en tout dont huit où Fats joue de l'orgue. C'est dire que ce bon disque vient combler une importante lacune, les morceaux en question étant jusqu'ici généralement introuvables en France. Fats est trop connu pour que nous revenions ici sur son talent « contagieux », et la pochette comporte en outre une abondante documentation. A ne pas manquer. (Voix de son Maître, FELP 133.)

Le quartette Dave Brubeck s'est hissé en Amérique au faîte de la popularité et jusqu'ici est fort peu représenté sur le marché français. Saluons donc avec intérêt la publication par Philips de cet extended play qui réunit deux longues interprétations de la formation, *Take the A train* et *Out of nowhere*. On pourra y entendre abondamment le saxo alto de Paul Desmond, au style résolument « cool », qui a une certaine abondance d'idées mais une sonorité un peu maigre à notre goût (il joue toute la première moitié d'*Out of nowhere*). Brubeck, lui-même s'écarte souvent, évidemment, de la conception du piano « à dix doigts » chère au regretté Fats pour créer des lignes mélodiques dépouillées non sans rapport avec les inventions de Basie, qu'il vient soudain étoffer d'harmonies brutales, pour se livrer avec Desmond à de petits jeux fugués pas dénués d'attrait. On regrettera la monotonie de la section rythmique, mais dans l'ensemble, on reconnaîtra que — quand ce ne serait que pour se familiariser avec Brubeck —, ce disque ne manque nullement d'intérêt. (Philips, 429-018 BE).

★

ARTS
11 janvier 1956

QUELQUES CLASSIQUES

Trois fameux pianistes de boogies-woogies ont gravé le premier extended play de la pile de classiques que Pathé Marconi vient de jeter (à notre grande joie) sur le marché. Il s'agit d'Albert Ammons, de Meade Lux Lewis et de Pete Johnson. Quatre boogies typiques, gravés entre 1936 et 1939 ; pour l'un d'eux, *Café Society Rag,* nos trois lurons sont ensemble, et le résultat ne laisse rien à désirer. Puissance, équilibre, vigueur, et cette savoureuse monotonie du boogie sont présents à l'appel. Amateurs, sortez vos sous ! (Columbia ESDF 1024.)

Classiques aussi — et introuvables jusqu'ici — huit morceaux gravés par ces merveilleuses petites formations extraites de l'orchestre de Duke pour enregistrer en studio aux alentours des années 1938. Rex Stewart signe *Tea and Trumpets* et *The Back room romp ;* Cootie, le poignant *Delta Mood* et *The Boys from Harlem,* Barney Bigard est le responsable des quatre autres : *Honey Hush, Just another dream, Mardi-gras Madness* et *Watch the Birdie.* Autant de petits chefs-d'œuvre, sans aucune exagération. Il y a des années que l'on espère sans y croire leur parution en France, mais les transferts d'étiquettes ont introduit une telle confusion sur le marché que l'on ne sait plus où on en est. Regrettons seulement que n'aient pas été réunis aux deux faces de Rex deux autres joyaux de cette série : *Love in my Heart* et *Sugar Hill Shim Sham,* mais ne boudons pas notre plaisir... Il ne faut pas confondre, notons-le, ce *Honey Hush* de Bigard avec le morceau du même titre enregistré par Fats Waller ; ce *Honey Hush-ci* n'est autre que *Solid old man,* un thème bien connu des partisans de Rex Stewart. Et oublions le caractère parfois un peu sourd du repiquage pour nous réjouir de la résurrection de ces vieux amis...

(Rex et Cootie : Pathé 45 EA 38. Barney Bigard : Pathé 45 EA 31.)

De l'orchestre Ellington au complet, voici encore quatre classiques : *Rose of the Rio Grande, Subtle Lament, The Sergeant was shy,* et le *Prologue to a Black and Tan Fantasy.*

Les matrices de ces plages datent de 1938 et 1939. On admirera dans *Rose* une très belle partie de trombone de Lawrence Brown et un arrangement « hachis » sensationnel, ainsi qu'un vocal de la regrettée Ivie Anderson. *Subtle Lament* est une des compositions d'atmosphère de Duke où l'on entend un peu, privilège trop rare, le maître au piano, et le cornet solo de Rex, mat et incisif. Le *Prologue* est une refonte de la fameuse *Black and Tan* où Cootie et Hardwick se renvoient la balle. *The sergeant* met en valeur Bigard. Cootie et Tricky Sam.

(Pathé 45 EA 39.)

Le fabuleux Coleman Hawkins, longtemps considéré comme le plus grand des saxo-ténors, a connu une éclipse imméritée en raison de l'avènement du style inventé par Lester Young et qui semblait à l'opposé. Pour beaucoup, il reste néanmoins le « père » du saxo-ténor. Il a sur cet instrument une sonorité chaude et lyrique, un volume puissant et une inspiration volubile et jamais en défaut. Que l'on y soit sensible ou non, il est difficile de ne pas admirer ce *Body and Soul* qui fut, en 1939, une véritable révolution dans le monde du jazz. Nous avouerons, quant à nous, un faible prononcé pour le *Bean.* Voici quatre morceaux enregistrés à sept ans d'intervalle qui prouvent surabondamment la vitalité de Hawk. On en redemande !

(Voix de son Maître, 7 EMF 31.)

Il nous semble que cela date d'hier... et voici pourtant dix ans déjà que Charlie Parker et Dizzy Gillespie gravaient ces faces qui allaient soulever tant de controverses passionnées. Réunies sur un même extended play, voici *Hot House, Groovin' High, Dizzy Atmosphere* et *All the things you are* ; (où est donc *Salt Peanuts* ?). Inutile de tourner autour du pot ; tout cela vieillit admirablement, ce qui est fort bon signe en matière de jazz comme en matière de vin... De ces faces, on peut le dire, tout le jazz moderne est sorti ; c'est reconnaître leur importance et leur qualité que de leur faire une place dans votre discothèque... et c'est aussi de bien bonne musique...

(Pathé 45 EA 29.)

*

ARTS
14 mars 1956

Disques de jazz

LES DEUX GRANDS

Le récent triomphe de Louis Armstrong à l'Olympia a été accompagné de la sortie d'un flot de disques enregistrés par le célèbre trompette avec des groupements fort variés. A Columbia revient le mérite d'avoir publié une sélection des plus classiques, puisqu'il s'agit d'une « récolte 1926 ». Comme pour les grands crus, il y a des années diverses en ce qui concerne Armstrong : la saveur varie au cours des époques ; mais, à la différence des grands crus, toutes les années Armstrong sont des glorieuses années.

Le verso de la pochette, intelligemment rédigé par J.-P. Guiter, donne le détail de toutes les petites formations de studio dont les enregistrements sont réunis ici ; on y retrouve les noms prestigieux de Kid Ory, le trombone, Johnny Dodds, le clarinettiste légendaire, idole de Claude Luter et de ses émules, Lil Hardin, la jeune pianiste qui devait épouser Louis, et de grands « sidemen » comme Johnny Saint-Cyr ou Lonnie Johnson. Les thèmes, au nombre de douze, comptent parmi les plus traditionnels, et c'est une joie, après les avoir entendus ressassés mille fois par des suiveurs pleins de bonne volonté, d'entendre ces gravures qui ont la fraîcheur des créations originales et la sobriété des œuvres d'art durables. *Muskrat Ramble, Hebbie Jeebies, Out Bucket Blues, Struttin' with some barbecue, Ory's creole tombone* — ces cinq titres cités au hasard vous éclaireront sur le soin qui a présidé à leur sélection. Il s'agit là d'une œuvre de jazz si classique que tout commentaire serait superflu ; pas plus que l'on ne discute Shakespeare en littérature, on ne discute Armstrong en matière de jazz ; on achète leurs œuvres, et l'on s'en pénètre.

(Columbia, FPX 115 S.)

Si comme exécutant, Duke Ellington, le pianiste, a toujours été éclipsé par Duke Ellington le compositeur, on voit bien peu, par contre, de personnalités d'une envergure comparable à celle du second nommé ; du point de vue de l'inspiration et de la fécondité, aucun musicien de jazz n'a jamais approché le Duke même de loin — et si un virtuose comme Louis Armstrong mérite la couronne dans le domaine de l'interprétation, Duke, dans celui de la composition, l'emporte aisément sur tous. C'est donc une véritable aubaine que de voir Columbia — à l'honneur pour la seconde fois — nous donner sous le titre *Ellington Modern Style* un microsillon 30 cm publié depuis déjà quelques semaines mais qu'il n'est pas trop tard pour recommander chaudement à tous les amateurs.

Ces deux faces contiennent trois arrangements « définitifs » peut-on dire, d'œuvres déjà célèbres de Duke : *Mood Indigo, Sophisticated Lady* et *Solitude ;* et une composition plus récente, *The Tattooed Bride.* Bien avant l'ère du microsillon, Duke, dans des œuvres telles que *Reminiscing in Tempo,* dépassait de loin le cadre du 78 tours, et il faut se réjouir de ce que ce merveilleux moyen de reproduction nous permette de mieux connaître ce seigneur de la musique de jazz. Orchestrateur complet, Duke tire de ses dix-huit musiciens des combinaisons sonores aussi riches que celles des plus grands orchestres symphoniques. Un disque que l'on peut écouter des heures. (Columbia 33 FPX 111.)

En 45 tours, et toujours chez Columbia, quatre plages du même Ellington, datant de 1932, et qui comportent pour notre plus grand plaisir, deux longs soli de piano. N'insistons pas sur la valeur de ces enregistrements : il s'agit encore ici d'un « must » pour tous les collectionneurs. (Columbia ESDF 1046.)

★

ARTS
4 avril 1956

JAZZ OU CHANSON

La variété américaine présente pour l'amateur de jazz l'intérêt suivant : elle lui permet d'amener insidieusement au vrai jazz ceux de ses amis qui ne sont pas encore mordus par le virus ; le côté sophistiqué, raffiné, techniquement impeccable, doucement rythmique, séduisant en un mot, de nombre d'enregistrements de musique populaire américaine, persuade sans effort le néophyte de goûter à des liqueurs plus fortes. Ajoutons que qui aime la chanson en général y trouve son compte.

Fort proches du jazz, trop « civilisés » peut-être pour un dur à cuire, voici les « Four Knights », un quatuor vocal admirablement au point, dont Capitol présente un album, *Spotlight Songs,* de deux extended play gravés avec le soin habituel de la maison. Tous les thèmes réunis ici (*Georgia, I ain't got nobody, Ida,* etc.), à l'exception peut-être du filandreux sentimental *Journey,* sont classiques du jazz. Que pourra reprocher l'amateur de jazz aux Four Knights ? Cette douceur, ce velouté dont nous parlions ; en revanche, l'amateur de chansons appréciera l'admirable fusion des quatre timbres, la justesse des voix, la mise en place et l'articulation impeccables... Un moment plus qu'agréable...

(Capitol album EBF 346.)

Le charme est plus apparent et le jazz s'éloigne en ce qui concerne Doris Day ; la faute en est sans doute à un accompagnement plus violonesque... mais y a-t-il faute, puisque cela ne se donne nullement pour du jazz ? Chassons donc ces importuns puristes obtus et régalons-nous de la fraîche voix de Doris, toujours pleine d'aisance et de présence. Quatre chansons inégales (*Till my love* aurait tendance à tourner un peu à la psalmodie, voire à la parodie de mélodie romantique), mais une interprétation sans défaut, et l'on retrouve les qualités rythmiques de Doris dans *The blue bells of Broadway.*

(Philips 429 050.)

Après son retour en force à la première place parmi les chanteurs de charme d'outre-Atlantique, Frank Sinatra, qui s'était déjà taillé un gros succès avec ses *Young Lovers* et *Swing easy,* deux remarquables albums, récidive, toujours au Capitol, et voici le copieux *Wee small hours,* une série de quatre « extended play » qui groupe seize interprétations de l'inimitable Frankie. Chansons des « petites heures du matin », ballades mélancoliques de la ville, compositions sophistiquées de Porter, astucieuses et sentimentales de Rodgers et Hart, mélancolie profonde du *Mood Indigo* de Duke... en voici pour tous les goûts, tout un bouquet chanté avec la tendresse et la gentillesse du plus séduisant des chanteurs de charme actuels... ce phénomène qui, avec tout son charme et sa douceur, continue pourtant à avoir l'air d'un homme... ça vous change !...

(Capitol, EAP 581, 4 disques.)

Plus d'incertitude, cette fois... avec Billie Holiday, on n'est jamais à mi-chemin du jazz et de la chanson... voyez de qui Lady Day s'entourait : Teddy Wilson au piano, Roy Eldridge, Buck Clayton, Charlie Shavers à la trompette, Lester Young au saxo, etc. Philips nous donne ce recueil de huit faces gravées avant 1940 par celle qui demeure l'une des trois grandes interprètes de jazz vocal. Cette voix serpentine et coupante s'enroule autour des thèmes comme la fumée d'un rêve équivoque ; mêlant la langueur et la vitalité, elle nous offre ici un cocktail d'interprétations qui suffiraient à la classer s'il en était encore besoin. Du point de vue jazz, de nombreux points sont susceptibles, au hasard des plages, de combler l'amateur (la jolie suite de chorus de *Laughing at Life* notamment). Ce disque-ci est définitivement destiné à l'amateur de jazz... et il troublera le profane !...

(Philips B 07628 R, 25 cm, 33 tours.)

★

ARTS
11 avril 1956

JAZZ ET BALLADE

Il faut le dire, le nom de Bobby Hackett n'est pas connu du grand public de jazz : il y a plusieurs raisons à cela. D'une part, c'est un musicien blanc ; d'autre part, son style, qui s'apparente à celui de Bix Beiderbecke, n'a rien de tape-à-l'œil ; enfin, Bobby Hackett est peu avide de publicité et gagnant bien sa vie dans les orchestres de studio de la radio américaine, n'a jamais cherché spécialement à se faire connaître. Il s'agit pourtant d'un musicien qui possède un sens du jazz exceptionnel et une sonorité, un timbre qui valent à eux seuls que l'on s'intéresse à lui. Il y a gros à parier que le microsillon opportunément publié par Columbia, *Jazz session with Bobby Hackett*, surprendra, et comment, ceux qui s'imaginent que le jazz traditionnel n'est plus défendu que par les amateurs européens. Les huit morceaux qui composent le microsillon 25 cm que nous vous engageons vivement à vous procurer si vous aimez le travail bien fait, sont eux aussi, absolument traditionnels ; entendez qu'ils ont figuré ou figurent encore au répertoire de tous les grands du jazz classique. Aisance, musicalité, précision de l'attaque et constance de l'inspiration, voici quelques atouts de Hackett ; ajoutez à cela un phrasé extrêmement volubile, léger et plein de fraîcheur, vous aurez une idée des qualités de ce très bon trompette qui sans être un génie n'occupe assurément pas la place qui lui est due. (Columbia 33 FP 1045.)

Le nom de King Cole va se trouver associé dans cette chronique à celui de Bobby Hackett ; on peut leur trouver des qualités communes : l'un et l'autre ont un jeu parfaitement détendu, l'un et l'autre pratiquent un jazz aérien, sans rien qui pèse, tour à tour gai et mélancolique, et toujours très plaisant à l'oreille. Le volume IV du King Cole Trio, que nous n'avons pas encore chroniqué, reste du niveau excellent des précédents et contient en tout cas au moins une chanson ravissante, *Tis autumn,* que King Cole détaille comme le roi de la ballade jazzée qu'il est en vérité. A mi-chemin du jazz et de la chanson de charme, King Cole est toujours le musicien rêvé pour la danse. (Capitol H 177.)

Et puisque nous sommes passés insensiblement du jazz aimable à la ballade, mentionnons l'un des derniers enregistrements du plus parfait interprète de chansons américaines qui soit, Frank Sinatra. *Not as a stranger,* extrait du film du même nom, et *How could you do a thing like that to me...* qui est l'adaptation chantée d'un thème dû au trombone Tyree Glenn, bien connu des amateurs de jazz et déjà enregistré par ce dernier, soit en petite formation, soit accompagné par l'orchestre de Duke Ellington. Ainsi, chanson et jazz se rejoignent et prouvent, en Amérique tout au moins, leur étroite parenté ; mais c'est maintenant, phénomène inverse de ce qui se produisait, la chanson qui emprunte des thèmes au jazz. Il faut préciser que *Not as a stranger* n'est pas une bonne chanson, et c'est dommage pour les amateurs de Frankie, mais ce n'est pas notre faute. (Capitol F 3130.)

Dans la série « Kenton presents » dont nous apprenons d'Amérique qu'elle ne sera pas poursuivie dans cette forme, paraissent des enregistrements de Frank Rosolino que les amateurs ont jugé lors de la venue de Kenton en France, comme l'un des plus extraordinaires techniciens actuels du trombone. Ce qui vient d'être publié contribuera plutôt à renforcer cette réputation ; il est rare de rencontrer un musicien de cette force — et devant cette virtuosité technique, on s'aperçoit à peine que la section rythmique est un peu pesante et les thèmes pas très heureusement choisi. Cela reste un disque à écouter et même à mettre dans sa discothèque : cela console de la pénible sonorité et de l'inspiration torturée d'un trombone comme Bill Harris, considéré par certains comme un grand musicien. (Capitol EAP, 1 et 2, 6507.)

★

[illegible] ses [illegible] que [illegible] femme [illegible]
[illegible] d'une [illegible] comme le fut la « ballade » [illegible]
en [illegible] du jazz et de la chanson de charme [illegible]
[illegible] plus intéressante que la chanson. (Cap. [illegible])
Et puisque nous sommes passés insensiblement du jazz [illegible]
[illegible] de la ballade, [illegible]. Par des derniers [illegible]
du plus [illegible] de chansons américaines que [illegible]
Frank Sinatra. Ainsi [illegible], extrait du film du même nom
[illegible], qui [illegible]
[illegible] Gilson, [illegible]
amateurs de jazz et [illegible] par ce dernier [illegible]
formation, soit [illegible] par l'orchestre de [illegible]
ainsi chanson et jazz se [illegible]
[illegible] en [illegible] leur [illegible] ; mais c'est [illegible]
nombreux [illegible] de ce qui se produisait, la chanson qui [illegible]
les thèmes au jazz. Il faut préciser que Now as [illegible]
pas une bonne chanson [illegible] est donnée à [illegible]
[illegible] mais [illegible] plutôt [illegible]
La [illegible] présentés [illegible] dont nous [illegible]
discographie [illegible] dans cette [illegible]
[illegible] de Frank Rosolino [illegible]
[illegible] de Kenton en France [illegible]
[illegible] les [illegible] du [illegible]
[illegible] d'un public [illegible]
[illegible] C'est rare de rencontrer un musicien de [illegible]
et [illegible] technique [illegible]
la [illegible] que [illegible] peu [illegible] et les [illegible]
[illegible]. C'est [illegible] disque [illegible]
mettre dans [illegible] de la parole [illegible]
et de l'inspiration [illegible] d'un trombone comme Bill [illegible]
[illegible] comme un grand musicien. (Capitol [illegible]
1 et 2, 1957.)

*

CAHIERS DU DISQUE

LES CAHIERS DU DISQUE, n° 2
Novembre 1952

DAVID STONE MARTIN, UN GRAND DESSINATEUR « JAZZ »

Au lendemain de la dernière guerre, les amateurs de jazz, avec le be-bop et les champions d'un nouveau style, découvrirent une formule : le concert enregistré sur scène. C'était la fameuse série « Jazz at the Philarmonic » créé par un entreprenant amateur, Norman Granz, dont les premières faces, mémorables, parurent à l'époque sous une étiquette aujourd'hui disparue, celle de la petite marque Asch. En six faces de trente centimètres, *Lady be good* et *How High the Moon* reproduisaient fidèlement l'atmosphère des salles d'Amérique et de la Jam-Session durant laquelle, sans se soucier des contraintes de durée imposées par le format d'un disque, les solistes improvisaient à bride abattue. Ce fut un succès. Détail amusant, Cocteau utilisa même dans *Orphée* quelques mesures de solo de batterie de Krupa... La série JATP était lancée, et avec elle, le dessinateur David Stone Martin, qui avait composé la couverture de l'album, pénétrait d'un coup au fond du cœur des amateurs de jazz.

Le véritable élément qui consacra cependant la fortune du concert enregistré devait survenir un peu plus tard. Ce fut l'avènement du microsillon 33 tours, aujourd'hui connu de tous. Rien ne se prêtait mieux que le disque longue durée à la prise d'une ambiance de salle. Et, sans qu'il y paraisse, le 33 tours allait aussi travailler pour le dessinateur.

On peut le constater ici, l'art de Stone Martin ne prétend pas à apporter la révolution. Mais on ne contestera pas ses étonnantes qualités plastiques, parallèles à celles du célèbre *Jammin' the Blues* de Gjon Mili. Les dessins de Stone Martin possèdent pour l'amateur de jazz un pouvoir d'envoûtement égal à celui d'un bon disque. C'est qu'ils suent le jazz par toutes leurs lignes. Que Martin caricature le béret plat et les lunettes du bopper embouchant sa trompette, qu'il campe ce kiosque, extraordinaire décor de quelle pièce d'Anouilh où ce couple isolé dans le vide que crée autour de lui l'envoûtement de l'orchestre, il est le jazz même. Et il faut voir les couleurs de ces couvertures pour saisir toute leur valeur du point de vue typographique, tout leur charme du point de vue publicitaire. De grands à-plats, rarement plus de deux teintes mais une utilisation prodigieusement habile des réserves, des trames, des caractères ; et une composition dont on peut s'apercevoir à la reproduction qu'elle est sans faiblesse. En outre, ces dessins sont chargés de tous les signes, de tous les tabous qu'apprend à connaître celui qui veut s'initier sincèrement à la musique de jazz. Comme celui-ci, l'art de Stone Martin est fortement allusif, parfois parodique, toujours évocateur de cette transe sans laquelle il n'est pas de création valable, et cet humour, contrepoids qui lui garde les deux pieds sur terre. Ainsi, ces simples dessins servent admirablement la marchandise qu'ils enveloppent.

Merlin, Danest, on su se dégager peu à peu de cette influence pour trouver un style assez dépouillé, et très ferme, dont nous donnons ici des exemples communiqués par la maison Vogue, rivale et concurrente de la première citée. Rien de plus sain pour le jazz que cette émulation et, pendant que nous y sommes, une suggestion : comme l'a fait Ducretet Thompson pour ses affiches, pourquoi les grandes maisons éditrices de disques, Decca, Philips, Pathé-Marconi, ne se paient-elles pas le luxe de faire appel à des peintres ou dessinateurs de talent pour leurs pochettes ? Il n'y aurait rien de déshonorant pour un Buffet ou un Prassinos à couvrir de sa patte un enregistrement de Webern ou de Bartok... et quelle satisfaction pour le mélomane, trop souvent en face d'un chromo indigne d'une firme qui se respecte. Quoi qu'il en soit, voici ce qu'on fait pour le jazz : jugez sur pièces ; cela vaut mieux que d'absorber une conférence, si courte soit-elle...

★

LES CAHIERS DU DISQUE, nº 3
Décembre 1952-Janvier 1953

JAZZ

Odéon publie six faces gravées par l'orchestre de Humphrey Lyttelton, qui joue en Angleterre un rôle analogue à celui de notre Claude Luter national (à cette différence près que Lyttelton porte une fort belle barbe et manie la trompette et non la clarinette). C'est dire qu'il est un champion du style Nouvelle-Orléans. A ce titre, on peut juger sa tentative : rien de très original, mais du bon travail d'ensemble ; et ces dernières années ont montré que c'est là une musique sur laquelle les jeunes aiment à danser.

Certaines des cires présentes semblent avoir été gravées sur scène ; quoi qu'il en soit, l'orchestre a une composition très orthodoxe : trompette, trombone, deux clarinettes et une section rythmique. A *Careless Love* de Handy, morceau favori des traditionalistes, je préfère le verso, *Come on and stomp, stomp, stomp,* qui, enlevé sur un bon tempo, comporte un intéressant duo de clarinettes (signalons à ce propos que bien que cela ne semble pas pouvoir être le cas ici, Lyttelton joue aussi de cet instrument). *Maple leaf rag* est pris sur un rythme qui surprendra ceux qui ont dans l'oreille l'interprétation déchaînée de Bechet sur V.S.M., mais néanmoins, cette face sonne bien et se promène allègrement. *Memphis Blues, Blues for an unknown gipsy* (composé à partir du fameux « Joue, tzigane... ») et *It makes my love come down* complètent la série. C'est dans *Memphis* que l'on jugera le mieux le jeu de trompette de Lyttelton : net, sans bavures, manquant peut-être un peu de lyrisme ; mais dans l'ensemble, la formation soutient honorablement l'excellente réputation qu'elle a en Angleterre. (Odéon 277016, 017 et 018.)

□

Chez M.G.M., le pianiste Blind Johnny Davis chante *Your Love belongs to me* dans un style agréablement détendu. Au revers, *Magic Carpet* constitue un excellent disque pour la danse, sans vocal. (MGM 4108.) Chez Columbia, un remarquable Erroll Garner, accompagné par le drummer Shadow Wilson et le bassiste John Simmons.

On sait que le piano d'Erroll Garner peut dispenser tantôt

le sirop tantôt le jazz le plus authentique. Ce jour-là, le robinet était tourné du côté jazz et ceci nous vaut deux gravures où l'on retrouve avec joie ces étonnantes « roues indépendantes » que sont les mains de l'artiste. *Talk of the town,* vigoureusement traité, se transforme, de mélodie sentimentale, en une pièce incisive au balancement entraînant et *Robbin's Nest,* un des thèmes classiques du jazz « cool » de ces dernières années, est simplement sensationnel : du Garner grand cru. (Columbia BF 488.)

□

En Columbia encore, le trompette Hot Lips Page, petit frère spirituel de Louis Armstrong, qu'il évoque avec quelque chose de plus brutal, détaille de sa bonne voix rocailleuse les paroles de *There ain't no flies on me,* littéralement *N'y a pas de mouches sur moi,* ce qui veut dire en bon argot *Je laisse pas le cresson me pousser dans les portugaises* ou à peu près. Solide soutien orchestral. *Miss Larceny Blues,* lestement enlevé au rythme des claquements de main de l'orchestre, comporte un plaisant chorus de trombone. Deux faces de jazz solide et pas trop raffiné. (Columbia BF 481.)

Enfin, la maison Blue Star commence à lancer sur le marché les premiers trésors de la série Norman Granz, dont elle s'est assuré l'exclusivité pour la France. Il y a là-dedans du bon et même du très bon. Le tout est pressé sur microsillon 33 tours. Citons d'abord *Blues* et *Lester Leaps in* (BS 6904) où fulgurent les saxes de Jack Mc Vea et Illinois Jacquet et le piano de notre ami King Cole qui se cache sous le pseudonyme de Shorty Nadine, *Body and Soul et Rosetta,* par les mêmes auxquels s'est joint le trompette Shorty Sherock, (BS 6905) le surprenant *JATP Blues* qui réunit des seigneurs comme Charlie Parker, Willie Smith, Lester Young et Coleman Hawkins aux saxes, et le *Slow Drag* du verso (BS 6906).

Une des sections rythmiques les plus étonnantes que l'on puisse imaginer (Jo Jones aux drums, Ray Brown à la basse, Hank Jones au piano) soutient Illinois et Flip Phillips dans *Endido* et *I surrender, dear* (BS 6910). Que les amateurs de Charlie Parker ne manquent surtout pas les deux faces du recueil *Charlie Parker with strings* où, du saxo alto de leur idole, jaillit une inépuisable floraison de phrases délicates et vigoureuses sur un fond savamment orchestré qui laisse le champ libre au foisonnement des idées de Parker, aussi à l'aise devant cette toile calme que soutenu par la pulsation déroutante des sections bop (BS 691).

□

Et que les amateurs de piano écoutent le plus tôt possible le BS 6921 consacré au pianiste Oscar Peterson, qui donne des thèmes classiques comme *All the things you are* ou *Lover, come back to me,* des interprétations telles qu'on peut d'ores et déjà lui faire une place de choix dans les discothèques. La firme Blue Star entend, paraît-il, se constituer un nouveau catalogue jazz. S'il en est ainsi, on peut à coup sûr reconnaître qu'elle a bien débuté, et souhaiter beaucoup de petits frères à ces intéressants rejetons.

★

LES CAHIERS DU DISQUE, n° 4
Février-mars 1953

JAZZ

Qu'il me soit d'abord permis de rectifier une grave erreur de ma dernière chronique : à propos des bons disques de Humphrey Lyttelton publiés par Odéon, j'avais cru devoir signaler que ce spécialiste anglais de la trompette portait une jolie barbe noire ; de fait, mes renseignements dataient. Lyttelton, qui s'est récemment marié, ne porte plus la barbe. Est-ce une de ces troublantes coïncidences ?

Mais ne nous égarons pas dans les sentiers pileux de l'esthétique et puisons dans notre stock du mois.

□

Voici d'abord à l'honneur la maison Columbia qui a la bonne idée de publier un ancien et célèbre enregistrement du fameux Louis Armstrong, *S. O. L. Blues* et *Twelfth Street Rag* de l'époque des Hot Seven, sur lequel vont se jeter les amateurs. On y retrouve avec joie le truculent trombone de Kid Ory, la clarinette tremblante de Johnny Dodds, le piano de Lil Armstrong... et la voix rocheuse de Louis. *S. O. L. Blues* débute sur un tempo rapide et tourne bientôt au blues lent typique, ponctué des puissants mugissements de la basse à vent de Pete Briggs. Il comporte un superbe chorus de Louis. *Twelfth* est exposé de façon très amusante par Louis et la section rythmique, où l'on perçoit le banjo de John St-Cyr ; Ory succède à Louis, puis vient Dodds après une « réintroduction », et c'est une collective des plus traditionnelles agrémentée de breaks bien venus. Naturellement, c'est Baby Dodds qui est à la batterie. (Col. BF 505.)

Dans un genre très différent, une cire de Red Saunders et son orchestre réunit *Boot' em up* et *Hambone.* Saunders dirige une grosse usine sonore qui enlève proprement *Boot* sur un arrangement solidement « riffé ». *Hambone* comporte une entraînante partie de claquettes. Deux faces pas parfaitement orthodoxes, mais bien adaptées à la danse. (Col BF 511.)

□

La marque MGM nous apporte l'orchestre de Art Mooney, fort prisée aux U.S.A. C'est une des formations qui, ces derniers temps, ont contribué à la remise à la mode de la musique « strictement pour danser ». Phalange homogène et « costaude », avec des arrangements bien étudiés dans le style du regretté Jimmy Lunceford. On ne manquera pas de penser au « Shoemakers Holiday » de ce dernier en écoutant le *Blacksmith Blues* de Mooney. Au revers, *Move it on over,* avec son vocal et ses réponses de chœurs, ne laisse, à notre goût, pas assez de place au travail de l'orchestre. (MGM 4122.)

□

La marque Blue Star continue de faire déferler sur le marché une série de microsillons telle qu'on ne sait plus lequel choisir. Que l'on ne manque à aucun prix en tous cas le formidable *Bird and Diz* où Charlie Parker et Dizzy Gillespie enfin réunis prouvent qu'aucun tandem du même genre ne peut rivaliser avec eux (BS 6939). Il y a aussi un très beau recueil de la pianiste Mary Lou Williams, au toucher fluide et astucieux, dont surgit soudain une lancinante petite valse que l'on ne peut plus oublier (BS 6820). Un non moins remarquable Hank Jones (BS 6934), les très excitants enregistrements de Machito avec ou sans Charlie Parker, la suite de la série Jazz at the Philharmonic... enfermez-vous dans une cabine et débrouillez-vous.

□

Odéon vient de grouper pour notre commodité et notre agrément, sur un microsillon également, huit faces d'anthologie. Ce sont des morceaux gravés par Louis Armstrong en 1927 : il y a là *The Last Time, Melancholy Blues, Keyhole Blues, Ory's Creole*

Trombone, Potato Head Blues, Weary Blues, Alligator Crawl et *Willie the Weeper.* Les jeunes orchestres de style Nouvelle-Orléans se sont, depuis, emparés de tous ces thèmes pour les populariser, mais il leur sera à jamais impossible de retrouver la fraîcheur de cette époque où les querelles d'école ne divisaient pas encore le monde du jazz. De ce disque, il ressort, parmi de charmantes naïvetés comme celle des soli de banjo et de tuba de *Weary Blues,* ou du trombone vampirisant d'Ory, l'éclatante sonorité de la trompette d'Armstrong, parti pour la conquête des hauts sommets de la gloire.

□

Quand la Voix de son Maître veut bien (trop rarement au gré des amateurs) puiser dans les trésors de ses réserves, on peut être assuré qu'il en sort des perles indispensables à toute collection. Les six faces que voilà en sont la preuve.

D'abord un excellent enregistrement du bon pianiste que fut Fat's Waller. Une face de 1934, *Baby Brown,* est couplée à *Won't you get off it Please,* beaucoup plus ancienne puisqu'elle fut gravée en 1929. Dans l'une comme l'autre, Fat's est lui-même, c'est-à-dire inimitable. *Baby,* un thème allègre, met en valeur le travail élégant et incisif de Bill Coleman à la trompette. *Won't* réunit l'ancienne formation Fat's and his Buddies, où figurent les noms d'Albert Nicholas, de Pop Foster, de Kaiser Marshall, etc. On remarquera surtout l'active section rythmique, enlevée avec la vigueur qu'on lui connaît par Fat's. (VSM SG 464.)

Et quatre morceaux encore, de Jelly Roll Morton. Trois sont datés du 14 juillet 1930, dans la formation des Red Hot Peppers : Ward Pinkett (trompette), Geechy Fields (trombone), Albert Nicholas (clarinette), Hill (guitare), Pete Briggs (tuba) et Tom Benford (batterie). Ce sont *Low Gravy,* son revers *Strokin' Away,* et *Mushmouth Shuffle.* Au verso de ce dernier on trouve *Mr Jelly Lord,* enregistré par Jelly Roll au piano, en trio, les deux acolytes de Jelly étant en l'occurrence Jimmy Dodds (clarinette) et Baby Dodds (batterie).

On sait quel personnage étonnant fut Jelly Roll, l'homme qui se promenait avec un diamant enchâssé dans une incisive, qui fut le premier à écrire et à jouer des arrangements dignes de ce nom.

De son vivant, heureusement, il s'assura lui-même du bon entretien de sa légende, ainsi qu'en témoigne le titre de la dernière face. « Faites de Mr. Jelly un lord ! » aurait dit, en l'écoutant, le roi d'Angleterre... Il est des lords authentiques dont les mérites, à notre goût, sont loin d'égaler ceux de Jelly Roll Morton. Il n'est, pour s'en convaincre, que de passer ses disques. *Low Gravy,* sur tempo assez vif, est un échantillonnage excellent de la valeur des solistes. A noter un truculent chorus de trombone, et la légèreté de l'arrangement. *Strokin' Away,* sur un tempo voisin, laisse tout au long de ses sillons se dérouler une magnifique partie de piano de Jelly... et un tuba bien réjouissant. Enfin, *Mushmouth Shuffle,* plus lent, plus pesant, plus massif aussi, comporte une bonne intervention de guitare. Dans *Mr. Jelly,* naturellement, on entend abondamment le piano et l'on est mieux à même de se rendre compte de l'originalité, de la variété des idées, de leur fraîcheur enfin. (SG 457 et 474.)

★

LES CAHIERS DU DISQUE, n° 4
Février-mars 1953

LES PRIX JAZZ-HOT

Comme tous les ans, la revue *Jazz-Hot* vient de décerner ses grands prix annuels, et Pathé-Marconi rentre chez papa et maman le front chargé de lauriers. Cinq disques dont une longue durée, parmi les productions éditées l'an passé, ont remporté la palme. Voici quelques détails sur ces faces, consacrées par un prix décerné à tête reposée, sans tenir compte de l'attrait d'une nouveauté passagère, et qui prend un sens d'autant plus net que le jury groupe quelques-uns des meilleurs spécialistes de France.

● Columbia a eu la bonne idée de rééditer, vers février 1952 un couplage de la classique formation des New-Orleans Wanderers, où le fameux clarinettiste Johnny Dodds, si regretté des « fans », est entouré de vétérans non moins illustres. Ce sont George Mitchell au cornet, Kid Ory au trombone, Lil Armstrong (piano), John St-Cyr (banjo), Babby Dodds (batterie) et un saxo alto dont l'histoire a perdu le nom. Ces faces datent de 1926, il faut s'en souvenir en les écoutant. Les petites maladresses qui s'y trouvent et qui font sourire aujourd'hui donnent un charme désuet à cette improvisation collective qui est un exemple excellent du vrai style Nouvelle-Orléans.

● Chez MGM, le prix va à *By George,* un enregistrement de l'orchestre blanc de Woody Herman. On connaît la réputation dont jouit outre-Atlantique cette formation solide, qui enlève avec brio des arrangements soignés dans un style assez voisin de celui des grands ensembles noirs, mais marqué de cette précision totale qui fait parfois défaut à ces derniers. S'il est un reproche que l'on puisse adresser d'ordinaire à cet orchestre c'est celui de l'inégalité ; applaudissons donc à ce choix qui l'a saisi en l'un des sommets de sa forme, et buvons, by George !

● Pathé a vu courronner Aimé Barelli, le meilleur spécialiste français de la trompette. Il dirige la seule grande formation française digne de ce nom, et c'est *Flirt* qui se voit distingué par le jury. Aimé y réussit, avec son accolyte Benny Vasseur, un dialogue trompette bouchée trombone-de-même dans un climat ellingtonien parfaitement rendu... quel plus beau compliment lui faire ?

● Enfin, la Voix de son Maître a été, ici même, complimentée comme il convient lors de l'édition du microsillon consacré à Fat's Waller ! Il est, je crois, inutile de nous appesantir à nouveau sur ce remarquable recueil ! les amateurs de jazz de la terre entière placent Fat's au rang des plus grands pianistes qui aient vécu. Chaque face de ce jovial interprète est une petite merveille d'humour, et un vrai concentré de jazz. VSM est d'ailleurs couronnée deux fois... et la seconde pour un Fat's encore, en 78 tours celui-ci, *Darktown Strutters Ball.* Des chorus enthousiasmants, une bonne humeur déchaînée et active, et la section rythmique la plus chaude de tous les temps ; voilà un prix mérité. Ce qui nous amène, en matière de conclusion, à formuler ici même (car rien n'est plus efficace qu'un bon « noyautage » de l'intérieur !) un vœu, adressé à Madame VSM : chère madame VSM, que diriez-vous, pour 1953, de nous proposer un petit album de quatre ou cinq microsillons Fat's ? et, pendant que vous y serez, mettez-nous donc cinq morceaux par face...

B. V.

Prix JAZZ-HOT 1953

décernés aux meilleurs disques édités au cours de l'année 1952

Catégorie :

NOUVELLE-ORLEANS	BF 417	Gatemouth	Johnny Dodds
	Col.	Perdido Street Blues	New Orleans Wanderers.
SWING	*M. G. M.* 4097	By George	Woody Herman et son orchestre.
	M. G. M.	Leo the Lion	
FRANÇAIS	*PG.* 578	Flirt	Aimé Barelli et son orchestre.
	Pathé.	Va mon ami, va...	
SWING (33 t.)	*FDLP* 1005		« Fats » Waller and his rhythm.
	V. S. M.		

a) Honeysuckle Rose.
b) Ain't Misbehavin'.
c) I cant' give you anything but love, baby.
d) Two sleepy people.
a) The minor drag.
b) The joint is jumpin'.
c) Hold tight.
d) Your feet's too big.

PRIX DU PETIT ORCHESTRE

SG 388	Darktown strutters ball	Fats Waller.
V.S.M.	Tain't nobody's biz-ness f I do	

LES CAHIERS DU DISQUE, n° 5
avril-mai-juin 1953

JAZZ

Chose admirable, voici que la « Voix de son Maître » se met à exaucer les vœux des pauvres moucherons que, critiques, nous sommes : et de nous administrer un second recueil microsillon de Fat's Waller, qui groupe quelques très savoureuses faces du bon maître défunt (d'ailleurs c'est un slogan, il n'y a pas de mauvais Fat's). Le présent longue durée qui a, je crois, reçu à son baptême le patronyme ravissant FDLP 1013 (pensez à ça si vous hésitez entre Cheval, Pie ou Antinoüs ; FDLP 1013, ça aurait tout de même une fameuse allure sur une carte de visite), le présent, disais-je, longue durée comporte les faces suivantes : *Honey Hush, Darktown Strutters Ball, Send me, Jackson, Little Curly Hair in a High Chair, Florida Flo, Hold my Hand, Skrontch* et *If I were you.* Plusieurs de ces faces parurent jadis sur 78 tours ; hâtons-nous de signaler que du point de vue technique, le report est impeccable. Du point de vue jazz, prière de bien vouloir se référer au slogan ci-dessus : le Rabelais du piano était toujours de joyeuse humeur et jamais à court d'idées. Qu'il chante ou qu'il joue, sur tempo rapide ou sur tempo lent, Fat's crée une atmosphère inoubliable, on appréciera tour à tour la délicatesse de *Honey,* la vigueur de *Darktown,* la canaillerie louche de *Send,* la fraîcheur de *Little Curly. Florida Flo* est percutant, *Hold my hand* persuasif, *Skrontch* doucement démentiel et *If I were you* est un classique immortel des bonnes surprise-parties (je parle de celles d'avant-guerre parce que je radote un peu, comme doivent radoter les vieillards). Comble de félicité, voici encore ce mois le SG 492, *I'm on a see-saw* et *As long as the world goes 'round and 'round.* Du même Fat's. De la même qualité : un vaccin contre le cafard. Très bon tempo medium, et le maître nous régale abondamment des grappes de perles claires de ses arpèges, comme dirait quelqu'un que je connais et qui travaille un peu de la lyre.

Et quoi encore ? Eh ! un second microsillon, de Louis Armstrong cette fois. Le FFLP 1004. Ici, ce sont les 10 faces de 30 centimètres gravées le 17 mai 1948 à l'occasion d'un concert public au Town Hall que réunit un 33 tours. La formation est la suivante : outre Louis, Bobby Hackett (trompette), Jack Teagarden (trombone et vocal), Peanuts Hucko (clarinette et ténor), Dick Carey (piano), Bob Haggart (basse) et Sidney Catlett (drums).

C'est une bonne occasion d'entendre le délicieux travail de

Bobby Hackett, le seul digne successeur de Bix Beiderbecke. Ses contrechants au travail d'Armstrong sont d'une musicalité sans défaut. Ceci dit, voici quelques notes brèves. *Rockin' Chair* est presque entièrement chanté par Teagarden et Louis, qui prend un puissant final à la trompette. *Ain't Misbehavin* comporte une superbe partie de Catlett et un beau petit chorus de trompette. *Back o' town blues* a un remarquable vocal de Louis, un bon chorus de Teagarden et un admirable chorus final de Louis. *Saint James Infirmary* est bien exposé par Teagarden au trombone ; puis il chante et sa voix désolée colle cette fois avec assez d'humour aux paroles de ce bon vieux mélo ; on ne peut qu'admirer l'agilité de son solo en bouché. Ici comme dans *Save it, pretty Mama* Catlett est remplacé par Wettling et Hackett ne joue pas. Le joli thème de *Pennies from Heaven* reçoit un accueil aussi chaud de la salle que des cordes vocales de Louis et la collective finale est bien détendue. *Save it, pretty Mama,* où Louis est à tous points de vue parfait, souffre peut-être d'un accompagnement un peu lourd de batterie. Dans l'ensemble, ces six interprétations méritent amplement de garnir l'étagère des amateurs de Louis, qu'elles font entendre sous son aspect le plus « relax ». Cher monsieur Pathémarconi, nous attendons la suite (faut pas le laisser s'endormir sur ses lauriers)...

★

Bobby Hackett, le seul digne successeur de Bix Beiderbecke. Ses contrechants au travail d'Armstrong sont d'une musicalité [illegible] défaut. Ceci dit, voici quelques notes brèves. *Rockin' Chair* est presque entièrement chanté par Teagarden et Louis, qui prend un puissant final à la trompette. *Ain't Misbehavin'* comporte une superbe partie de Catlett et un beau petit chorus de [illegible] *Back o' town blues* a un remarquable vocal de Louis, [illegible] chorus de Teagarden et un admirable chorus final de Louis. *St. James Infirmary* est bien exposé par Teagarden au trombone, puis il chante et sa voix désolée colle [illegible] assez bien aux paroles de ce bon vieux melody on [illegible] qu'admirer l'agilité de son style en bouche, les [illegible] [illegible] Catlett est remplacé par Wettling et [illegible] ne joue pas. Le joli thème de *Pennies from Heaven* reçoit un accueil aussi chaud de la salle que des soudes [illegible] de Louis et la collective finale est bien défendue. *Save it pretty mama* où Louis est à tous points de vue parfait, souffre peut-être d'un accompagnement un peu lourd de batterie. Dans l'ensemble, ces interprétations méritent amplement de garder l'écoute [illegible] amateurs de Louis, qu'elles l'ont entendu sous son aspect [illegible] [illegible]. Chez monsieur Pathé-Marconi, nous attendons le [illegible] dont pas le laisser s'endormir sur ses lauriers.

*

AUTRES PUBLICATIONS

Boris Vian a écrit dans de nombreux périodiques. Il est certain que plusieurs textes nous ont échappé, que nous aurons la joie de retrouver un jour. Nous pensons qu'il a collaboré, pour au moins un numéro, à LIENS *(du Club Français du Disque) et à* JAZZ JOURNAL *(de la Guilde du Disque). D'autre part nous connaissons deux textes révélés par François Caradec dans sa bibliographie du Dossier 12 du Collège de Pataphysique : « Le jazz, Boris Vian et les littérateurs »,* HÉBÉ, *n° 4, novembre 1948. Bulletin mensuel d'entraide et de liaison des jeunes intellectuels. Il s'agit d'une lettre de Boris Vian au directeur de ce bulletin.*

« Le rythme du jazz », RELAIS, *n° 1, 16 octobre 1951.*

Nous ne sommes pas parvenu à nous procurer une copie de ces deux textes.

L'ECRAN FRANÇAIS, *dans son numéro du 13 janvier 1948, a publié : « Une victime du cinéma américain : le jazz émasculé et trahi. » Nous ne reprenons pas ce texte puisqu'il est à la table des matières du volume* CINÉMA SCIENCE-FICTION, *1978.*

SEMAINE DU MONDE *du 27 juin 1953 nous offre un article signé Boris Vian : « Jazz... aux Arènes de Lutèce. » Boris Vian a conservé cette coupure et écrit dessus : « Jamais écrit un mot de tout ça. »*

Nous classons dans cette rubrique « Divers » les journaux et revues n'ayant publié que quelques textes de Vian, souvent un seul.

OPÉRA, *l'hebdomadaire du théâtre, du cinéma, des lettres et des arts. Créé par Jacques Chabannes.*

HOT REVUE, *revue éditée en Suisse (Lausanne).*

Nous publions deux lettres en réponse à un de ses correspondants au sujet de JAZZ 47.

STYLE EN FRANCE. *Nous donnons ce texte d'après une dactylographie conservée par Boris Vian.*

SWING MUSIC, *publication du Hot Club de Lyon. Voir à la rubrique* « Combat » (tome I).

LA GAZETTE DU JAZZ, *le journal indépendant pour la défense et l'illustration du vrai jazz. Paris, mensuel. La collection complète comporte dix numéros publiés de juin* 1949 *à juin* 1950. *Directeur : Michel Dorigné, auteur de* la Guerre du jazz. *Nous n'avons recensé qu'un seul texte de Vian, mais il est possible qu'il ait, là aussi, utilisé des pseudonymes.*

MIDI LIBRE, quotidien.

LA PARISIENNE, *revue littéraire mensuelle. Direction : Jacques Laurent et André Parinaud. Le texte publié dans le numéro de février* 1953 *est la troisième partie d'un ensemble beaucoup plus important dont nous donnons ici les deux premières parties d'après le manuscrit titré :* « 50-35, ou un demi-siècle de jazz ».

JAZZ 54, *plaquette éditée par l'Académie du Jazz.*

JAZZ MAGAZINE, *revue mensuelle dirigée par Daniel Filipacchi et Frank Ténot.*

C. R.

★

OPÉRA
25 décembre 1946

DON REDMAN A LA SALLE PLEYEL

Il y a sept ans que Duke Ellington quittait la France, après deux concerts mémorables, et il aura fallu tous ces jours pour que les amateurs de vraie musique de jazz puissent enfin se retrouver autour d'un groupe de bons musiciens noirs.

Plus encore que la récente apparition de Tyree Glenn, le trombone, et Don Byas, le saxo-ténor, salle de l'Ecole normale de musique, le concert auquel prirent part ces deux musiciens, Peanuts Holland, trompette et chanteur, Buford Oliver, drummer, Billy Taylor, le pianiste, et Don Redman lui-même, avec son saxo-alto et sa voix railleuse, fut profondément satisfaisant et renoua enfin avec tout ce passé du jazz en France, où passent les ombres éblouissantes d'Armstrong, de Hawkins, d'Eddie South, de Bill Coleman et de tant d'autres qui vinrent de là-bas nous faire connaître — nous faire aimer — leur merveilleuse musique.

Don Redman est un peu devin, voire météorologiste, et son cœur généreux lui a dicté sa conduite : ils sont venus nous réchauffer. Ils n'y ont pas manqué — je pense en particulier à Peanuts Holland et à ce blues si joyeusement poignant qu'il chantait en première partie. Comme beaucoup de grands trompettes, Peanuts est un vocaliste saisissant et les inflexions de sa voix riche, nourrie et nuancée contrastent avec la sonorité sèche et éclatante de son instrument ; j'imagine que pour beaucoup d'auditeurs, ce blues fut le meilleur moment du concert.

Le programme, différent, selon la bonne vieille coutume, de celui qu'on avait imprimé, était calculé pour mettre en valeur chacun des solistes. Tyree Glenn, souriant de toute sa figure de diable costaud, parut, au début, moins en forme qu'à l'Ecole normale, mais on le récupéra vers la fin dans *Embraceable You.* Trois personnes seulement, je crois, n'ont pas aimé Billy Taylor au piano : elles ont sifflé en solo pendant un de ceux de Billy ; la salle entière répondit par un chorus, à l'unisson, de « sortez-les ». Le style de Taylor est frais et volubile et il se rappelle, avec humour, qu'il existe des tas de thèmes sans prétention, comme *Flapperette,* pour se mettre en train au début d'un nouveau morceau ; mais ces trois personnes-là ne sourient jamais. Billy ressemble à un étudiant distingué et sentimental. On s'accorde à trouver son style voisin de celui de Tatum. Je le crois plus gai et Tatum se sert aussi de plus de technique. Don Byas, un peu froid vers le début, — la salle Pleyel y est pour quelque chose, — a tiré de *Laura* tout un système infernal qui vous tordait juste au-dessus des tripes ; c'est sa différence avec Peanuts ou Tyree, qui attaquent droit à l'estomac. Don Byas doit beaucoup à Hawkins, mais il paraît pouvoir le lui rendre, maintenant, quand Hawkins voudra se présenter au guichet. La salle ne remuait plus d'une ligne, lorsque Buford Oliver jouait *Rosetta,* tout seul. On sentait qu'il préparait une surprise et, juste au milieu de son chorus, on a vu laquelle : c'était la jungle, la noire et chaude, avec les bêtes, qui grouillent et qui menacent derrière, et des tripotées de soleil pour qu'on n'ait pas peur.

Je n'ai pas parlé assez de Don Redman lui-même, du tout minuscule Don Redman, mais Don Redman n'a joué ni chanté assez non plus ; et pourtant, il a une voix si sarcastique et il touche l'alto comme Don Redman lui-même. Et le vibraphone de Tyree Glenn. Il joue très peu en accords, avec un phrasé d'une logique et d'une simplicité totales. Enfin Bouchéty n'est pas resté un moment à la traîne. Peut-être que, Soudieux aurait été plus dans le bain ? En tout cas Bouchéty était très bien.

Je ne fais pas de réclame. Pour personne. C'est défendu. Mais j'ai encore envie de vivre comme dimanche. Alors, j'irai au Beaulieu ce soir, et pourtant je déteste les boîtes de nuit, qui sont pleines de fumée et de gens horribles qui vont sûrement demander *Sentimental Journey*. Ça n'a pas d'importance : joué par des garçons comme eux, *Sentimental Journey*, ça risque de faire quelque chose... Je vais sans doute le leur demander aussi... Pour voir...

★

HOT REVUE, n° 8
1946

TENTATIVE D'EXPLICATIONS ... A PROPOS DE HARRY JAMES ET DE QUELQUES AUTRES

Les attaques réciproques que se livrent journellement, et avec un acharnement sans cesse accru, les tenants du jazz dit « moderne » et les partisans du jazz tout court, font quelque peu perdre de vue une des faces d'un problème qui ne peut manquer d'étonner celui qui se donne la peine d'y réfléchir un instant. Il est évident qu'une prise de position comme celle du critique américain Seymour Wyse dans le numéro 669 de la revue anglaise *Melody Maker* est stupide autant que bornée : rayer d'un trait de plume tout ce qui a été réalisé en jazz avant Gillespie est tout aussi impossible qu'il le serait de nier l'apport imprévu (et dangereux) de ce dernier à la musique qui nous est chère. On peut cependant remarquer, comme le faisait dans le numéro suivant de la revue précitée, un lecteur « pas d'accord », que les *be-bop, re-bop* et *salt peanuts* dérivent directement du chant *scat*, créé, dit-on, par Armstrong et popularisé par divers imitateurs noirs ou blancs. (On peut se demander également si ces *gillespinades* sont aussi originales qu'elles le paraissent : il nous semble qu'elles étaient contenues en puissance dans certains *Trumpet in Spades* ou *Braggin' in Brass* de Duke Ellington.) Mais n'insistons pas sur ce sujet qu'André Hodeir traitait récemment dans *Jazz Hot*. Il n'entre donc aucunement dans nos intentions de nous ranger dans la catégorie des figues moisies vilipendées comme il faut par Panassié.

Nous ne sommes point de ceux pour qui rien n'existe dans tel ou tel disque, que les huit mesures jouées de façon indistincte par un musicien dont on n'a jamais retrouvé le nom, mais qui suivait Bunk Johnson au cours d'une Parade à la Nouvelle-Orléans, en 1912... Nous tenons pour certain, au contraire, qu'il naît encore, aux Etats-Unis comme ailleurs, chez les Noirs et chez les Blancs, des garçons auxquels le monde des amateurs sincères fera, tôt ou tard, la place qui leur est due. La mode, impératif catégorique de bien des indécis, le délire qui s'empare des Américains dès que leur presse les lance sur une nouvelle piste, ladite presse elle-même, noyautée par de dangereux mercantis du genre critique musical d'Esquire, font certes du tort à la musique de jazz. Pourtant, grâce au ciel, même parmi les musiciens dont Feather dit grand bien, certains sont remarquables : tout n'est pas perdu. Mais allons au fait, car ce n'est pas là le sujet de cet article.

On peut constater tous les jours que dans les jugements qu'ils portent sur les orchestres ou les solistes, non seulement le public — ceci n'est rien — mais aussi les musiciens, ceux-là même qui nous tiennent à cœur, semblent se laisser gagner par la folie featherienne (qui, dans leur cas, ne peut être inspirée par des considérations commerciales telles que les dénonçait Art Hodes dans le numéro 43 de *Jazz Record*). Ils citent pêle-mêle Bechet et Goodman, trouvent normal de nommer Red Norvo et d'ignorer Hampton, classent James ou Eldridge à cent coudées au-dessus d'Armstrong, Oliver ou Ladnier. Pour eux, Charlie Ventura ou Les Brown sont les *seuls ténors* qui aient jamais existé, Guarnieri ou Mel Powell annulent aisément James P. Johnson et Earl Hines. Nous ne donnons, en seconde position, que des noms écrasants ; mais bien des hommes de second plan soutiendraient aussi aisément la comparaison avec les premiers nommés. Que de telles opinions soient fréquentes parmi les musiciens européens, qui ne connaissent leurs confrères que par les disques dont l'effet de nivellement *est pourtant réel*, n'est déjà pas concevable. Mais que ce genre d'opinion se rencontre souvent chez ceux qui créent la musique que nous aimons nous paraît ahurissant. Nous voudrions donc tenter de dégager une explication de ce phénomène.

Il serait aisé de condamner en bloc James, Spivak et Eldridge, d'ignorer, à notre tour, Bill Harris et Chubby Jackson et de déclarer que le nommé Woody Herman est mort, que Benny Goodman s'est mis à jouer du clavecin dans l'orchestre de Charlie Barnet, qui, lui, a abandonné l'alto pour la harpe à vapeur. Il serait aisé de dire aussi : ces gens-là ne jugent pas du point de vue technique, il est donc normal de les voir baser leur choix sur la *performance*, qui existe indéniablement dans le cas de tous les musiciens nommés plus haut. Mais ceci ne serait pas une explication : la technique écrasante de James ne surpasse pas celle de Rex ou de Jonah Jones, la volubilité d'attaque dans le grave de Charlie Ventura, au ténor, n'atteint pas celle de Carney au baryton et Mel Powell lui-même, qui manque de volume et *wilsonise* exagérément... mais nous aurions trop de noms à lui opposer. On pourrait encore rappeler que l'obscurité relative de bien des musiciens américains rejetés dans l'ombre au détriment des vedettes vient des préjugés raciaux : cela expliquerait peut-être pourquoi George Lewis attendit jusqu'en 1944 pour trouver à jouer régulièrement, mais cela n'expliquerait ni pourquoi Yank Lawson (blanc) a moins de réputation que Spivak (blanc), ni pourquoi le Jazz d'Artie Shaw *feature* un Noir en la personne de Roy Eldridge. Il y a autre chose ; la présence sur le continent de nombreux orchestres des Etats-Unis, l'interview de nombreux américains (choisis non parmi les critiques, mais parmi les cochons-de-payants, ceux qui enfilent leur *zoot-suit* tous les soirs après le travail pour aller danser en compagnie de jeunes bobby-soxers aux souliers plats) nous en a convaincus. Reportons-nous en premier lieu au jugement du public.

D'abord, les Américains veulent *du bruit. Pour eux un orchestre n'est bon* (presque tous nous l'ont dit en tous cas) *que s'il comporte au moins dix-huit musiciens.* Il faut que cela vous fasse sonner la tête comme une cloche. On retrouve ici leur goût pour l'évasion d'un monde qui, en général, les accable. (L'abrutissement par le son n'est qu'un moyen entre tant d'autres, comme le football américain, les cigarettes de marihuana, les émissions de radio avec participation du public et courses au trésor, l'absorption d'ice-creams à longueur de journée, la musique de fond en location, la publicité lumineuse, la guitare électrique, Bob Hope, la jeep, le roller-catch, Alcatraz, la presse criminelle et le chewing-gum.) Car, outre leurs dix-huit musiciens, les tenanciers de dancings emploient des microphones et des amplificateurs. Cette première tendance du public ne peut que favoriser le développement de l'arrangement en série, l'une des causes premières de l'avilissement du jazz en grande formation.

Ceci pour le public. Mais pour les musiciens ?

Les deux cas sont, on va le voir, étroitement liés. Il nous a été donné, à plusieurs reprises, depuis 1944 d'entendre de très près, en chair et en os, de grands orchestres américains blancs (Glenn Miller, ATC par exemple). Or, — et le signataire de ces lignes ne saurait en aucun cas être suspect de partialité à l'égard de Miller's Band, — nous sommes obligés de reconnaître que d'emblée, on s'écrie *c'est formidable !* Les neuf cuivres de Miller vous crachant en pleine figure des hurlements parfaitement synchrones réussissent, c'est un fait, à vous plonger dans un état d'esprit voisin de l'admiration béate. Cela ne durerait pas toujours, bien sûr, mais cela se produit. Rentrez chez vous, mettez un disque de Glenn Miller. Mettez-le... si vous pouvez... Nous ne pouvons pas.

Bon, direz-vous, d'accord, c'est une question de bruit, cela n'explique toujours pas pourquoi votre Untel que vous prétendez être un bon saxo-alto, préfère Benny Goodman à tout autre et donnerait tous les Armstrong pour un Gillespie. Venez au fait.

C'est que ce n'est pas simplement une question de bruit. C'est une question de personnalité. Le musicien, disions-nous, juge souvent uniquement d'après la technique. Mais il ne peut rester insensible à la façon dont cette technique est mise en œuvre. Voilà l'explication : représentez-vous un musicien en train de jouer dans le grand orchestre. Devant lui, en solo, Harry James « and this golden trumpet of him »... Je n'aime pas beaucoup Harry James : mais cette aisance extraordinaire ne suffit-elle pas à faire comprendre pourquoi le musicien qui « joue derrière » éprouve le besoin de se transcender lui-même, pourquoi il donne tout ce qu'il peut pour se montrer à la hauteur de ce James qui gagne tant de dollars ? (N'oubliez pas ce facteur du succès outre-Atlantique, où il est également vrai que l'argent attire l'argent, où Johnny Desmond ramasse tellement de gros sous que personne n'a encore osé lui dire qu'il chante comme un veau.) Voilà ce qui fait jouer ces garçons avec tant d'énergie ou moduler une transition avec tant d'attention que les six attaques de saxo n'en font qu'une. Le désir d'égaler Harry James ou Shaw, ou celui qu'on voit sur la photo du journal en train de flirter avec la dernière starlet d'Hollywood. C'est la *présence* de ce James, analogue à celle, sur scène, d'un comédien... toute énergie est communicative, et il est impossible de rester insensible à cet espèce d'ouragan qui déferle sur vous de toutes ses croches. Malheureusement pour eux, cette tension-là, à l'inverse du swing, le disque ne peut l'enregistrer, et un disque de Woody Herman est aussi froid qu'un Bechet brûle de toutes ses flammes rouges et rondes.

— Eh bien, votre explication est idiote, parce qu'il n'y a pas toujours un James à soutenir, et chez Woody Herman, justement, la part des solistes est maigre.

— Bon, mais avez-vous entendu Herman autrement qu'en disques ? et oubliez-vous son Bill Harris par exemple ? Mais ne chicanons pas. Nous allions justement avancer que dans un cas comme celui de Woody Herman, la complexité des arrangements ressuscite cette impression de performance qu'éprouve, à ce moment, chaque musicien à exécuter sa propre partie. J'ajouterai qu'il faut n'avoir jamais joué soi-même pour ignorer à quel point un arrangement peut vous *lancer* et vous donner l'envie de jouer de plus belle.

— Est-ce donc pour cette raison que le public américain préfère aux orchestres noirs les grands ensembles blancs ?

— Je vous arrête. Ecartons le préjugé racial (loin, pourtant, malgré les arguments que j'avançais plus haut, d'être inexistant dans le public). Les Blancs disposent dans le domaine de l'arrangement complexe d'un certain arriéré que les Noirs n'ont pas encore eu l'occasion d'assimiler en aussi grand nombre. N'oubliez pas que les trois quarts de ces musiciens américains blancs viennent d'Europe et sont les héritiers de toute une science musicale fort développée (voyez Raymond Scott, fils d'un musicien russe, Benny Goodman, juif d'origine russe également). Ceci leur a permis d'acquérir une certaine avance. Mais, malgré leur situation privilégiée, il est hors de doute qu'ils restent bien loin derrière les réalisations d'Henderson, les arrangeurs de Lunceford à sa belle époque, et surtout d'Ellington, dont le génie si caractéristique a su franchir d'un coup toutes les étapes intermédiaires.

— Alors, je répète, pourquoi y a-t-il en Amérique plus d'orchestres blancs que de noirs ?

— Je pourrais vous en donner diverses raisons : manque de discipline du Noir, naïveté qui le fait trop souvent exploiter, peu d'instruction *commerciale.* Mais je vais tout de même vous en donner une que je crois plus valable.

— Et laquelle ?

— C'est que, voyez-vous, il y a, en Amérique, beaucoup plus de Blancs que de Noirs.

Est-ce tout ? Le problème du *bon* et du *mauvais* jazz n'est pas résolu, nous vous l'avions dit, et bien des musiciens vous diront encore que Muggsy joue *corny,* que Noone a une sonorité infecte. Ceux-là, paradoxalement, ne sont pas à plaindre, car ils auront plus souvent l'occasion d'entendre la musique qui *leur* plaît que d'écouter De Paris ou Muggsy. Devant un Goodman, certains sont admiratifs, d'autres sont snobs, d'autres envient son argent. Mais, en manière de conclusion, on peut assurer une chose : le *jazz modernistique* n'est pas près d'être mort, la gomme sentimentale ne cessera pas, de longtemps, de déverser ses flots gluants à travers le carré de lamé du récepteur. Ce n'est pas aujourd'hui que Charlie Shavers cessera de caser deux cent cinquante notes dans une mesure, ni Les Brown d'accrocher les harmoniques du ténor à longueur... d'antenne. Ce n'est ni aujourd'hui ni demain que Spivak abandonnera son style rhapsodisant pour la grandiose simplicité d'Armstrong. Ce n'est pas...

— Vous êtes bien désabusé.

— Je ne suis pas désabusé du tout. Je sais que Lu Watters fait du bon travail à San Francisco, que Kid Ory travaille à Los Angeles, je sais que Louis Armstrong, Muggsy, Zutty Singleton, Count Basie, Duke Ellington, James P. Johnson et bien d'autres me préparent encore de bons moments.

— Mais enfin, les autres, les James, Spivak et Shaw, qu'en pensez-vous ?

— Que voulez-vous que j'en pense ? Il n'y a aucune raison pour les condamner. Ils ne font pas de mal au jazz. Ils le débarrassent de bien des admirateurs encombrants. Et puis, après tout, il n'y a rien à dire sur eux et, surtout sur la musique qu'ils font...

— Pourquoi ?...

— Parce qu'il n'y a aucun espoir pour eux. Voyez-vous, quoiqu'ils disent... *ils aiment ça.*

★

JAZZ 47
N° spécial de América, 1947

« Méfie-toi de l'orchestre » publié dans *Jazz 47* devait être repris dans ce volume. Il a été intégré, au dernier moment, dans le recueil de nouvelles *le Ratichon baigneur*. Nous reproduisons ici deux lettres de Vian au sujet de *Jazz 47*.

3 novembre 1947.

Cher monsieur,

Pour liquider tout d'abord les questions personnelles, je vous dirai que je ne suis pas en désaccord avec vous sur le point de mon style, dont je ne puis juger sévèrement et en toute objectivité ; je ne suis point d'accord non plus : simplement je n'ai pas d'avis — je ne puis vous dire qu'une chose banale : on ne peut plaire à tout le monde et du moment que l'on choisit la sellette — je veux dire la chronique hebdomadaire, la littérature ou toute autre forme d'exhibitionisme, l'on doit s'estimer heureux de connaître l'avis de ses semblables ; car beaucoup de sons de cloches font ensemble un très gros son bien plaisant à l'oreille. Car on se sent moins seul. Faites-moi cependant l'ami-

tié de croire que j'ai dépassé le stade du bachot et que je n'ai point de rapport avec les funestes gens morts du quartier de la Muette.

Venons-en donc au jazz. — Votre lettre m'a fait plaisir et votre idée de débat sur le jazz et le surréalisme est excellente et sera si je le puis, mise à profit. Dans l'ordre, voici mes réponses :

1) *Je ne considère pas le moins du monde que ce Delaunay soit infaillible : il travaille, il peut se tromper, il fait beaucoup trop de choses et je n'attrape pas un Panassié pour le remplacer par un autre. Delaunay a essayé avec* Jazz 47 *de faire quelque chose. On ne peut imprimer sans imprimeur, surtout un machin comme ça. Il fallait passer par Seghers — ou par un autre. Il fallait attirer le public ordinaire de Seghers — d'América. Les dépenses engagées par un numéro de cet ordre sont de plusieurs centaines de billets ; songez qu'un cliché en quadrichromie coûte déjà cinquante à soixante mille francs, etc.*

Donc lâcher du lest, je pense que ça valait le coup. L'article de Sartre me paraît ce que l'on peut écrire de plus sympathique sur le jazz sans en connaître une miette.

2) *Quant à la confusion entre jazz et surréalisme, je crois que vous la voyez trop voulue. Personnellement, je trouve que ça, ça fait bien du blablabla et en ce qui me concerne j'ai préféré, vous vous en êtes rendu compte, écrire une connerie plutôt que de faire dans le genre « sérieux ». C'est trop facile.*

Quoi qu'il en soit, Jazz 47 *a fait parler les gens du jazz, ils en parlent encore — et on continue à travailler derrière — on tâchera de faire mieux, etc.*

Pourquoi ne pondez-vous pas quelque chose sur le sujet « Jazz et surréalisme » ? (je vous prends en traître — mais vous êtes descendu dans l'arène — vous êtes foutu, on ne vous lâchera plus).

Salut et confraternité.

Boris VIAN.

Ne me parlez plus de ma petite vanité d'auteur. Sincèrement, ça me donne l'impression d'être un vieux Khon.

Et rappelez-vous que je réponds à toutes les lettres, même celles des autres.

20 novembre 1947.

Cher monsieur,

Je trouve enfin le temps de vous répondre (ce n'est pas que je sois très occupé, mais je n'ai pas une minute). Je suis heureux d'apprendre que vous êtes khagneux et je comprends mieux votre antipathie pour Sartre (c'est-à-dire que je ne la comprends pas mieux : je me l'explique mieux). Croyez que je serai toujours d'accord pour taper sur les snobs mais, au préalable, les engueuler et leur prendre leurs sous. Quand vient ce papier promis ? Et pourquoi ces concessions au style journalistique si vous préférez le style polémique ? Vous verra-t-on aux conférences (sic) *du samedi, 14 rue Chaptal à 14 h 30 ? Ne me répondez pas que vous travaillez trop, je vous croirai mais vous désavouerai, parce que si vous avez besoin de travailler trop, c'est que vous êtes baîte. Pardonnez le décousu de cette lettre. Je ne suis pas spécialement abruti ce jour, mais pas moins que les autres, ce qui explique tout. Bougrement à vous.*

Bougrement à vous.

Boris VIAN.

Pisse-Scrotum : *Pourquoi demander sur le jazz son avis au groupe surréaliste qui n'y a jamais rien bitté ?*

★

STYLE EN FRANCE
Avril 1947

LE VRAI JAZZ ET LE PUBLIC DES CABARETS

Jouer dans certaines boîtes de nuit, c'est, pour un musicien une épreuve difficile à oublier. Précisons de quels musiciens nous entendons parler : il s'agit des professionnels qui ont choisi de faire du jazz *parce qu'ils aiment cette musique*... cette musique si peu connue en France.

Il n'est pas question de ceux qui voient dans « la jazz bande » un gagne-pain commode et tablent sur l'ignorance du public pour faire ni'mporte quoi d'aussi laid et d'aussi antijazz que possible ; ils ne font, ainsi, qu'aggraver le préjugé systématique selon lequel on traite, de plus en plus, et pas seulement en France, cette source si neuve et si pure d'émotions esthétiques.

Le jazz, ce n'est pas cette rengaine serinée au violon par un jeune premier en habit mauve, et reprise en chœur par cinq malheureux tâcherons qui scieraient du bois avec la même application. Le jazz, ce n'est pas cette élucubration délirante d'un trompette dont le seul tort est de jouer toutes les notes sauf les bonnes.

Le jazz, ce n'est pas ce démarrage d'une batterie hystérique, qui s'arrête une mesure et demie trop tôt et ponctue sa performance de quelques interjections américaines proférées avec l'accent de Belleville.

— Que voulez-vous que fasse le public, dans ces conditions ? dites-vous. Il écoute ce qu'on lui joue. Il s'y habitue .Comment ne s'y tromperait-il pas ?

— Ouais !...

C'est trop facile !...

Le public n'est vraiment pas curieux. D'ailleurs, personne n'est curieux, depuis quelque temps. C'est un signe étrange. En Amérique, maintenant, pendant les spectacles radiodiffusés, il y a un homme, sur scène, qui vous indique à quel moment il faut applaudir. Et tout le monde applaudit à ce moment-là. Cette manie s'étend. Et l'esprit critique ?

Disons le mot. Le public ne demande qu'à se tromper.

C'est Alix Combelle qui me disait récemment :

« La dernière soirée, nous avons joué pour commencer quatre arrangements américains terribles. Vraiment, des merveilles ! Pas un chat sur la piste. Nous nous donnions pour de vrai. Eh bien, un client s'est levé, et il est venu demander *Symphonie* et ils ont tous dansé à ce moment-là. »

Parfait. Ecoutez *Symphonie.* Mais ne demandez pas à des orchestres de jazz de le jouer. Il y a des « barbus » exprès pour ça. Ne forcez pas à reproduire ces horreurs des gens qui peuvent faire autre chose de plus intéressant.

Le public aime *Symphonie,* parce que celui-ci se rappelle le soir où la radio marchait en sourdine, où il avait sa cousine sur les genoux. Celui-là parce qu'il était saoul quand il l'a entendu. Cet autre encore, parce qu'il connaît l'air et qu'il peut le chanter... faux et à contretemps.

Mais faites du chant choral, si c'est là ce que vous cherchez.

Le jazz est une musique dont la propriété essentielle est de permettre à un musicien d'exprimer sa personnalité. Non pas librement, comme on est trop souvent porté à le croire, mais selon certaines règles, dont le cadre assez souple est générateur d'inspiration plus qu'entrave insupportable.

Il y a des hommes qui font du bon jazz en France. D'autres qui pourraient en faire. Et d'autres, enfin, qui ramassent la monnaie, moyennant n'importe quelle compromission.

Dame, il faut vivre.

Public des cabarets, je t'adresse un appel. Lorsque les musiciens ont l'air heureux de jouer, ne viens pas demander *Symphonie.* (Ne viens pas demander *Long ago and far away* non plus.)

Lorsque tu ne reconnais pas l'air, ne proteste pas : c'est qu'ils sont en train d'en inventer un neuf. Pour toi comme pour eux. Saisis cet instant. Tu peux danser aussi bien sur n'importe quel air, si tu sais danser. Si tu ne sais pas danser, prends des leçons au lieu de gêner tes voisins. Tu as les moyens.

Tâche de *comprendre*.

Tu vois, il suffit qu'*un seul* amateur soit là pour que l'orchestre se surpasse. Ils ont besoin de savoir que quelqu'un est avec eux.

Et c'est si rare !

Demande-le-leur. Demande à Jacques Diéval pourquoi, ce soir-là, il jouait si bien. Il savait qu'un Américain était venu l'écouter, et que chaque note qu'il jouait était étudiée, pesée, et appréciée à sa juste valeur.

Demande à Hubert Rostaing ce que c'est quand Don Byas est dans la salle.

Demande à tous ceux-là. Ceux qui cherchent. Ceux qui travaillent. Pourquoi ils préfèrent souvent jouer pour des « cloches » qui aiment ça, plutôt que pour le public des cabarets à balalaïkas.

Tu peux les distinguer facilement des autres... de ceux qui font la « jazz bande », et qui te joueraient aussi bien le grand air d'Aïda, si tu donnais cinq cents balles ; ceux-là, ils passent de table en table et te jouent à l'oreille ta rengaine favorite. Ils te fabriquent des arrangements — sirop sur le petit vin blanc, gommé du coup.

Ils prostituent la musique de jazz. Et toi, le client, ne t'imagines pas que tu t'en tires indemne.

— Alors, qu'est-ce qu'il faut que je fasse ? dis-tu.

Oh, c'est simple.

Va à l'école.

Ecoute un peu tes maîtres, ils sont bien gentils. Ils s'appellent Delaunay, Panassié, Cosmetto, Goffin, Hodeir. Il y en a encore d'autres.

Tu ne peux pas plus apprendre tout seul à manier le bon jazz, que tu n'as pu, tout seul, apprendre à marcher ou à faire pipi. Ceux-là peuvent te dire qui écouter, t'orienter vers les bons, guider ton choix. Ils sont sincères et désintéressés. Je disais tout à l'heure, qu'à écouter de la saloperie tu risques d'attraper une sale maladie. Fais attention. Tu pourrais bien te la garder toute la vie si tu ne te soignes pas tout de suite. Mais si tu t'y prends à temps, tu peux encore guérir.

Même si tu as commencé par aimer Caroll Gibbons et Nat Gonella...

C'est que la médecine moderne a fait des progrès, pardon ! Mais il faut que tu aies le bon moral.

Tu n'y arriveras peut-être pas...

Peut-être que tu es incurable.
Ou peut-être que tu es pénicillo-résistant.
Ça t'apprendra. Il ne fallait pas y aller.
Et tu y mets probablement de la mauvaise volonté.
Tu sais, un malade qui ne tient pas à s'en tirer...

★

LA GAZETTE DU JAZZ, n° 4
novembre 1949

LE JAZZ ET LES MACHINES A EPLUCHER LES POMMES DE TERRE

INTRODUCTION

On s'étonnera peut-être de ce titre en se disant qu'après tout, les patates douces ou la Sterling mériteraient tout autant d'attention, mais mon dessein est pourtant bien simple : je veux ici-même voler sur les traces du célèbre Henri Perruchot qui intitulait froidement un article de *Jazz-News* « Jazz et Ephiphanisme » (N° 7). Que les lecteurs de *Jazz-News* se rassurent, il s'agit d'une aberration isolée ; à partir du n° 8, ils ne courront plus — jusqu'à nouvel ordre — aucun risque de rencontrer la signature de Perruchot (*sic*) associée au jazz).

Je ne m'étendrai pas ici sur les mérites de ce bon Henri, dont le vocabulaire étendu lui permet de dégorger avec aisance des tonnes de séquences filandreuses où les mots sont si englués qu'il est impossible de dégager leur sens — ce qui fait très bien son affaire. Il a beaucoup lu, beaucoup retenu, mal assimilé — mais ce n'est pas gênant, car personne ne lit ce qu'il écrit. Il est un tout petit peu prétentieux, mais c'est l'apanage de la grande jeunesse. Et comment ne le serait-il pas, puisqu'il trouve des gens pour imprimer ce qu'il écrit ?

Je ne m'étendrai pas, répétais-je, sur Perruchot (le bien nommé, car on peut considérer la désinence « ot » comme diminutive ; en seconde approximation, on se retient, on risque en effet d'aboutir au néant, vu que moins que rien, c'est point grand-chose) car je veux traiter ici avec décision et épiphanisme conscient, des rapports du jazz et des machines à éplucher les pommes de terre de Hollande.

CHAPITRE PREMIER

Précisons d'abord qu'effectivement, nous faisons dans ce qui suit, abstraction du fait qu'il s'agit de pommes de terre de Hollande. En réalité j'avais introduit ce détail, je l'avoue maintenant, uniquement pour plaire à Perruchot dont je désirais gagner les bonnes grâces. Par conséquent c'est des rapports du jazz avec les machines à éplucher les pommes de terre quelconque que je vais vous parler.

CHAPITRE II

Et puis je crois que ce n'est vraiment pas la peine d'insister, l'analogie est trop évidente. Vous connaissez le principe : on amène le matériel, on met le contact, ça tourne, ce qui est bon reste et ce qui est mauvais s'en va ; en outre, autre ressemblance frappante (s'il en était besoin d'une) ça s'arrête quand c'est fini.

CHAPITRE III

Les lecteurs de *la Gazette du Jazz,* habitués à lire que *Jean-Claude Fohrenbach joue dans le style de Lester Young,* rectifieront d'eux-mêmes toute autre erreur qu'ils pourraient trouver dans le présent numéro.

CONCLUSION : L'existentialisme est un humanisme.

★

MIDI-LIBRE
18 août 1949

LES DISQUES DE JAZZ

FICHE N° 1

En commençant cette chronique des disques de jazz pour *Midi-Libre,* je voudrais signaler au lecteur qu'il trouvera ici une rubrique différente de celle communément appelée « Chronique des nouveautés ». En effet, je veux borner ici la partie critique au minimum, en mettant l'accent sur le côté analytique, le seul, à mon avis, susceptible de guider l'amateur dans un achat éventuel.

C'est pourquoi les critiques de disques seront ici présentées sous formes de « fiches techniques » divisées en trois parties :

1) Renseignements figurant sur l'étiquette du disque et renseignements sur la séance d'enregistrement, s'il y a lieu ;

2) Analyse complète de la matière du disque : genre du thème, ordre des chorus, etc. ;

3) Partie appréciative proprement dite, réduite à quelques notes. Je crois qu'un amateur de jazz trouvera plus utile de savoir que dans tel disque, Armstrong, annoncé sur l'étiquette ne joue que huit mesures, que de lire sous ma plume une remarque du genre : « Ici, le génie bouleversant du sublime trompette noir atteint son apogée... »

Qu'un critique bien connu de ses lecteurs puisse guider ses lecteurs par des notations de ce genre, je n'en disconviens pas ; mais il est plus sage et plus modeste de considérer que ce qui intéresse le discophile, c'est le disque lui-même, et non l'opinion de Tartempion sur le susdit.

Ces préliminaires établis, voici les premières fiches techniques de *Midi-Libre*. Certes, elles ne seront pas toujours complètes ; je ne dispose pas d'une mine inépuisable de renseignements et si l'on voulait pousser le système à sa limite, il conduirait, entre autres, à relever les chorus note pour note... mais c'est un embryon qui, je crois, peut rendre quelques services.

N.-B. — Les abréviations : tp pour trompette ; dm pour drums, etc., sont celles de la New Hot Discography 1948, de Charles Delaunay.

A) *Signalement :*

Disque Circle (français) n. RB 3001, distribué par Blue Star.

FACE A. — *Drum Improvisation n.* par Baby Dodds (dm). N. de la New-Hot Discography : 6 D 10 N. du Circle américain : Circle 1039. Date d'enregistrement : 7 janvier 1946. Supervision Rudi Blesh.

FACE B. — *Manhattan Stomp* (Don Ewell) par Don Ewell (piano) et Baby Dodds (dm). N. N.H.D. 6 D9 N. Circle U.S.A. 1002. Date d'enregistrement : 7 janvier 1946. Supervision Rudi Blesh.

B) *Analyse :*

La face A est un solo de Baby Dodds à la batterie, introduction, développement et conclusion constituent une sorte d'étude technique.

La face B s'ordonne ainsi : quatre mesures d'introduction (Ewell solo). Puis deux fois seize mesures (Ewell Dodds) exposant un premier thème du genre rag. Puis, quatre mesures de transition (Ewell Dodds). Puis deux fois seize mesures (Ewell Dodds) exposent le deuxième thème du rag au début desquelles se déroule une sorte de chorus, réponse à une noire de Don sur le temps fort correspondant à un roulement de Dodds sur le temps faible. Suivent deux chorus de seize mesures et une petite conclusion de deux mesures. Le thème, par son atmosphère et ses développements, est nettement orienté vers le vieux style.

C) *Appréciation :*

La face A constitue une excellente démonstration du style classique de batterie. Le jeu de Don Ewell, très net et sans bavures, est mis en valeur *dans la face B* par le soutien plein d'intelligence de Dodds. Amateurs de rag, vous apprécierez dans ce disque deux musiciens qui s'entendent parfaitement et jouent proprement.

★

MIDI-LIBRE
25 août 1949

LES DISQUES DE JAZZ
FICHE N° 2

Nous continuerons aujourd'hui l'analyse des récents Circle sortis chez Blue Star, amorcée dans la dernière chronique... et toujours suivant la méthode des « fiches techniques ».

A) *Signalement :*

Disque Circle (français) n. RB 3 002, distribué par Blue Star.

FACE A. — *Buddy Bolden Blues* (J.R. Morton) par le Baby Dodds Trio. Albert Nicholas (cl.) Don Ewell (p.) Baby Dodds (dm.) N. N.H.D. 6D6, N° Circle U.S.A. Circle 1.039. Date d'enregistrement, 7 janvier 1946. Supervision Rudi Blesh.

FACE B. — *Albert Blues* (A. Nicholas), même ensemble. N° N.D.H. : 6D7, N° Circle U.S.A. : Circle 1002. Même date, même supervision.

B) *Analyse :*

La face A. — Introduction : 2 mesures (Ewell solo). Exposition du thème de seize mesures par Albert Nicholas dans le registre grave de la clarinette, puis reprise par le même des seize mesures dans le registre aigu. Le tout accompagné par Dodds aux baguettes, en roulement sur la caisse claire. Seize mesures de Don Ewell accompagné par Dodds sur les traps avec split-beats. Enfin, conclusion de seize mesures par Albert Nicholas.

La face B. — Thème : forme classique du blues de 12 mesures en 3 phases de quatre. Introduction sans rythme de Don Ewell. Aux quatre mesures du début de son deuxième chorus, faux doublement de tempo de Dodds. Puis un chorus de Nicholas appelé par une longue note infléchie et aiguë à la Bigard, au cours duquel Dodds refait le même faux double-temps ; chorus construit sur trois phrases symétriques de quatre mesures dont la fin rappelle le thème du début.

C) *Appréciation :*

La face A est un peu terne, car le thème est ici joué très straight et sans grande chaleur. Le vibrato d'Albert Nicholas manque d'envolée, et chevrote un peu. La face B est assez jolie, intime et plus « sentie». Les faux doublements de tempo de Baby Dodds sont très excitants, amenés avec une légèreté et une intelligence très remarquable. Voilà un drummer qui accompagne, qui écoute le soliste.

★

MIDI-LIBRE
25 septembre 1949

LES DISQUES DE JAZZ
FICHE N° 3

A) *Signalement :*

Disque Circle (français) n° RB 3 003 distribué par Blue Star.

FACE A. — *Big Butter and Egg Man* (Venables) par les All Star Stompers : Wild Bill Davison (cornet), A. Nicholas (cl.) Jimmy Archey (tb) Danny Barker (g) Ralph Sutton (p.) Pops Foster (b.) Baby Dodds (dm.) N° Circle U.S.A. : Album Circle S. 7.

FACE B. — *Hotter Than That* (Lil Armstrong) par la même formation, même album américain.

B) *Analyse :*

Face A. — Thème de trente-deux mesures classique, bien que construit d'une façon peu courante (a. b. c. a.). Il est exposé par l'ensemble conduit par le cornet de Davison ; puis vient un chorus de piano de trente-deux mesures. Chorus de clarinette de trente-deux mesures. Puis chorus de trombone de trente-deux mesures. Enfin, deux fois trente-deux mesures de collective trompette, clarinette, trombone au cours desquelles Will Bill semble mener dans le premier, Jimmy Archey dans le second (tout en continuant à jouer strictement une partie de trombone).

Face B. — (Thème de trente-deux mesures avec breaks). Introduction huit mesures de collective qui sont les huit dernières du thème, menées par le cornet qui expose ensuite les trente-deux mesures. A la quatorzième mesure, break de cornet, à la trentième break de clarinette qui prend à son tour un chorus. Le cornet rentre à la trentième en faux break et Jimmy Archey prend les trente mesures suivantes ; puis deux mesures de collective ; puis un chorus de piano. Puis un chorus de collective, à noter un plaisant arrangement cornet-trombone du dernier break. Le morceau se termine par 4 mesures de batterie solo, puis huit mesures de collective analogues à l'introduction.

C) *Appréciation :*

Les deux faces sont enlevées sur un excellent tempo relax et soutenu. Dans la première, le pianiste Sutton a un jeu sec et dépouillé, style kling-kling, qui n'est pas sans rappeler agréablement celui de Billy Kyle. James Archey, le magnifique trombone qui fut le clou de l'orchestre Mezzrow au Festival de Nice, joue sur les temps et fait swinguer tout l'orchestre par son attaque et la propreté de son style. Le tempo convient beaucoup mieux à Albert Nicholas que dans les faces enregistrées en trio avec Dodds et Ewell. Dans la seconde face mêmes observations sur Sutton. Wild Bill conduit les ensembles avec une grande aisance. Son jeu, ici, plus que dans *Big Butter And Egg Man*, rappelle, par moments, celui de Bix. (Dans *Sorry*, par exemple.)

(*A suivre.*)

★

Inédit, dont la troisième partie a été publié dans
La Parisienne, n° 2, février 1953

50-35, OU UN DEMI-SIECLE DE JAZZ

C'est horriblement difficile, de parler du jazz intelligemment (la suite va vous le prouver). Chacun attache au mot une signification de son choix. On a envie de dire à *la Parisienne :* et si je te faisais un papier sur les araignées ? Ou le pulvérin ? Ou la moutarde ? Mais on sait qu'on se fera mal voir, fortement, alors on s'attelle à la chose. Quel problème, traiter de ce que l'on aime en des termes pleins de mesure !

On pourrait renvoyer le lecteur aux nombreux ouvrages publiés sur le jazz. La liste commence à en être impressionnante. Des gros, des petits, des reliés, des brochés, des épuisés. Plein de livres. Plein d'articles. Plein de revues. Dans toutes les langues, même en japonais ; oui, il y a un hot-club à Tokyo, il y en a aux Indes, en Australie, en Amérique du Sud. Peut-être derrière le rideau de fer ? Qui sait ?

Mais à supposer qu'on l'y renvoie, le lecteur, à tout ça, et la mission des Revues ? C'est fait pour les gens qui ne veulent pas lire les livres, une revue, comme le dictionnaire pour ceux qui ne veulent pas lire du tout. Et le pauvre lecteur brun et frisé en retirerait à coup sûr une migraine grand format, non rognée. Il se ruerait sur les aventures du Sapeur Camember afin de rétablir le calme dans un esprit troublé par tant d'affirmations contradictoires. Voyez plutôt : il lirait ça, par exemple : « Biologiste de formation, j'ai traité le phénomène jazz comme un être vivant d'où l'étude successive de la gestation, de l'enfance, de la maturité et de la sénescence du jazz... » (Bernard Heuvelmans, *De la Bamboula au be-bop.*)

Le lecteur d'en conclure aussitôt : le jazz, c'est sur sa fin, puisqu'il y a sénescence. Et de sauter au plafond en lisant quelques mois plus tard, dans le livre que je prépare sur la question que c'est pas vrai, et que les musiciens qui continuent de créer et d'enrichir ce mode d'expression artistique ne sont pas du tout d'accord pour se laisser sénesciser de la sorte avant même que soit né ce qui sera leur jazz à eux. Mais je vois poindre dans vos yeux pers l'étincelle lubrique du cartésianisme qui sommeille au cœur du cochon de chaque Français.

— Faudrait voir à le définir, ce terme de jazz, mon brave. Vous jouez sur les mots, ça ne se fait pas.

Avec un désespoir non feint, je me vois obligé de répondre qu'il y a des mots sur lesquels on ne peut pas faire autre chose.

Jazz est de ceux-là. Comme Bernard Heuvelmans est très gentil, il ne m'en voudra point de l'attaque vipérine qui précède, et je reprendrai donc une de ses définitions, non sans préciser qu'il l'a faite sienne après un certain nombre de critiques ou d'amateurs :

Quelle que soit l'origine des matériaux dont il s'est servi, le jazz est essentiellement la musique des Noirs des Etats-Unis. (*Op. cit.*)

Ce à quoi nous ajouterons que :

— comme le rappelle encore Heuvelmans, c'est vers 1712 qu'apparurent les premiers Noirs en Louisiane, ce « berceau du jazz » ;

— sous l'influence d'un grand planté de facteurs divers, quelque chose a fini par résulter du mélange Afrique-Amérique ;

— des tas de facteurs non moins divers continuent à s'exercer sur ce quelque chose ;

— il n'y a donc aucune raison pour que l'on puisse affirmer, comme le font bien des, « ceci est du jazz, mais cela, qui est nouveau, n'en est plus », car c'est loin d'être fini ;

— évidemment, ça serait pourtant bien commode ;

— d'autre part, il est ennuyeux pour les Américains de devoir aux Noirs le seul apport artistique dont ces étazuniens puissent se prévaloir vis-à-vis de notre vieille Europe en diguedigue ;

— voyant l'impossibilité où je me trouve de m'en tirer astucieusement je vais me décider à attaquer vaillamment le derme du sujet.

2

Il n'y a pas à dire en voyant l'autre jour chez mon ami Eddie qui a une télévision en Mahogany, le film *Paysans noirs*, je pensais au jazz chaque fois que, sur l'écran, passait une de ces remarquables scènes de danse collectives éparses au long de la pellicule. Il y a des passages de polyrythmie admirables — et je n'oublierai jamais cette séquence des labours où les travailleurs se font précéder (c'est-à-dire suivre, puisqu'ils avancent à reculons) de tambours et marimbulas. La vue et l'audition de ce film, que je ne crois pas truqué, m'incitent à brailler une fois de plus mon désaccord avec les ceusses qui prétendent dominant l'élément rythmique dans la musique africaine. Il est peut-être dominant pour les ceusses en question, mais c'est peut-être aussi qu'ils n'entendent pas les notes des bruits. Personnellement je trouve cela parfaitement équilibré ; il y a polymélodie tout autant que polyrythmie. Les accords échappés des bouts de bois sont peut-être moins simples que s'ils sortaient d'un Pleyel à neuf queues, mais bien agréables aussi et, à mon goût, souvent plus nourrissants. Il est vrai que j'adore entendre des tas de notes à la fois, même quand elles frottent un peu dur.

Les Africains émigrés — bien malgré eux — aux Etats non encore unis y emportèrent donc leur musique et s'y adonnèrent gaiement. Peu à peu corrompus par les Blancs, ils y adjoignirent des éléments on ne peut plus hétéroclites : choral protestant, quadrille français, marches, polkas, et même une chaudière Babcock et Wilcox que l'on a retiré depuis, se rendant compte qu'elle ne servait vraiment à rien. Ils prirent contact avec l'instrumentation européenne, ne se contentèrent pas de ce à quoi on limitait les instruments en question et se firent un plaisir de démolir toutes les règles en vigueur concernant la valeur « expressive » comparée des vents et des cordes. Ils jouèrent dans les bals et les pique-niques, apprirent à lire la musique, travaillèrent au contact des musiciens blancs, récupérèrent le blues, qui, devons-nous le dire, ne vient pas du tout, lui, de la Nouvelle-Orléans, burent force whisky, précédèrent les parades aux enterrements et aux mariages et se préparèrent peu à peu, en buvant du vin Mariani à résister à toutes les idioties qu'on allait écrire sur eux par la suite.

Chose étrange, les critiques s'accordent à peu près tous sur un point. Tous font remonter la naissance du jazz aux alentours de l'an mil neuf cent. (Tous révèrent également le grand trompette Buddy Bolden, interné en 1907 pour dingotisme et mort en 1931. Celui-là, personne de nous ne l'a jamais entendu.)

J'aimerais à brosser un pittoresque tableau des bordels de Storyville et des belles créoles de chez Lulu White, tôlière de l'un des Sphinx de l'époque. J'aimerais évoquer les nuits capiteuses de la Nouvelle-Orléans où résonnaient les accents du jazz enfant, ravi d'être né et qui gigotait joyeusement dans son berceau. Mais ce serait aussi assommant pour vous que pour moi, et vous trouverez ça dans toutes les bonnes librairies. Après tout, il y a des choses bien plus importantes que le jazz. Puisque maintenant nous savons qu'il existe, chercher *pourquoi* serait y introduire quelque chose du doute métaphysique dont il se passe bien. Le « comment » il s'est développé semble plus intéressant. Sur le *comment,* on ne diverge point trop dans les milieux informés : ce serait en 1917, la fermeture par la marine, à la suite d'une rixe, du quartier réservé de la Nouvelle-O, la source de l'épandage du jazz un peu partout ; les musiciens, privés de travail, remontèrent, dit-on, le Meshacebé et plantèrent dans l'Amérique entière des petits oignons de jazz qui poussèrent fort galamment. Cette version me fait un peu rigoler, pour ne pas dire rire (et pourquoi ne pas le dire ? Mystère). A mon avis, le comment, c'est plutôt l'ensemble de progrès réalisés dans l'enregistrement, la reproduction et la diffusion des sons. J'ose affirmer, au risque de me faire excommunier, que Pathé me paraît plus important que la fermeture de Storyville. Une des formes premières du jazz, le ragtime, s'est développée de fort belle façon au début de ce siècle, et a conquis le monde bien avant le jazz. Le ragtime, musique de piano, profitait en effet de l'existence du piano mécanique (rouleaux perforés) et de la mise sur papier de ses éléments. Ainsi, même en admettant que la fermeture des lupanars de Storyville (que je déplore comme tout homme sensible) ait joué un rôle dans le développement du jazz je tiens le phono et, plus tard, la radio, pour les véritables commis-voyageurs à qui nous devons notre jazz quotidien tel qu'il est.

Grosso modo, c'est donc vers 1917, avec son premier enregistrement, que naît le jazz dont nous avons le droit de parler d'un point de vue autre que celui de l'historien. Tous les amateurs savent qu'ensuite, en 1919, le chef Ernest Ansermet découvrit la chose en entendant un orchestre noir et en fit l'objet d'un article, devenu fameux, paru dans la *Revue romande*. Tout le monde sait aussi que déjà Sydney Bechet jouait dans l'orchestre en question, le Southern Syncopated Orchestra. Et si tout le monde ne le sait pas, c'est bien fait.

Maintenant, il faudrait que je divise toute la suite en périodes : de 1920 à 1935, de 1935 à 1940, etc. Ça fait terriblement sérieux et c'est spectaculaire en diable. Mais je suis franc ; ça ne rime à rien. De mémoire, je ne puis juger certains des disques qu'il faudrait que j'analysasse alors. Et si je les rejoue maintenant, moi, un Vian de 1953 qui ai déjà entendu des disques de 1953, comment voulez-vous que je porte sur eux un jugement idoinement établi à l'époque analysée ? (Je me demande toujours comment on ose écrire des livres sur Balzac. Je me réponds : comme ça, et le tour est joué). Car je suis un critique de jazz sérieux.

En réalité, il me démange de mettre les pieds dans le plat et de les y agiter violemment. Tout ça ne veut rien dire. Quand on pousse à bout un amateur de jazz (prenez-en un d'un niveau intellectuel au moins médiocre, et qui ait un bout) on tire de lui, en fin de compte, des noms. Des noms de musiciens ou d'arrangeurs, Armstrong, Fletcher, Duke, Fat's, Parker, etc. Certes, on peut grouper tout ça sous rubriques bien délimitées et pontifier à coup d'arguments décisifs (comme si c'était difficile, de triompher avec un argument *décisif* !). Mais pourquoi cette manie que l'on a maintenant de tout momifier au départ ? A vingt ans, les écrivains de maintenant n'ont rien de plus pressé que de publier un volume de souvenirs. A trente ans, on écrit des livres sur eux (s'ils ont réussi). On appelle ça retrouver l'homme sous le romancier. Mais il est pas perdu, l'homme, il est là. C'est le roman, qui est perdu. On fait ta biographie de ton vivant, mais ta vie, c'est le temps qui te reste, non ? On aime trop l'histoire, en France. Est-ce qu'on est malheureux ? Les peuples heureux n'en ont pas d'histoire. Le jazz ne doit pas en avoir. C'est pas triste, le jazz, c'est très vivant, enfin, ça grouille ! Ça remue, même. Et puis quoi, 1920-1953, ça fait trente-trois ans, tu te rends compte. Et on veut l'enterrer, et Heuvelmans est là qui vous passe la sénescence sous le nez comme un pot de chambre de fiévreux ? Il est temps qu'on se mette à rire et à ruer. Il n'est pas encore temps de mettre tout ça dans des casiers numérotés.

Et il est temps de dire au lecteur, lecteur mon frère, achète ou vole cinq cents disques d'Ellington et tu es sûr d'avoir là au moins quatre cent cinquante disques de très bon jazz. T'occupe pas des commentateurs, car *nihil est in comentario quod non primum fuerit in operibus.* (Ibus m'a bien une drôle de gueule, mais ça fait lettré, ça.)

Et écoute un peu par ici.

★

LA PARISIENNE, n° 2
février 1953

UN DEMI-SIECLE DE JAZZ

Le jazz a trente-deux ans. Trente-deux ans, plus la radio, plus le disque, ça fait un métrage de calendrier bien plus important que jadis, du point de vue de la diffusion de l'art et de son influence possible ; mais ce n'est pas parce que le jazz s'est répandu et a fermenté plus vite que la musique dite sérieuse qu'il faudrait s'attendre à voir nés, en ce bref laps de temps, autant de grands musiciens de jazz qu'il y eut de grands musiciens barbus depuis trois cents ans. Mais l'âme simple du critique a besoin de découvrir le génie ; c'est ainsi que le gros Hugues Panassié se ridiculise dix fois par an en affirmant dix fois par an « Untel est sans contredit le plus grand ». Untel, je précise, diffère chaque fois. Le génie est monnaie courante en matière de critique de jazz (et ailleurs aussi, mais n'empiétons pas...). On marche dans le génie. Il souffle à chaque coin de scène. Et on lit à chaque instant des « Louis Armstrong, c'est le jazz fait homme », qui vous font sauter au plafond. Manquez donc pas de patience comme ça ! Dans cent ans, vous en aurez, des génies de maintenant. Je vous donne rendez-vous... on fera le point. Comment ne vous laisseriez-vous pas influencer en lisant la même ânerie dans dix journaux de jazz différents ? Je vous excuse, vous savez, car je vous le dis : ils copient tous les uns sur les autres [1]...

Heureusement, le jazz, c'est de la musique. Et la musique possède un caractère assez négligé de nos jours mais qui fait selon nous son charme essentiel, c'est qu'elle s'écoute. Aussi, lorsque l'on a digéré les épanchements variés des enthousiastes de la treizième heure, il reste les albums et les disques dedans et le pick-up. Et les génies s'évaporent à grands coups d'aiguille dans le sillon. Il en subsiste peu. Cela redevient normal : on oublie les époques, les « ruptures avec le passé ». On retrouve la continuité parfaite de tout ce qui s'est fait jusqu'ici en matière de jazz et l'on sait par conséquent que tout va bien, qu'on est toujours en pleine ère primaire et que s'il peut être commode et amusant de faire des chapitres et des subdivisions, le seul classement reste encore celui par ordre alphabétique.

Le jazz commence à peine. Une preuve qu'il est encore en pleine gestation ? Le petit épisode qui fit couler tant d'encritique depuis la Libération : l'affaire du be-bop. Ce fut un tollé lorsque l'on entendit en France les premiers disques de Dizzy Gillespie et Charlie Parker : on clama le reniement total du passé, les modifications profondes de la base même du jazz, à savoir la structure périodique du rythme, la distorsion exagérée des thèmes, le tripotage de l'harmonie, les abus de quintes diminuées, des quartes augmentées même, la fâcheuse propension des nouveaux prométhées à l'emploi des accords de onzième, de treizième, voire de soixante-quinzième, et tout et tout. On s'assemble, on écoute sommairement et on se déchire aussitôt. Les mêmes critiques qui admettent parfaitement que le petit jazz ait, jadis, grignoté de gros morceaux du répertoire des bons orphéons style Brives-la-gaillarde, hurlent d'effroi en voyant Gillespie adjoindre à son orchestre un joueur de bongo. Pensez ! Un Cubain qu'était pas de la Nouvelle-Orléans [2] !

Ce fut assez drôle. Pour une fois que ce pauvre jazz récupérait une de ses originelles influences africaines, on vit voler les plumes, naître une scission au sein des Hot-Clubs, les criti-

1. C'est comme *Sélection* et le planting, et en math élém., quand je copiais sur Pineau, qui les copiait sur Margerie, mes devoirs de math. D'où notre succès ultérieur dans la vie.

2. Ce pléonasme est voulu. C'est pour montrer comme ils étaient bêtes.

ques s'affronter dans l'arène et le jazz continuer de se porter fort bien. « Le bop est mort-né ! » vocifère l'un. « Vive le bop ! » rétorque le second ! Et tous deux voient triompher leur cause. Le « bop », en tant qu'actualité [3] bonne à fournir de copie les journalistes, ne se vend plus. Et dans la réalité, il s'est inséré très exactement à sa place chronologique (curieux, il me semble que La Palisse n'eût point renié ceci. Me trompé-je ?). Innombrables sont ceux qui ont subi l'influence de ces disques, originaux mais sans rien de révolutionnaire, que publièrent depuis 1940 en gros les gens de chez Minton : Gillespie, Parker, Green, Monk et leurs disciples. On peut, avec la plus grande facilité, rétablir tous les maillons de la chaîne reliant un traditionaliste comme Sydney Bechet, sensible aux sentimentales mélodies populaires, à un « avancé » comme Parker dont le musicien préféré, selon ses dires, est Hindemith, ce qui, toute histoire d'influence mise à part, devrait suffire à préciser que ces deux Monsieurs ne jouent pas-t-à fait de la même façon.

Les critiques ont l'oreille étroite. Fût-elle plus large, il s'apercevraient que, bonheur sans mélange, nous nageons dans un délicieux chaos. Tout ça va et vient et remue et s'organise sans le dire et chacun continue son petit bonhomme de chemin dans son noir personnel.

Un au moins : M. Ellington. Notre Sire Ellington, pardon.

Je réunis, car je suis de nature affectueuse et hospitalière, souvent des amis pour leur casser la tête avec des disques. Chose étrange, les plus divers d'iceulx aiment généralement que l'on aboutisse aux mêmes albums : ceux d'Ellington. Car tout y est, sinon développé toujours, du moins à l'état embryonnaire. *Naturellement*, d'autres qu'Ellington ont fait de merveilleux disques de jazz. Lui seul, je crois, en a gravé autant. Lui seul a eu cette fécondité prodigieuse au regard de laquelle celle d'Armstrong paraît presque risible : car Duke joue, lui, d'un orchestre de quinze bonshommes. Comparer son pouvoir de renouvellement et sa volonté de prendre des risques à ceux de Picasso, ce n'est diminuer ni l'un ni l'autre.

Puisque vous voulez des génies quand même [4], Ellington domine toute la musique de jazz depuis qu'on enregistre. Il en est à la fois le résumé et l'extension. Il a marqué de sa personnalité plusieurs générations de musiciens et d'arrangeurs. Il est pratiquement au départ de ce qu'on connaît : ses premiers

---

3. En tant qu'ac rime presque avec toucan, aussi le laissé-je, car les rimes à toucan sont rares.

4. Ils n'en veulent pas vraiment, mais ça me sert de le dire.

enregistrements datent de 1925 environ. Alors ? En voilà un qui continue, qui n'a pas fini, qui va au contraire fort bien, et il vous faut déjà de la sénescence et des paragraphes ? Et des ruptures ? Et quoi encore ? Pas Stan Kenton, tout de même ? Qui a enregistré en 1936 ce *Reminiscing in Tempo*, plus audacieux, défauts à part, à ce moment-là, que ne le sont en 1953 les diverses « artistries » de Stan ! Je cite Kenton car c'est l'un des chefs d'orchestres célèbres aux uhessa où il porte l'étiquette « progressiste » confectionnée d'ailleurs par ses soins. Rien de plus consternant que la pauvreté d'imagination de ces arrangements pour orchestre de brasserie en rut[5].

Mais ne nous égarons pas dans les prairies ellingtoniennes et tentons plutôt de répondre au coup de pied de l'âne que l'on s'apprête à me décocher sous les espèces de cette insidieuse question.

« A quoi donc, sale pouilleux, distingue-t-on le jazz de ce qui n'en est pas ? »

Problème qui embarrasse énormément les critiques. Les Américains s'en tirent de façon astucieuse. Ils ont, il faut le dire, la veine de disposer d'une musique populaire à quatre temps, comme le jazz. Ils mettent tout dans le même sac sous le nom « musique populaire américaine »[6] et mélangent torchons et serviettes. Nous autres, vieux zeuropéens zàbarbes, nous valsons musette, pas ? Aussi (dans le peûple, sûr !) baptise-t-on jazz tout ce qui est à quatre temps. Ça va encore plus mal qu'en Amérique. Il faut des critères, des critères, nom d'une pipe. On a longtemps pâli sur ce problème, en France, et c'est à rallonges, comme le théorème de Fermat. Ça s'est répandu à l'étranger : on a voulu doter la musique de jazz d'un caractère mystérieux et subtil, le swing. On a proposé diverses définitions de ce vocable beau. On a épilogué à tire-l'haricot sur ce swing fabuleux, spécifique de la musique noire, et que les Blancs, au prix de certains miracles, réussiraient la grâce aidant, à obtenir parfois dans des conditions bien limitées. Oh, voui, il serait bien commode de disposer d'un phlogistique de ce genre. Cela simplifierait tout et on saurait où on va. Mais voilà, on ne sait pas où on va et ça prouve bien la faillite de la critique, car les uns reconnaissent le swing où d'autres ne voient que chaleur d'exécution, et l'humour de certaines prestations langoureuses de Lunceford, pétries de swing pour ceux-ci, échappe à d'autres qui n'y voient que guimauve non adultérée. La vérité, crois-je, est plus simple et plus décevante, comme les trois quarts des

5. Non, le rut n'est pas une note de musique que j'invente.
6. Je dis que c'est astucieux, mais à bien y regarder, c'est assez con.

femmes à poil : de même que pour interpréter comme il faut une page de Bach, un artiste classique doit être imprégné de la tradition voulue, de même un musicien de jazz ne fera du bon et du vrai jazz que s'il respecte la tradition du sien. Tradition noire, et tradition noire américaine ; la voilà, la difficulté : une minorité un peu secrète comme toutes les minorités brimées ne va pas livrer ses mystères au premier venu. Il lui faudra subir une longue initiation. Et ce qui viendra tout naturellement au jeune Noir qui vit « dans le bain » sera long et difficile à assimiler pour le Blanc, car celui-ci devra en outre les trois quarts du temps se débarrasser de la sienne, de tradition.

C'est là je pense l'éclaircissement de ce fameux problème du swing ; car il s'ajoute que la tradition noire en question n'est pas encore fixe et s'enrichit de jour en heure d'éléments neufs, telles ces influences cubaines dont nous parlâmes. Allez donc vous assimiler un art qui change journellement ! La meilleure illustration à l'appui de cette thèse n'est-elle pas le récent « revival », comme on dit, du style New-Orléans, cette reprise — due à ces jeunes peu imaginatifs de tous les pays du monde — des thèmes et des interprétations de King Oliver, de Johnny Dodds, de Jimmy Noone, bref de tous les grands spécialistes des années 1920 ? Presque tous les grands vétérans sont morts, et le disque les fixe dans leur jeu d'alors : il n'en faut pas plus pour que ces bons petits blancs réussissent, disposant de repères et de modèles stables, à recréer très vraisemblablement et avec une bonne approximation satisfaisante l'atmosphère des cires de 1920-1930. Mais au moment même que les musiciens et les critiques parviennent à connaître un instant du jazz, ce dernier se pousse de nouvelles ailes et s'envole un peu plus loin et tout est à recommencer. Il faut avoir l'oreille souple et extensible pour suivre le mouvement, car le grouillement du jazz est à l'image du grouillement de ces quinze millions de Noirs qui, brimés et terrorisés, se taillent à force de larmes et de travail, une place aux étazunis[7].

La critique de jazz souffre d'un mal grave : l'éphémère durée du public. En réalité, tout se passe comme si le Blanc n'était vraiment sensible au jazz que durant ses années d'adolescence. Il s'emballe, écoute le premier beau parleur venu, fait montre d'opinions d'autant plus tranchées qu'il est frais dans le bisenièce, et tout à coup, c'est fini, il se marie et n'a plus le temps ni l'occasion. Et puis le jazz ne l'intéresse plus parce que c'est pas une musique sentimentale. D'ailleurs, c'est difficile, d'entendre du bon jazz : ça ne court pas les rues, et quand la radio

7. Phrase émouvante affectueusement dédiée à Robert Buron qui saura, lui, la dire.

vous moud à longueur d'année les rengaines piaffeuses ou tinesques, vous cédez à la longue. Ça veut la passion, le jazz, et on n'est pas jeune bien longtemps chez nous.

Oui, le public se renouvelle vite. Ça me rappelle un album du *Petit Illustré* que je lisais vers 1933. Une des séries en images me plaisait bien. Des années après il m'est tombé entre les mains, par hasard, un autre album du même journal, de dix ans plus vieux — ou plus jeune — bref de 1923. Il contenait la même « série ». Les éditeurs avaient raison : à l'âge du lecteur du *Petit Illustré,* dix ans suffisent amplement à séparer deux générations. La clientèle des jeunes — celle aussi du jazz — se renouvelle à une allure terrifiante. Faudra-t-il donc répéter inlassablement les mêmes prémisses, rester notre vie durant à faire le jardin d'enfants ? Certains critiques s'y plaisent. Je ne dis pas que passé vingt-cinq ans on n'est plus en état de comprendre ni d'aimer le jazz... Mais rares sont ceux qui peuvent maintenir leur passion à un degré assez élevé pour continuer les sacrifices que doit consentir le véritable amateur. La réaction ne se maintient qu'à haute température ; elle absorbe beaucoup de chaleur.

Aussi la critique de jazz ne progresse-t-elle guère (pour autant qu'une critique puisse progresser). Elle se borne à bien peu de chose. On tourne en rond, on réimprime les mêmes rudiments, on ânonne, on analyse, on dissèque les cires enfin mortes et on s'engueule. Ça ne va pas plus loin, c'est du genre « Monsieur Untel trouve que monsieur Untel est un plus grand musicien que monsieur Untel ? Eh bien monsieur Untel est un cuistre, car en réalité c'est monsieur Untel le plus grand ». Voilà le résumé. Il y a d'autres maniaques : ceux qui disent « Le jazz, c'est ça et pas autre chose et tous ceux qui disent que ça c'est du jazz sont des crétins parce que le jazz, moi je vous dis que c'est ça ». Ainsi s'exprime notamment Mezzrow. La papauté a des attraits.

Enfin, il y a ceux qui attendent. Qui ne se pressent pas de couronner ni de classer. Qui se moquent des valeurs admises, se réjouissent de l'élément imprévu qui vient bouleverser leur système, écrivent un papier sur le jazz parce que c'est marrant et s'y intéressent surtout parce que c'est de la musique. Ceux-là, ils mettent les disques sur leurs pick-ups et les jouent. Ceux-là arrivent vite à s'apercevoir que bon nombre de disques de jazz tiennent le coup à côté d'Albinoni, de Berg ou de Ravel. Ceux-là lisent avec gaieté les articles concernant leur sport favori parce que c'est amusant d'entendre parler, même de façon totalement idiote (ou surtout comme ça) de quelque chose que l'on aime bien.

Ceux-là, je les voudrais bien comme clients. C'est agréable, les gens qui rient — même à vos dépens.

★

JAZZ 54

QUAND L'AMATEUR DE JAZZ ECRIT

Ce n'est pas sans mal que l'on arrive à faire écrire l'amateur de jazz. Il faut lui secouer les puces vigoureusement et le soumettre à un traitement particulièrement brutal pour qu'il réagisse ; faute de quoi l'on ne saura jamais ce qu'il pense, ou ce qu'il croit penser. L'élan donné, et l'exemple aidant, il n'est pas impossible pourtant de lui arracher un filet régulier de commentaires, et de jeter un regard d'entomologiste sur la sécrétion de ses cellules grises. L'archéologue reconstitue aisément le squelette complet du Megazozo paléolithique au moyen d'un de ses calculs rénaux ; de même, on peut, à l'aide de ses lettres, tirer le portrait de l'amateur moyen. On préférera cependant le considérer comme un ensemble d'amateurs extrêmes, ce qui est plus divertissant et permet un classement par catégories.

□

Un point est commun à tous les amateurs : leur jeunesse. Audessus de vingt-cinq ans, il semble que l'atonie atteigne l'amateur. Il s'agit d'une atonie graphomotrice (et si c'est pas ça, et bien tant pis) qui le prive de l'usage de ses membres antérieurs tout au moins pour les activités épistolaires. Le vieil amateur s'est fait son opinion, et ne réagit plus qu'aux mesures horriblement draconiennes dans le détail desquelles nous éviterons d'entrer par respect pour la sensibilité du lecteur.

□

L'amateur de bon ton constitue environ la moitié du groupe des scripteurs, contrairement à ce que l'on peut croire. La tolérance se rencontre assez couramment. L'amateur de bon ton lit *Jazz Hot* et le *Bulletin du Hot Club de France ;* il n'abomine nullement King Cole ni Doris Day, même lorsque le premier chante exclusivement. L'amateur de bon ton professe un goût particulier pour la grande poésie lyrique 1935-1945 ; mais il sait goûter, tout comme un vieux Jelly Roll de derrière les fagots, un Parker dernier cru. Il s'efforce d'éviter les outrances, et s'il accepte de se laisser influencer, s'en rapporte néanmoins, en dernier ressort, à son oreille ! Il ose avouer qu'il ne connaît pas tout... n'allons pas plus loin, c'est déjà prodigieux.

□

L'amateur avide de s'instruire est sympathique, mais son cas semble souvent désespéré. Il ne désire pas, en réalité, penser par lui-même, mais bien plutôt qu'on lui dise ce qu'il doit penser. S'il a de l'estime pour son maître, il répétera avec révérence jusqu'à la moindre bourde ; et loin de se fâcher dans la contradiction, il apportera un zèle de prosélyte à tenter d'arracher l'interlocuteur à sa lamentable erreur, ceci au moyen d'arguments dont il n'aura pas imaginé un seul. Il est aisé de démonter ce genre d'amateur ; lorsque l'on réussit à lui remettre les pieds sur la terre, on peut en tirer quelque chose.

□

L'amateur fanatique l'est généralement à proportion de son ignorance. Il a lu un ouvrage, ou un article, qui l'a frappé, et il en reste là. Tout est blanc ou noir, mais le gris n'apparaît point sur sa palette. L'injure ne lui fait pas peur. Le type conservateur est le plus fréquent : il n'entrevoit pas qu'il puisse exister autre chose que le style Nouvelle-Orléans, et encore, à l'intérieur même de ce style, c'est le genre marche militaire qui le satisfait au mieux. Politiquement, cela va de pair avec un goût latent pour le fascisme et l'autorité. Musicalement, s'il aborde le classique, il aimera Mozart dans ce qu'il a de mécanique ; mais ne lui parlez pas du Stravinsky du *Sacre,* et pas même de Debussy. L'extrémiste de l'autre bord, le progressiste, sera volontiers de gauche ; beaucoup plus tolérant que le fana vieux style, il préférera se détourner de ce qu'il n'aime pas plutôt qu'essayer de le détruire ; mais il n'en traduira pas moins son mépris par quelques phrases bien senties.

□

L'amateur anonymographe se sent toujours visé lorsque l'on parle d'un imbécile, et répond à la provocation avec une hargne maladroite et une absence d'humour des plus comiques. Il est presque immédiatement reconnaissable à sa graphie attardée et informe. Sa lettre est celle d'un enfant de neuf à douze ans — elle correspond à son âge mental. Il paraphrase volontiers celui qu'il attaque, dans le style « Ah, Untel est un... Eh bien, vous vous êtes un... ». On a toujours envie de le renvoyer à la fameuse tirade de Cyrano ; mais il est douteux qu'il comprenne de quoi il s'agit.

□

Telles sont les grandes catégories. Naturellement, les sous-groupes abondent, et les individus originaux. Ceux-ci peuvent, à la vérité, être réunis en une dernière classe, celle des *érudits*. Ils ont une spécialité, dans laquelle ils s'enferment ; complètement nuls ailleurs, ils sont d'une science terrifiante dans leur domaine ; ces gens-là connaissent des numéros de matrices par cœur. La race, à la vérité, ne se développe pas. Elle semblerait, en France au moins, en nette régression. On ne l'encourage pas, il faut le dire : le spécimen moyen est plutôt ennuyeux. Il peut être utile à la rédaction d'une revue. Au reste, tous les amateurs qui écrivent rendent bien service à qui veut tenter de les examiner...

★

JAZZ-MAGAZINE, n° 13
Janvier 1956

POINT DE VUE DE BORIS VIAN SUR LE JAZZ ET LE MUSIC-HALL

Je suis obligé de constater la coexistence du jazz et du music-hall, mais personnellement n'aimant pas le jazz « musique de concert », je ne suis pas attiré vers cette formule. Le jazz est une musique de danse (à ce titre on peut concevoir des « show » ou des « musical » à partir du jazz) ou une musique qui convient parfaitement au disque.

L'influence du jazz sur les vedettes de variétés est indéniable et maintenant un certain nombre de ces vedettes confient leur accompagnement à des formations de jazz authentique. Le tour de chant de Philippe Clay est infiniment plus percutant depuis que le pianiste Jean-Pierre Mangeon dirige sa formation. Même constatation pour les compositeurs qui sont souvent des mordus du jazz (Ex. : Cl. Bolling et Jean Constantin).

★

CHOIX DE POCHETTES DE DISQUES

CHOIX DE POCHETTES

Boris Vian a écrit les textes de nombreuses pochettes de disques surtout pour Philips et sa sous-marque Fontana. Il en a signé un certain nombre de son nom, d'autres de pseudonymes. D'autres enfin sont des adaptations de critiques américains, en particulier George Avakian. Ces pochettes sont très difficiles à retrouver et, sans l'aide de Dominique Rabourdin et de Georges Unglik, nous aurions renoncé à intégrer cette rubrique dans le livre. Plusieurs textes de pochettes n'ont pas été utilisés ici : ils ne sont pas signés ; il est probable qu'ils ont été écrits par Boris Vian, mais, rien ne pouvant le prouver, nous avons préféré les écarter.

Le choix que nous donnons vient en complément de celui de Michel Fauré dans *Derrière la zizique* qui nous offrait les textes de vingt et une pochettes dont voici le détail :

Miles DAVIS (Ascenseur pour l'échafaud).
André HODEIR (Autour d'un récif et Saint-Tropez).
Mahalia JACKSON.
Count BASIE.
Erroll GARNER.
Louis ARMSTRONG *and his Hot Five.*
Sarah VAUGHAN.
Duke ELLINGTON.
Chu BERRY.
Louis ARMSTRONG-W. C. HANDY.
Don BYRD-Gigi GRYCE.

The Jazz Messengers.
Horace SILVER Quintet.
Miles DAVIS.
J. J. JOHNSON.
The Blazers.
The Art of Jazz Piano.
Alain GORAGUER et son trio.
Trio Claude BOLLING.
Michel de VILLERS et son orchestre.

Il y joignait quatre textes de dépliants concernant les collections « Jazz Pour Tous » et « Petits Jazz Pour Tous » dont Boris Vian était le promoteur chez Philips. Pour faire bonne mesure il ajoutait *Histoire abrégée du Jazz* texte du livre-disque Jazz Pour Tous (Philips n° 99 556). Michel Fauré, sans doute tenu par la place, n'avait donné que le texte principal, excluant l'Avant-Propos, le lexique des termes courants et la bibliographie. Nous les restituons ici.

Enfin nous intégrons dans cette rubrique quelques notes et lettres relatives aux collections de disques dont s'occupait Boris Vian chez Fontana et Philips.

C. R.

Lettre à Pierre Moglia, Hot-Club de Bordeaux.

22 mai 1957.

Cher monsieur,

En réponse à vottre letre du 21 courant, je vous signale que si nous avons cru devoir accoupler d'une part Rex et Cootie sur un même microsillon, d'autre part Bigard et Hodges, c'est pour deux raisons : la principale est la date de sortie, les bandes immédiatement disponibles ne nous permettaient de disposer que de cinq très bonnes *plages de chacun ; une raison secondaire est que, si l'amateur désire effectivement s'offrir un petit récital de sa vedette favorite, il est plus commode finalement que tout soit groupé face par face ce qui évite de retourner les disques en cas d'écoute sur changeur automatique.*

Merci de vos remarques et de vos suggestions ; comme je vous l'ai dit, si le succès de cette série est celui que nous espérons, rien ne s'opposera à la réédition de Stuff Smith, bien que ce soit (il ne s'agit ici que du point de vue dit « commercial » !) un nom secondaire pour les vendeurs de disques. Quant au regroupement des faces par époque, vous avez sûrement remar-

qué que notre effort essentiel se fait dans ce sens ; ainsi par rapport aux originaux américains, les plages Bechet sont regroupées, les unes de 1947 *sur un* 25 *cm, et la série Jungle Drums qui vu faire l'objet d'un LP (qui gratte un peu, je l'avoue... mais mieux vaut ça que rien...). Je puis maintenant vous préciser que le premier Ellington de la série sera composé des faces* 35-36 : *Indigo Echoes, Margie, Tough Truckin' (une face formidable), Showboat shuffle, I don't know why, No greater love, Clarinet lament, Echoes of Harlem, Kissin' my baby goodnight et Trumpet in Spades. J'espère que ça vous tente !*

Bien cordialement.

★

Septembre 1956.

NOTE A MESSIRE CANETTI

from vian-le-gros-cœur

Messire,

1) Comme vous le savez peut-être, le Bix qui va sortir ne traduit pas exactement mes intentions. Le couplage est beaucoup moins bon que celui de la version américaine et à trois mois près, il était simple de retarder jusqu'à disponibilité. J'ignore d'où vient le court-circuit, mais nous étions convenus de ceci avec Bourgeois et apprîmes soudain que le disque était pressé. Ça n'est pas catastrophique mais j'ai été obligé de faire un peu d'underselling sur la pochette. Bien entendu je ne désire en aucune façon que ça fasse des histoires ; cependant, je voudrais bien attirer votre attention sur ce que la sortie du jazz en 33 tours medium ne peut être fructueuse que si le tout est irréprochable.

2) Dans le même ordre d'idées, je voudrais répéter qu'il est ESSENTIEL de ne pas mélanger les torchons et les serviettes en matière de jazz ; ainsi le petit catalogue 45 tours distribué à la Convention est aberrant, qui mélange Percy Faith et Ellington. Il faut maintenant que le catalogue s'étoffe un peu, préparer un petit catalogue purement jazz.

3) Je serais heureux d'avoir autant que faire se peut une

idée de la pochette avant la parution des disques ; j'ai déjà dit au camarade Vertenelle que sa Sarah Vaughan était dégueulasse et il est certain que je ne m'en dédis pas. Rien que des compliments à faire sur le dernier Garner, le Jay et Kai et le Goraguer, parfait pour un début — peut-être un peu tendre question bleu — ça fait un peu délavé. Je suis tout prêt à aller voir les projets sur simple coup de fil.

4) Il est sans doute temps de débiter en 45 tours le Armstrong plays Handy, si ce n'est pas déjà fait.

saluts multiples
vian le tueur

★

PHILIPS, note intérieure
6 décembre 1957

PROJETS POUR REALITES

André Hodeir propose de réaliser un microsillon 30 cm double face consacré au blues qui serait intitulé *The Blues Book* (ou Dictionnaire du Blues). Comme on le sait, le blues est l'armature essentielle de la musique de jazz, et tous les improvisateurs en font un large usage ; le blues est une série harmonique de douze mesures sur lesquelles les variations sont infinies.

L'Album serait réalisé de la façon suivante :

1 séance avec 20 à 25 musiciens, qui débuterait la première face. Le blues orchestré dans toute sa richesse et sa complexité instrumentale, avec toutes ses variations.

1 séance avec une formation moyenne de 12 à 15 musiciens qui permettrait d'approfondir la structure et les déplacements rythmiques du blues ; naturellement, comme dans les plages précédentes, on procéderait à des comparaisons de styles d'arrangement.

1 séance avec 7 à 8 musiciens avec un grand soliste (Américain de passage à Paris, par exemple).

1 séance en trio avec un grand soliste au piano.

Tout au long de cet enregistrement, l'arrangeur se propose de donner des exemples de développements : blues construit sur 3 notes, sur 4 notes, sur 5 notes, etc. L'album contiendrait naturellement toutes les explications voulues.

La maison EPIC est, d'avance, d'accord pour éditer en Amérique les productions d'Hodeir. Le prix de revient ne serait pas très considérable et je pense que l'ensemble serait très intéressant.

Boris VIAN.

P.-S. : Il est à noter que les chiffres de vente du *Kenny Clarke Septet joue Hodeir* sont assez bons ici, et qu'il a, en Amérique, une presse *extrêmement louangeuse.*

★

Note à M. Tavernier

Cher maître,

Pour le Congrès des Représentants Section Jazz, Rubrique Jeux, j'aurais besoin de

1 trompette
1 saxo soprano
1 saxo alto
1 saxo ténor
1 clarinette
1 guitare
1 batterie

Les anches en bon état, le tout en ordre de marche. Pouvez-vous faire louer ça et l'avoir en réserve à Blanqui (gnol ?)

Merci d'avance,

Boris.

★

PHILIPS, note intérieure
23 décembre 1957

PROGRAMME EVENTUEL JAZZ FONTANA

JAZZ

Création de 3 *séries.*

1. — *JAZZ MODERNE*
Disques de 30 cm 33 tours.
(nécessité de prévoir des 30 cm parce que le matériel Columbia disponible comporte des plages très longues, 2 ou 3 par face seulement).

*Titres pour une 1*re *série :*

Hard Bop, par les Jazz Messengers
First Place, par Jay Jay Johnson
Drum Suite, par Art Blakey
Miles Ahead, par Miles et 19 musiciens, arrangement de Gil Evans
Jazz Lab, par Don Byrd et Gigi Gryce
After Hours Jazz, matériel Epic, nombreuses vedettes.

Il convient de se renseigner pour Hard Bop, Drum Suite et Jazz Lab. Les trois autres sont prévus sur Fontana.

2. — *GEANTS DU JAZZ*

Série de 25 cm 33 tours avec des vedettes analogues à celles de la série Philips Jazz Pour Tous ; pour commencer, on dispose de :

1 *Armstrong* (déjà prévu)
plusieurs *Count Basie* (prévus sur Fontana)
1 *Earl Hines* (Oh, Father, Epic)
1 *Teddy Wilson* (Columbia ; à demander)
1 *Johnny Hodges* (Epic)

3. — *JAZZ MINIATURE* (moderne, traditionnel))

Série 45 tours EP où on inclurait le matériel disponible ; mêmes artistes que ci-dessus, et d'autres repris sur Harmony, etc. Possibilité de réaliser des enregistrements de jazz traditionnel (Bolling, etc.) ou moderne en France.

En outre, on peut prévoir un livre-disque :

INTRODUCTION AU JAZZ qui sera :

soit 1) Projet de Blues Book soumis par André Hodeir
soit 2) Qu'est-ce que le jazz, du genre de ce qu'a fait Leonard Bernstein avec *What Is Jazz.*

★

13 février 1958.

A qui de droit

RHYTHM AND BLUES

Tout « A and R man » (pour les non-initiés, signalons qu'il s'agit des hommes de l'Artists and Repertoire, ou en français, des services artistiques variétés) est familiarisé depuis sa plus tendre enfance (je mens) avec le rhythm and blues.

Voici les étapes qui ont abouti à l'utilisation de ce terme.

Dès le développement du disque populaire de jazz (1er enregistrement par l'Original Dixieland Jazz Band en 1917, avec Nick La Rocca), la clientèle noire s'est tournée avec avidité vers un répertoire de jazz et aussi de blues chantés.

Rappelons que le blues est une forme très ancienne de chant populaire basée sur une suite de douze mesures à caractéristiques harmoniques bien définies et comportant souvent des « breaks » (interruption) durant lesquels le chanteur ou l'instrumentiste exécute un solo, parlé, crié ou joué.

Les maisons de disques ont, depuis longtemps, réservé en conséquence une partie de leur catalogue aux productions faites par des Noirs pour des Noirs.

Les désignations des catalogues portaient tout bêtement au début la tête de chapitre : « Race records » (disques pour gens de race noire).

Par la suite, à mesure que les Noirs gagnaient des libertés civiques et un pouvoir d'achat, on s'est aperçu que cette formule pouvait vexer, en somme, des clients aussi bons que les autres.

On a alors atténué le terme en « sepia series » (série beige, si l'on peut dire).

Puis la jeunesse et les amateurs de jazz ont fait un succès sans précédent à la formule, qui est devenue « rhythm and blues », ce qui ne vexait plus personne (ce qui veut dire, s'il faut l'expliquer, rythme et blues...).

Il y a eu alors le *rock and roll* mais ce mot a été vite galvaudé par la mode, ce qui fait qu'on est revenu à la désignation plus générale *rhythm and blues,* dont le R n' R (rock and roll) est au fond une branche réduite. Cela désigne donc toutes les séries instrumentales ou chantées où l'accent est sur une interprétation rustique, solide, rocailleuse, un peu forcée, avec du swing et de l'atmosphère et des basses bien rabotées (cf. Bonzon pour plus de renseignements).

Here you have the dope, men !

*

PHILIPS, n° 99 556.

JAZZ POUR TOUS
Livre-disque numéro zéro

AVANT-PROPOS

Avec la nouvelle série Jazz pour Tous, que nous inaugurons ici par un livre-disque donnant une histoire abrégée du jazz, nous avons voulu mettre entre les mains du public, pour la première fois à un prix abordable, les classiques célèbres de la musique de jazz et les interprétations des plus grands musiciens de jazz vivants. Nous nous sommes attachés à ne conserver que des noms ayant depuis longtemps rallié les suffrages de l'ensemble de la critique. Ce sont vraiment des musiciens *indiscutés* dont vous trouverez les œuvres sous notre label Jazz pour Tous. On dispose aujourd'hui de suffisamment de recul pour apprécier les efforts des pionniers ; des noms comme ceux de King Oliver, de Duke Ellington, de Johnny Dodds, de Kid Ory ou de Louis Armstrong, pour ne citer que cinq des vedettes à qui sont consacrés nos premiers recueils, sont mondialement connus et respectés. Voici, à la portée de votre bourse, une base inébranlable pour vous familiariser avec ce phénomène international de notre siècle, le JAZZ.

★

LEXIQUE DE QUELQUES-UNS DES TERMES COURANTS

Les musiciens de jazz utilisent fréquemment des termes qui n'ont pas d'équivalent en français et qui pour cette raison figurent tels quels dans les textes relatifs au jazz. D'un autre côté, le jazz a donné naissance à tout un argot spécialisé. Les Noirs, musiciens ou chanteurs, ou simplement amateurs, ont créé une « langue parallèle » le jive, qui apparaît souvent dans les magazines et les chansons. Nous indiquerons ici certains termes très courants, sans avoir la prétention d'épuiser le sujet. D'ailleurs, chaque jour, l'argot des jazzmen s'enrichit, comme tous les argots professionnels, de savoureuses trouvailles ; à vous de rester « in the know »», dans le coup, et dans le bain !

ALLIGATOR : fanatique du jazz ; aussi jitterbug (voir ce mot).
BEAT : temps d'une mesure, puis effet produit par le fait de le marquer : pulsation d'une musique.

BARRELHOUSE : par allusion aux anciens cabarets minables de la Nouvelle-Orléans, musique de bas étage, de bastringue.

BACKGROUND : fond sonore.

BALL : employé dans l'expression Have a Ball : se payer du bon temps.

BLOW : souffler. Par extension, jouer de n'importe quel instrument. On criera aussi bien à un pianiste : Blow, man blow ! (vas-y, vieux, rentre dedans !).

BLUES : Suite harmonique de douze mesures sur laquelle sont bâtis des centaines de thèmes mélodiques négro-américains.

BOOGIE-WOOGIE : « Style primitif de piano qui consiste à répéter à la main droite, sur un thème de blues, des figures mélodico-rythmiques très simples, tandis que la main gauche énonce un rythme caractéristique (croche pointée, double croche) et perpétuel » (André Hodeir, *Hommes et Problèmes du jazz, op. cit.*).

BOP ou BE-BOP : terme expliqué dans le texte.

BRIDGE ou PONT : la partie intermédiaire d'un thème.

BREAK : interruption du rythme d'un thème pendant laquelle le mélodique en train de jouer improvise une phrase de son choix.

CAT : Chat... ce qui veut dire musicien de jazz.

CHICK : abréviation de chicken, poulet, signifie : une fille.

COMBO : petite formation instrumentale.

CHORUS : refrain d'une chanson, généralement de 32 mesures. On improvise généralement sur le refrain, d'où l'expression « prendre un chorus ».

DIG : en Jive, comprendre ou apprécier. En français, on dit parfois « tu digues ? ».

FEELING : sensibilité, sentiment.

GROOVE : rainure ; s'emploie dans l'expression « in the groove » et signifie « bien parti », en pleine forme.

GATE : un type.

GIMME SOME SKIN : en jive, « refile-moi un peu de peau », serre-moi la main.

GROWL : sonorité rauque, raclée obtenue sur certains instruments.

GUTBUCKET MUSIC : même sens ou à peu près que Barrelhouse music.

HEP CAT : le gars qui sait tout.

HIP : sophistiqué.

HIPSTER : celui qui est « hip », à qui on n'apprend rien.

JAM : verbe ou nom, improviser ou improvisation.

JAM-SESSION : réunion de musiciens qui improvisent ensemble

pour le plaisir. Dans l'argot des intoxiqués, réunion de fumeurs de marihuana.

JITTERBUG : fana de la danse.

LICK : phrase musicale très « hot ».

LONG-HAIR : chevelu ; se dit d'un qui préfère les classiques ou qui joue démodé. En français, on dit « un barbu ».

MELLOW : « au poil ».

RIFF : motif mélodique et rythmique répété à plusieurs reprises (nombreux exemples dans les disques de Count Basie).

ROCK : bercer. A pris un sens nettement érotique. S'emploie surtout maintenant dans l'expression « Rock and Roll » qui désigne une musique généralement basée sur les harmonies du blues, simple, brutale et efficace, caractérisée par une contrebasse qui « slape » ou fait claquer ses cordes sur le manche de l'instrument, et une batterie qui accentue le deuxième et le quatrième temps de chaque mesure.

RUG CUTTER : expression aujourd'hui un peu démodée qui signifie bon danseur.

REEFER : cigarette de marihuana.

SLOW : lent, désigne aussi le morceau lent lui-même.

SHARP : aigu, en argot signifie le gars vraiment « à la redresse ».

STANDARD : thème classique de la danse.

STRAIGHT : « comme c'est écrit », et sans swing.

SCHMALTZ : musique sirupeuse et « toquarde ».

SOLID : « chouette ».

SQUARE : même sens que « long-hair ».

TEA : marihuana (il y a cent mots pour désigner la drogue. Un des plus récents est : « pot »).

VAMP : vieux style de trombone caractérisé par de puissants glissandos.

VIPER : fumeur de marihuana.

WEED : L'herbe (encore la marihuana. N'en concluez pas que nous vous en conseillons l'usage si vous voulez « piger » le jazz, mais tous ces mots apparaissent fréquemment dans les titres des disques).

★

BIBLIOGRAPHIE SOMMAIRE

Ouvrages écrits en français

Robert GOFFIN : *Nouvelle histoire du jazz* (Les Deux Sirènes, 1948).

Bernard HEUVELMANS : *De la Bamboula au be-bop* (La Main jetée, 1951).

André HODEIR : *Introduction à la musique de jazz* (Larousse, 1948).

André HODEIR : *Hommes et Problèmes du jazz.* (Flammarion, 1954).

Lucien MALSON : *les Maîtres du jazz* (Presses Universitaires, 1952).

Hugues PANASSIÉ : *la Véritable Musique de jazz* (Robert Laffont).

Ouvrages traduits de l'anglais

Frederic RAMSEY et Ch. Ed. SMITH : *Jazzmen* (Flammarion).

Barry ULANOV : *Histoire du jazz* (Corrêa).

Ouvrages non traduits

Ces ouvrages étant difficiles à se procurer, nous nous bornons à signaler le plus récent d'entre eux qui contient une bibliographie de ce qui est possible : la *Jazz Encyclopedia,* de Leonard Feather que l'on peut se procurer à Paris chez Brentano's et qui comporte notamment les biographies de tous les grands jazzmen. Du même auteur, nous avons cité *Inside Be-bop* (Robbins). Nous recommandons encore, dans un genre très différent, une sorte d'histoire du jazz par ceux qui l'ont fait, recueil d'interviews classées chronologiquement réunies par Nat Shapiro et Nat Hentoff et qui est le livre le plus vivant que nous connaissions sur le jazz (*Hear me talkin's to ya,* Rinehart éditeur).

Revues

Les deux grandes revues de langue française sont *Jazz-Hot,* organe du *Hot-Club* de Paris, la plus ancienne revue de jazz qui existe, et *Jazz-Magazine,* plus particulièrement tournée vers l'information. En langue anglaise, *Jazz-Journal* (Londres) et *Down Beat* (Chicago).

★

PHILIPS, n° 07184

« CONSEILS A MES NIECES »

PREMIER CONSEIL : *la boisson*

D'abord, rappelez-vous ce qu'est une surprise-party : une réunion où personne n'est surpris et où personne n'est parti, en principe. J'entends « parti » au sens alcoolique du terme ; sachez, mes chers nièces, qu'il est de mauvais ton pour une pucelle de boire plus que de raison. Ne dépassez donc pas la demi-bouteille de whisky. Et je précise : que ce soit du scotch. Le whisky américain (bourbon ou rye), comme le cognac, laisse le lendemain une forte migraine, et vous interdit en somme de faire deux surprise-parties de suite, ce qui est fâcheux. Le scotch s'adresse, naturellement, à celles d'entre vous qui ont des idées de gauche. Au cas où la droite vous attirerait plus, la vodka est un excellent produit qui, lui aussi, laisse peu de traces.

Ne prenez pas pour contradiction le fait de boire, en fonction de vos opinions politiques, le liquide de l'ennemi. C'est grâce à ces petits rééquilibrages à l'échelle individuelle que notre globe doit de n'avoir point encore sauté.

DEUXIÈME CONSEIL : *la toilette*

Les blue jeans sont la tenue la plus commode pour une de ces surprise-parties moyennes où tout le monde finit au poste de police. Si vous désirez vraiment vous singulariser, vous pouvez choisir une robe simple dans l'armoire de votre mère. Evitez les blue jeans si vous avez plus de cent six de tour de hanches. Au cas où vous auriez l'intention de vous livrer à des danses animées (ces rocks et autres fariboles qui ne réussiront jamais à détrôner le cake-walk et le galop de nos pères, autrement sportifs), je ne saurais trop attirer votre attention sur la nécessité de porter un soutien-gorge extrêmement solide et surtout sans élastique dans le dos. Si la nature, en sa clémence, a évité de vous alourdir de ce côté, c'est tout avantage, mais prenez toujours garde à ces deux dangers éternels, la force centrifuge et l'inertie.

TROISIÈME CONSEIL : *le flirt*

Vous êtes venue à cette surprise-party pour flirter, ou, comme vous dites élégamment dans votre jargon moderne, pour vous « faire » untel ou untel. Sachez qu'ils sont venus exactement dans la même intention. Aussi, bannissant toute hypocrisie, déclarez vos intentions sans circonlocutions sottes à l'objet visé. Cela lui évitera de perdre son temps, et il a un examen à préparer. Il serait juste, puisqu'elles votent, que les femmes prissent leurs responsabilités.

Votre grand-oncle : Gédéon MOLLE.

« CONSEILS A MES NEVEUX »

PREMIER CONSEIL : *l'esprit*

Vous le savez, mes chéris, l'esprit a toujours été la plus jolie parure d'un garçon et vous n'avez certes pas besoin de mesurer des kilomètres de tour de poitrine pour nous séduire, nous autres les femmes. Ce que nous trouvons le plus troublant chez un homme, c'est sa conversation. Peu importent ses biceps du moment qu'il est capable de nous soulever, dans notre robe d'organdi léger qui nous fait paraître papillons diaphanes, afin de nous faire franchir dans ses bras le seuil de la chaumière de rêve où, le lendemain du bal, après une demande en bonne et due forme, il va nous entraîner pour l'amour et pour la vie, pour le meilleur et pour le pire, pour la Patrie et pour la République...

Mais où en étais-je ? Manifestez votre esprit de façon discrète. Si votre cavalière, au hasard de la conversation, s'exclame par exemple : « ... Ce que l'on doit être bien dans les bras de Morphée !... », soupirez, d'un ton négligent : « Saviez-vous que c'est mon prénom ? »

Vous aurez gagné la partie. A vous d'aiguiller votre partenaire de façon qu'elle vous force à déployer les ressources ailées de ce qui dort en votre jeune encéphale.

DEUXIÈME CONSEIL : *l'argent*

Je vous parle en notre nom à toutes : l'argent, sachez-le, ne nous intéresse pas. Un appartement, quelques domestiques, une propriété à la campagne, une petite voiture élégante et des vacances à Capri ou Palma de Mallorca, et nous voilà vite satisfaites. Que votre Cadillac ou votre Jaguar ne vous donne pas de complexes ; Dieu merci, nous savons faire la part des choses et ne souffrirons nullement de voir nos amies plus favorisées rouler en Bentley ou en Continental.

Evitez les sujets d'argent. Il nous suffit d'un coup d'œil pour nous apercevoir que votre chronomètre est signé Patek Philippe ou Ulysse Nardin, que votre complet a été coupé chez Bardot, que vos chaussures sont faites à vos mesures rue Marbeuf et que votre cravate porte le petit label de Sulka.

Parlez-nous d'amour : cela nous comblera.

TROISIÈME CONSEIL : *le flirt*

Vous êtes venus à cette surprise-party pour flirter, ou, comme vous dites élégamment dans votre jargon moderne, pour vous « farcir » unetelle ou unetelle. Sachez qu'elles sont venues exactement dans la même intention. Aussi, fuyant toute franchise, déclarez exactement le contraire de vos intentions, avec de sottes circonlocutions, à l'objet visé. Les femmes adorent perdre leur temps et elles se fichent de leurs examens, qu'elles réussissent avec leur seul décolleté. Il serait juste puisqu'elles ne vont jamais voter, de leur enlever leurs responsabilités.

Votre Grand-Tante : Amélie de LAMBINEUSE.
P.C.C. : Boris VIAN.

PHILIPS, n° 07085

« SATCH PLAYS FATS »

Un hommage rendu à l'immortel Fats Waller
(avec Louis Armstrong et ses « All Stars »)

Il semble impossible que douze ans se soient écoulés entre la mort de Fats Waller et l'enregistrement par Louis Armstrong de quelques-unes de ses meilleures chansons, tant la chaleur dégagée par cette personnalité unique du jazz reste présente et inoubliable.

Louis et Fats ne jouèrent ensemble que durant une brève période de 1925 où tous deux firent partie de l'orchestre Erskine Tate au Vendome Theatre de Chicago. La formation en question accompagnait les films muets ; les entractes sont ainsi décrits par Louis :

« On jouait une ouverture, et juste après, un morceau qui chauffait au rouge. Et je vous le dis, les gars, ça carburait pour de vrai. »

Fats fut aussi grand pianiste et aussi remarquable interprète qu'il était compositeur de talent ; il écrivait d'innombrables mélodies, délicieuses et parfaitement construites. Il reçut ses enseignements pianistiques du maître du piano « complet » — nourri d'accords pleins, dans le style de Harlem — James P. Johnson. Ses vocaux, inspirés des artistes noirs de music-hall avec qui il avait travaillé au début de sa carrière, atteignent, en matière de jazz chanté, le sommet de la clarté et de l'humour.

De son vrai nom Thomas Wright Waller, Fats naquit le 21 mai 1904 à New York. Son père, le Révérend Edouard-Martin Waller, exerçait son sacerdoce à l'église Baptiste Abyssine de Harlem. Fats demeurait dans la 134e rue près de Lenox Avenue, à côté de l'école communale 89, dont il sortit pour entrer à l'école secondaire de Witt-Clinton. Ses parents le destinaient à une carrière musicale « sérieuse », se basant sur les leçons de piano et d'orgue qu'ils lui avaient fait donner enfant ; mais le jeune Tom se mit à jouer du jazz en douce dès avant quinze ans au Lincoln Theatre (pour 23 dollars par semaine) et plus tard dans un cabaret tenu par Leroy Wilkins. Il avait entendu les rouleaux de pianola de J.P. Johnson et appris à les imiter ; en 1919, il fit la connaissance du maître en chair et en os, et ce premier contact aboutit rapidement à une amitié qui ne devait prendre fin qu'à la mort de Fats.

Son prodigieux appétit, qui trahissait un goût prononcé des bonnes choses de l'existence (celles-ci consistant, entre autres, en six côtes de porc au petit déjeuner, une bouteille de gin sur le piano et une cruche du même liquide en réserve près des pédales) valut bientôt à Waller le surnom de Fats (le Gras). Il devait arriver au poids respectable de 130 kilos, répartis de façon majestueuse sur une carcasse puissante de près de 1 m 80. Son sens désarmant de l'humour, mêlé à un grain de diabolisme assez prononcé (que l'on sous-entendrait ultérieurement dans un sobriquet commercial, « Harmful little Armfu ») — accompagnait une disposition véritablement réjouie et d'une générosité peu commune. Count Basie (il n'était que Bill Basie à l'époque) se souvient qu'il connut Fats en 1921 au Lincoln Theatre et admira sa technique à l'orgue ; Fats l'invita bientôt à s'asseoir par terre pendant le spectacle et à observer son jeu de pieds. En peu de temps, Basie devint ainsi un organiste passable. (Il est aujourd'hui l'un des plus grands organistes de jazz). Plus tard. Fats décrocha sa première tournée à Basie, à qui il offrit de le remplacer dans une attraction de music-hall, « Liza and Her Shufflin' Six ». Les musiciens qui travaillèrent avec Fats au cours des années 1930-1940 durant lesquelles sa petite formation fut un numéro de premier plan, constataient fréquemment avec une joie étonnée à quel point Fats était généreux.

Les premières tournées de music-hall de Fats (y compris celle de 1924 où il accompagnait Bessie Smith) prirent un caractère différent lorsqu'il s'aventura dans le domaine de la comédie musicale avec sa parution pour « Keep Shufflin' » monté en 1928 par un de ses supporters, Arnold Rothstein, le joueur de Broadway qui finit si mal. L'orchestre de fosse comportait, aux pianos Fats et son mentor Jimmy Johnson, et Jabbo Smith à la trompette. Ce spectacle fut un des plus longs succès de l'histoire des comédies musicales. Il y eut cinq cent quatre représentations et on dit que les 10 000 dollars investis en rapportèrent finalement 1 million, tout en faisant une vedette de Florence Mills. Fats donna à Broadway deux autres musicaux : « Hot Chocolates », qui fit un gros succès en 1929, et « Early to Bed », monté en 1943 juste avant sa mort, et qui dut son petit succès à la partition de Fats et Mary Small.

Son domaine, c'était surtout l'air à succès, le piano et le chant. « Keep Shufflin' » lui permit de partir en tournée à son compte dans le Middle-West, et à sa tournée suivante, « Hot Chocolates », il eut des engagements jusqu'à Cuba. Fin 1931, il visita l'Europe, passa (avec Sophie Tucker) au Kit Kat Club de Londres, et au

Moulin-Rouge à Paris. A Paris, il conquit l'admiration du grand organiste Marcel Dupré, qui lui obtint l'autorisation de jouer sur les grandes orgues de Notre-Dame. Ses voyages l'emmenèrent jusqu'à Vienne, où il prit des leçons du pianiste concertiste Léopold Godowsky, avec qui il reprit plus tard ses études à New York. (Fats avait également travaillé avec Carl Bohm et resta toujours un fervent des classiques ; il connaissait à fond Bach, Chopin, Liszt et Rachmaninoff, il considérait Bach comme le plus grand homme qui ait jamais existé, les deux suivants étant Lincoln et F. D. Roosevelt.)

A son retour aux U.S.A., pendant l'automne 1932, Fats fut engagé dans le fameux programme « Moon River » de l'émetteur expérimental à longue portée de Cincinnati, WLW, pour jouer de l'orgue ; le programme passait tard le soir et il était attendu de tous les amateurs. En mars 1933, Fats commença une série d'émissions bi-hebdomadaires pour CBS (Columbia Broadcasting Station, intitulées « Fats Waller Rhythm Club », avec un programme d'orgue supplémentaire le samedi soir. Les émissions du Rhythm Club aboutirent à la création permanente d'une petite formation de jazz qui exista durant tout le reste de la carrière de Fats. Le groupement partait fréquemment en tournée ; il apparut dans des films (dont le dernier fut *Stormy Weather*, avec Ethel Waters, Lena Horne, Eddie « Rochester » Anderson et Bill Robinson) et en 1938 passa à Londres, Glasgow, en France, au Danemark et en Suède.

Fats eut au long de sa carrière quelques engagements remarquables. A Soldiers Field, Chicago, il joua, en 1940, devant cent vingt mille personnes... Chaque musicien avait un micro individuel ce soir-là... Une soirée dansante organisée sur un champ de courses de la Nouvelle-Orléans réunit, un autre jour, vingt mille amateurs. Mais il se rappela toujours entre toutes une séance d'été à Hopkinsville (Missouri) où la salle était un cube fermé : quatre murs, un plancher, un plafond et pas de fenêtres. La température montait de seconde en seconde ; les tenues des musiciens se transformaient en paquets spongieux. A la fin, Fats ne put le supporter plus longtemps. « A poil les enfants ! » s'écria-t-il, et il se déshabilla, ne gardant que son caleçon. L'orchestre en fit autant, et c'est ainsi que se termina la séance.

Il n'y eut personne pour mettre en boîte une chanson (fût-elle de lui) comme Fats ; et bien peu de pianistes approchèrent sa classe, même lorsqu'il mettait en boîte une chanson. Il avait une technique prodigieuse, et une main gauche d'une puissance peut-être sans équivalent dans l'histoire du jazz. De tous points de vue, il reste un grand pianiste ; mais considéré dans son temps, c'est un réel géant. Parmi les pianistes de la première grande époque du jazz, l'élite ne comprend guère que Jelly Roll Morton, James P. Johnson, Earl Hines et Fats.

Ses chansons, il les écrivait toujours avec une simplicité, un charme, une perfection d'ensemble qui démentent la rapidité avec laquelle elles étaient conçues. Elles coulent de source avec tant d'aisance et de naturel qu'il est facile de se rappeler une chanson de Fats, et encore plus facile de se dire que ça ne présente aucune difficulté à composer.

De fait, cela n'en présentait pas — pour lui. Il en fabriquait partout, même dans les taxis qui l'emmenaient en ville accompagné de Andy Razaf, son fidèle collaborateur. Leur portefeuille était en général plat comme une galette ; pour payer la course, ils s'arrêtaient sous les fenêtres d'un éditeur de musique et hurlaient : « Ohé ! viens nous dédouaner ! On a une chanson terrible ! » L'éditeur envoyait un garçon muni d'une somme suffisante pour s'assurer les droits ; il ne voulait pas risquer de manquer cette occasion ; peut-être que ce coup-ci, ce n'était *pas* la chanson qu'ils avaient déjà vendu huit jours plus tôt à un confrère ! ! !

La fin de Fats survint à 6 heures du matin le 15 décembre 1943. Il se rendait de Hollywood à New York avec son vieil ami et manager Ed Kirkeby, par le Santa-Fé Chief. Dans les faubourgs de Kansas City, Fats eut une attaque, qui l'emporta le temps que le train entre en gare. Les docteurs constatèrent qu'il avait contracté une broncho-pneumonie.

Le monde de la musique tenta d'exprimer la perte ressentie ; peut-être est-ce le chef d'orchestre Dimitri Mitropoulos qui traduisit le mieux les regrets unanimes :

« Waller était un homme sincère et dénué d'égoïsme, et il s'est dépensé sans compter pour distraire les gens ; il était heureux de rendre heureux les autres... La musique qu'il créait venait d'un cœur affectueux et c'est ce qui faisait de lui une personnalité rare et attachante !... »

★

SATCH

Le premier surnom de Louis Armstrong, lorsqu'il était gosse à La Nouvelle-Orléans, fut Dippermouth ; il le devait à la généreuse dimension de sa bouche, exagérée encore par ses clowneries quand il chantait et dansait dans la rue avec son quartette de copains. On abrégea la chose en « Dipper », et, en même temps apparut une variante, « Satchelmouth ». Ce dernier surnom lui colla moins étroitement mais fut repris plus tard, abrégé en Satchmo, plus commercial, et finalement en Satch. La femme et les amis de Louis l'appellent Louis (l's est silencieux comme en français) mais nombre de musiciens et sa chanteuse Velma Middleton, le nomment Pops.

ANDREAMENTENA RAZAFINKERIEFO

Les vingt-sept lettres ci-dessus représentent le vrai nom du plus proche collaborateur de Fats, Andy Razaf. (Jamais je ne l'ai vu mal orthographié ce qui est assez compréhensible car jamais on ne relit aussi soigneusement qu'un nom de vingt-sept lettres.) Son histoire est encore plus singulière que son nom. Andy est le neveu de Ranavalo III, la dernière reine de Madagascar qui perdit la vie en menant son régiment contre l'invasion française en 1896. La duchesse veuve s'enfuit en Amérique, enceinte d'un fils, Andy, qui naquit à Washington.

Le jeune Andy voulait être poète et il s'intéressait également au théâtre. Forcé de quitter l'école pour gagner sa vie, il trouva une place de garçon d'ascenseur au New Amsterdam Theatre, tout près de Times Square où son idole, Irving Berlin, faisait répéter une partition pour les Ziegfeld Folies au Roof Garden. Razaf rencontra Waller un soir que ce dernier venait de gagner un tournoi de piano dans une salle de Harlem. Ils décidèrent incontinent de collaborer, et découvrirent alors qu'ils habitaient tout près l'un de l'autre. Ainsi commença l'extraordinaire collaboration qui devait produire un certain nombre des succès de ce recueil.

1. *Black and Blue*

Cette chanson « sociale » faisait partie du score de la revue « Hot Chocolates » ; c'est une des nombreuses compositions de Waller qui furent enregistrées par Louis dès leur parution. Marquée ces dernières années par Louis et son admirateur Frankie Laine, elle était pourtant chantée à l'origine par Edith Wilson. Plus vigoureux que le poignant *Blue Turning Grey...*, elle a une beauté mélodique assez voisine ; c'est certainement une des meilleurs compositions, sur tempo lent, de Fats.

2. *Ain't misbehavin'*

La collaboration de Razaf et de Waller se manifeste ici de façon caractéristique. Il leur fallait un thème-leitmotiv pour « Hot Chocolates » ; en 45 minutes, ils « pondirent » *Ain't misbehavin'*, aidés d'un cruchon de gin que Razaf tenait toujours en réserve dans son appartement de la 133ᵉ rue. Comme pour *Black and Blue*, c'est une femme, Margaret Simms, qui la créa dans la revue. La joyeuse et bondissante interprétation de Louis qui figure ici, couronnée d'une série de breaks de trompette solo, est l'aboutissement de plusieurs années de prestations. Louis a mis à la préparer le temps qu'il fallut pour dire : « Hé, Pops, on enregistre *Ain't misbehavin'*, maintenant ? » Il fit un signe de tête à l'orchestre, signala aux ingénieurs de ne pas arrêter le magnétophone et on fit la prise de son. Nous estimâmes superflu d'écouter le résultat !...

3. *I've got a feeling I'm falling*

Ecrite en 1929 avec la collaboration de Billy Rose et Haesy Link, des vétérans de Tin Pan Alley (Broadway), cette jolie mélodie permet à Louis (grâce à la complicité d'un second magnétophone et d'une paire d'écouteurs) de faire un vocal « scat » sur son propre vocal ; l'orchestre transforme la romance en quelque chose d'assez voisin du stomp...

4. *All that meat and no potatoes*

La signification de ce titre n'est apparente ni dans les paroles ni dans l'interprétation, mais quiconque aura l'idée de rechercher ce que les Américains considèrent comme essentiel à la réalisation d'une « belle poupée » pourront l'imaginer aisément. C'est une des meilleures (et des dernières — 1941) chansons humoristiques de Fats. La mélodie facile et les paroles astucieuses servent de cadre à un vocal typiquement jive de Louis et à une percutante interprétation de l'orchestre.

5. *Keepin' out of mischief now*

On peut considérer ce thème comme une sorte de suite à *Ain't misbehavin'*, le sujet général étant le même ; mais l'ensemble est très différent. L'inhabituelle coupe de 20 mesures est un des tours du maître-constructeur Fats. Pour s'amuser, Louis a doublé son vocal de reprise d'un petit obligato de trompette.

6. *Honeysuckle Rose*

C'est le grand triomphe de l'équipe Waller-Razaf. Le succès de « Keep Shufflin' » avait attiré l'attention de Connie Immermann (de la célèbre « Connie's Inn ») sur Fats et Andy. Elle leur commanda des chansons pour une revue, « Load of Coal ». Fats et Razaf commencèrent l'une d'entre elles chez ce dernier à Asbury Park, où sa mère servait toujours à Fats une cuisine extraordinaire, pour qu'il reste et qu'il travaille. Malgré la cuisine de maman Razaf et le gin du fils, Fats partit ce jour-là en laissant le refrain à moitié fini. Andy continua à fignoler le couplet, le donna à Fats par téléphone quand celui-ci rappela, et en retour Fats communiqua à Andy la fin du refrain. C'était *Honeysuckle Rose* qui peu après fut incorporé au show réalisé pour Connie, baptisé finalement « Hot Chocolates ». Louis Armstrong jouait quelques soli dans la fosse avec l'orchestre Leroy Smith à l'époque où le show passa au Hudson Theatre, et il sautait sur scène pour interpréter *Honeysuckle Rose* avec Edith Wilson. Dans la version présente, c'est Velma Middleton qui chante avec Louis après quoi l'orchestre improvise à fond.

7. *Blue turning grey over you*

Ecrite la même année que la parution de « Hot Chocolates », c'est peut-être la plus jolie ballade de l'équipe Waller-Razaf. C'est en tout cas celle que préfère Lucille, la femme de Louis, et à juste titre. Il était rare que les chansons de Fats ne fussent pas marquées d'un caractère mélodique particulier et celle-ci est une de celles qui vont le plus loin sur le plan émotif. Louis en tire le maximum, et cette plage est entièrement Armstrong : exposition du thème à la sourdine, vocal plein de sentiment et solo de trompette ouverte.

8. *I'm crazy 'bout my baby*

Ecrite en 1931 avec la collaboration du pianiste-ami Alex Hill, cette chanson est du Fats le plus joyeux et le plus railleur. Louis l'interprète avec toute la jovialité que Fats y avait mise. Son duo avec le trombone Trummy Young fut improvisé au studio pour remplacer un retour du vocal prévu à l'origine.

9. *Squeeze me*

C'est la première chanson de Fats éditée ; celle-ci aussi était écrite en collaboration avec un autre pianiste, le compositeur de Blues Clarence Williams. L'enregistrement original qu'en fit Louis est un classique du jazz, et celui-ci ne lui cède en rien. Il existe deux couplets à ce morceau ; l'un d'eux a seize mesures et constitue l'ancienne version ; l'autre a douze mesures et c'est la version de l'éditeur. Tous deux figurent ici (le premier par Louis à la trompette au début, et le second par Velma Middleton au vocal). Comme dans *Honeysuckle Rose,* Louis fait un petit duo bon enfant avec Velma Middleton ; puis c'est un chorus partagé par Barney Bigard et Trummy Young pour aboutir à un ensemble mené par Pops.

George AVAKIAN,
(traduction de Boris Vian).

★

PHILIPS, 07.138

AMBASSADOR SATCH

Louis Armstrong and his All-Stars

C'est un souvenir, enregistré sur le vif, de la tournée européenne de Louis Armstrong à l'automne 1955. L'adjectif « triomphale » a été souvent utilisé pour décrire ce genre de promenade artistique, mais ce fut une des occasion où l'on eût été en droit de l'écrire en lettres de six mètres de haut. Le choc produit sur certains pays d'Europe fut tel qu'on s'y battit véritablement pour les places, et en Amérique, le retentissement de l'affaire fit atterrir Louis en première page du *New-York Times* et incita Ed Murrow à lui consacrer une émission de sa célèbre production de sa célèbre production télévisée, «See it Now ».

Félix Belair, correspondant du *Times* à Stockholm, se trouvait à Genève pour rendre compte de la piteuse conférence Est-Ouest qui s'y tenait juste au moment où Louis, au début de novembre 1955 fit ses ravages en Suisse. « *Rien ne sortant de cette conférence* », me dit Belair quand je le rencontrai quelques semaines plus tard à Stockholm, « *j'eus l'idée de parler de ce point intéressant mais jamais évoqué, l'importance du Jazz en matière de relations internationales* ». Pas tout à fait à sa grande surprise, l'article porta : mais à un point qui le stupéfia pourtant. « *Je pourrais écrire un livre rien qu'avec le courier que j'ai reçu et les coupures de presse où on mentionnait mon article dans les journaux des Etats-Unis, y compris les feuilles ultra-réactionnaires, qui n'avaient jamais fait mine de soupçonner que le jazz existât. Et quand je commençai à recevoir des lettres de dingues, je sus que je tenais quelque chose de sérieux !* »

L'article de Belair résumait excellemment l'intérêt de la tournée Armstrong, « *L'arme secrète de l'Amérique est une note blues dans une tonalité mineur* » ; ainsi commençait-il. « *Et en ce moment même, son meilleur ambassadeur est Louis " Stachmo " Armstrong.* » Et Belair soulignait que les diplomates américains ont ignoré de tout temps ce qui ne peut échapper aux Européens, car c'est l'évidence même. Ce que nombre d'Européens qui réfléchissent ne peuvent arriver à comprendre, c'est pourquoi le gouvernement des Etats-Unis avec tout l'argent qu'il dépense pour sa soi-disant propagande en faveur de la démocratie, ne fait pas plus pour subventionner le déplacement sur le continent d'orchestres de jazz et des éléments les plus valables parmi les spécialistes de cette musique... Le jazz américain est devenu un langage universel. Il ne connaît pas de frontières ; mais chacun sait d'où il vient et où il faut s'adresser pour en obtenir davantage.

Louis fut lui-même ravi de tout cela. « *Je sais ce que le jazz signifie pour les gens dans le monde* » dit-il. « *Nous avons joué à Berlin-Ouest pendant la dernière tournée et des gens ont passé la frontière Est-Ouest pour venir nous entendre. Ils n'auraient pas osé le faire pour le ravitaillement. Mon vieux, il y a même des Russes qui sont venus ! Pas un ne parlait l'anglais, mais ça n'a gêné ni eux ni nous. C'est la musique qui s'est chargée de la conversation !* »

Les enregistrements qui composent en presque totalité le

présent recueil ont été gravés au cours de trois représentations, l'une au Concertgebouw d'Amsterdam, les autres dans un théâtre de Milan. Le personnel de l'orchestre figure ci-dessus. C'est à la compagnie Philips, qui représente Columbia en Europe, qu'est revenu le soin de la prise de son. Voici le programme :

Royal Garden Blues ouvre la séance de façon percutante, et met en valeur chacun des éléments de l'orchestre.

Tin Roof Blues vient, on le sait, du répertoire des New Orleans Rhythm Kings, qui l'avaient eux-mêmes empruntés à celui de l'ancien « boss » de Louis, le fameux King Oliver. C'est un des classiques universels du jazz.

The Faithful Hussard, le hussard fidèle, et une chanson que Louis a découverte en Allemagne et qui lui a tellement plu qu'il l'a jouée à plusieurs reprises durant toute sa tournée (jamais il n'est arrivé à se rappeler le titre, d'où son annonce « Huzzah Cuzzar »).

Cette exécution milanaise me fit tant d'effet que, de retour aux Etats-Unis, je fis écrire des paroles américaines à l'intention de Louis qui les grava sous le nouveau titre *Six Foot Four.* Le chorus scat est une addition non prévue suggérée par un « fan » italien qui était dans les coulisse pendant que Ed Hall jouait son solo. Je réussis à attraper l'œil de Louis et il comprit, je ne sais trop comment, que mes contorsions faciales signifiaient qu'il devait chanter « scat ». Il murmura rapidement à Trummy, qui allait prendre son solo, de patienter l'espace d'un chorus, et à la grande surprise de ses hommes, il se mit à chanter des syllabes dénuées de toute signification ; c'était la première fois qu'il le faisait sur ce morceau, et ce fut la seule.

Muskrat Ramble, le classique de Kid Ory, conclut la première partie de ce programme et, de nouveau, « tout le monde est dans le coup ». Le premier solo de Louis se comparera avec intérêt à celui qu'il enregistra jadis avec ses Hot Five trente ans auparavant. (Ou plutôt, pour être précis, vingt-neuf ans, dix mois et sept jours).

All of me, que Louis exécute d'ordinaire avec Velma Middleton, est ici chanté par Louis. Son second vocal, qui suit une expisition du thème typiquement rocailleux, est un vocal « scat » très amusant, couronné par ses propres interventions dans les breaks de la fin.

Le groupement d'Armstrong réussit à mêler la gaieté au jazz sans tomber dans la vulgarité. Son interprétation de *Twelfth Street rag* vue de la salle, est presque un numéro comique, mais à l'enregistrement, on s'aperçoit que ce n'est pas au dépens de la musique. La seule indication sonore de ce qui se passe sur scène, on l'entend avec ces « la-la » qui résonnent au début du chorus de piano, et le break vocal d'Arvel Shaw au dernier chorus, qui constitue une injection incongrue de bop dans un rag parfaitement classique.

A chaque représentation, Louis met ses solistes en valeur dans des exécutions personnelles. Nous avons tenu à conserver les performances de Trummy Young, dans un *Undecided* particulièrement excitant, et d'Edmond Hall, qui, tour à tour, se calme et se déchaîne sur *Dardanella.* Lui-même et Billy Kyle s'entendent spécialement bien (on s'en aperçoit à divers autres endroits du recueil) et le soutient fourni par Billy joue un rôle important dans la réussite du solo d'Ed.

Quant à *West end Blues,* on sait qu'il s'agit là d'un des grands classiques de Louis. Ceux qui ne sont pas en posssession de la version originale sont privés d'une des plus grandes réussites de l'industrie du disque. Et pourtant, le présent enregistrement, qui s'ordonne sensiblement de la même façon, a les mêmes éléments de grandeur et constitue de toutes façons un des meilleurs Louis de tous les temps.

Pour *Tiger Rag,* Louis ne l'avait pas joué depuis un certain temps, et Ed Hall avoua par la suite que l'orchestre n'y avait pas touché depuis son entrée dans la formation en septembre 1955. En discutant avec Louis du choix du matériel pour cette prise, je lui fis savoir que j'étais évidemment désireux d'inclure le plus grand nombre possible d'airs qu'il ne jouait pas trop souvent ces dernières années, uniquement pour varier un peu le programme. Louis pensa à *Tiger Rag* juste avant la seconde partie du dernier show et, rapidement, organisa l'interprétation. Les parties burlesques avec Trummy au début et à la reprise furent improvisées sur scène.

Tout ce spectacle d'après-minuit à Milan, à dire vrai, se déroula autant dans la salle que sur les planches. Un groupe de jeunes Italiens massés aux premiers rangs, s'amusaient visiblement autant que l'orchestre. Soulevés littéralement par la musique, ils gambadaient dans les passages entre les rangs et l'étroit espace qui séparait les fauteuils de la scène. Heureusement, des micros unidirectionnels maintenaient les bruits de salle dans des limites raisonnables, si bien que la musique sort mieux à l'enregistrement qu'elle ne le faisait dans la salle.

A peu près une heure après le dernier show de Milan, nous quittâmes le théâtre et marchâmes un peu dans le froid. Enfin, Giovanni Tollara, un étudiant qui depuis deux jours vivait son plus beau rêve matérialisa soudain un taxi devant nous. (Il n'y a rien de plus vide et de plus gris que Milan en décembre à 4 heures du matin.) Louis s'était crevé pendant l'enregistrement ; il avait débarqué rompu de l'autobus et joué trois spectacles complets, il en jouerait deux le lendemain et il aurait un train pour Florence à prendre avant minuit. Pendant l'après-midi, Ed Hall m'avait dit : « N'ayez pas l'air si inquiet, c'est quand il est fatigué que cet orchestre joue le mieu. — Et qui donc est fatigué ? » demanda Trummy Young, qui se trouvait présentement vautré derrière la scène, sur un banc, la tête appuyée sur l'étui de son trombone, trop vané pour retirer son pardessus. Moi, je m'étais demandé comment ces garçons arriveraient à faire l'enregistrement qui devait se dérouler le soir sur scène. Mais une fois partis, leur fatigue parut s'évaporer, et la musique jaillit comme d'une source.

Quoi qu'il en soit, il y aurait visiblement un solide travail de montage à faire pour tirer le meilleur de nos kilomètres de bande magnétique. « Peut-être que c'est encore trop près », dis-je à Théo Van Dongen, un des directeurs de chez Philips, qui m'avait accompagné à Milan. « Vous croyez qu'on a réussi à prendre la vraie atmosphère de cette tournée ? » Théo sourit. « Si vous étiez Européen, vous sauriez déjà la réponse » assura-t-il. « Vous vous en apercevrez quand vous aurez fini le montage, et ça sera comme si vous nous renvoyiez Louis. Venez, Johnny a trouvé un taxi. »

Et hier soir, j'ai fini le montage. New York était froid, vide et gris. Dans le taxi qui me ramenait chez moi, je me suis dit que Théo avait raison ; mais ce n'est pas seulement Louis qui reviendra avec ce disque : notre cœur sera du voyage.

George AVAKIAN,
(traduction de Boris Vian).

*

FONTANA, série « Géants du jazz »

LOUIS ARMSTRONG

Personnel : Louis Armstrong (trompette, vocal). — Kid Ory (trombone). — Johnny Dodds (clarinette et alto). — Lil Hardin (piano). — Johnny St-Cyr (banjo et guitare). — Dans *You made me love you* et *Irish Black Bottom,* c'est John Thomas au trombone.

□

Entré vivant dans la légende, selon l'expression consacrée qui n'est d'ailleurs pas excessivement heureuse, puisqu'on est obligé de préciser par quelle porte et qu'il s'agit d'une trompette, Armstrong est sans contredit une très grande personnalité du jazz, côté interprètes. Voici déjà trente ans qu'il a atteint le rang de vedette, et voici plus de trente ans qu'il le mérite.

Les présents enregistrements ont été réalisés par Louis en 1926 à Chicago. Johnny Dodds, Johnny St-Cyr et Lilian Hardin (alors Mme Armstrong) avaient déjà travaillé ensemble dans le Creole Jazz Band de King Oliver, et ils composèrent une petite formation de studio pour l'enregistrement. Les connaisseurs considérèrent les faces de cette époque comme la crème de la production de « Louis et son Hot Five » ; c'est pourquoi nous sommes heureux de pouvoir présenter ces dix morceaux, qui font partie de la discothèque de l'amateur au même titre que La Fontaine ou Rabelais font partie de la bibliothèque du lecteur sérieux.

La carrière de Louis et ses détails ont fait l'objet d'une abondante littérature ; on sait qu'il a travaillé avec la formation de Kid Ory lorsqu'il était très jeune, et, par la suite, avec Fate Marable sur les bateaux du Mississippi, avec Fletcher Henderson, et, surtout, avec sa grande idole King Oliver chez qui il tenait l'emploi de second cornet. Lorsqu'il quitta Henderson en 1924 pour diriger son propre orchestre, Louis se trouvait à la tête d'une expérience musicale qu'aucune école n'aurait pu lui donner.

Pour ces enregistrements, délaissant le style orchestral dont Fletcher Henderson, qui devait avoir tant de suiveurs, était le champion, Louis revint à ses premières amours, le style Nouvelle Orléans. Certes, il n'y a pas là un travail d'improvisation collective permanente, et ces faces contiennent de nombreux solos, mais elles figurent cependant parmi les exemples classiques du jazz type de la Cité du Croissant.

Dans *Come Back, sweet Papa* on entend, chose rare, Johnny Dodds au saxo-alto. Dans *Georgia Grind,* c'est Louis et Lil qui se chargent du vocal, et l'on s'aperçoit vite en écoutant *Oriental Strut* et l'introduction de *You're next,* que la jeune pianiste avait fait des études sérieuses ; *Big fat Ma,* et *Sweet Litle Papa,* sont des airs à la mode de l'époque. Ecoutez bien le solo d'Armstrong dans *Sweet Little Papa* et vous repérerez des éléments de *In the mood* qui démontrent qu'après tout, Glenn Miller n'avait pas tout inventé... La forme extraordinaire de Louis se manifeste dans *I want a butter and egg man* bien que l'interprétation vocale de Lil soit plus proche du music-hall que du jazz. Dans *Sunset Cafe Stomp,* qui tire son titre de la boîte fameuse de Chicago, Kid Ory exécute le break fameux sur lequel il devait, environ un an après, baser son *Ory's Creole trombone.* A noter dans les deux derniers numéros, le solo de guitare très swinguant de *You made me love you.*

Aujourd'hui, Armstrong est presque un symbole du jazz — certains l'identifient au jazz lui-même. Ces faces démontrent que dès cette époque, il était en passe de s'imposer comme une des figures fondamentales de l'histoire du jazz.

★

PHILIPS, 429098

LOUIS ARMSTRONG
AND HIS ORCHESTRA

Body and Soul a été enregistré le 9 octobre 1930 à Los Angeles, à une époque où Louis était vedette du New Sebastian Cotton Club Orchestra de Les Hite. Entre autres noms devenus fameux, l'orchestre comptait dans ses rangs des hommes comme Lionel Hampton (drums), Lawrence Brown (trombone) et Marshall Royal (clarinette). Tempo de ballade sur lequel Louis prend un chorus vocal poignant.

Stardust contraste avec la version originale de son compositeur Hoagy Carmichael en ce sens que Louis n'hésite pas à swinguer franchement cette sentimentale composition. Un bon riff termine son vocal, puis il saisit sa trompette et sur un fond de riffs roulants caractéristiques, nous administre la preuve que dès cette époque, il était le plus grand. *Stardust* a été enregistré à Chicago en novembre 1931. On relève, parmi les sidemen, le nom du trombone Preston Jackson et de celui de « Tubby » Hall à la batterie.

I cant give you anything but love fut gravé à New York un peu auparavant, le 5 mars 1929 pour être précis. La présente version débute par un superbe chorus bouché de Louis, suivi par un chorus du trombone Higginbotham. Vocal de Louis, soutenu par Pop Foster, à l'archet, sur sa basse, et la section des saxos. Puis Louis reprend la trompette et accomplit un travail remarquable. Signalons incidemment que l'on peut entendre, à la section rythmique, Eddie Condon et Lonnie Johnson, le premier au banjo, le second à la guitare.

I'm a Ding-Dong Daddy commence par quelques mesures jouées par tout l'orchestre en manière d'introduction à un superbe chorus de Lawrence Brown. On se souvient que Lawrence devait, peu après, entrer chez Duke Ellington. L'orchestre intervient, Brown joue de nouveau, et Satchmo se déchaîne alors en deux stupéfiants chorus vocaux. C'est Franz Jackson qui tient ici le saxo-ténor et on peut encore l'entendre vers la fin.

Ce disque fut enregistré le 21 juillet 1930 à Los Angeles. Ici encore, Louis est accompagné par l'orchestre de Les Hite.

Il existe d'autres enregistrements de Louis Armstrong sur Philips, dont un en particulier a été salué par l'ensemble de la critique comme le plus extraordinaire gravé depuis longtemps par « Satch » (Armstrong plays Handy).

*

FONTANA, 460515

LOUIS ARMSTRONG

C'est au cours d'une tournée en Europe que Louis Armstrong enregistra à Paris les quatre plages qui constituent se microsillon.

A cette occasion, Louis était entouré de musiciens noirs résidant alors dans notre capitale et dont les noms figurent ci-après.

Les thèmes choisis pour cette séance sont trois classiques du jazz, et l'interprétation de Louis, surtout en ce qui concerne le Saint-Louis Blues du compositeur Handy, en fait des pièces de collection, d'autant que ce sont pratiquement les seuls enregistrements qu'il grava cette année-là.

Le mouvement de habanera, du début de Saint-Louis Blues, ne devra pas surprendre ; de tout temps et bien avant l'utilisation massive que devaient en faire les musiciens de jazz à partir de 1945, les rythmes sud-américains, cubains et par conséquent espagnols ont fait apparition dans les orchestres les plus traditionalistes. Il n'y a que les profanes pour s'en étonner. Ce Saint-Louis Blues est d'ailleurs remarquable par la variété des rythmes qu'il présente, et il contient un des rares exemples de chorus où Louis fait usage de la « citation » (ici, une phrase de la vieille chanson « Dixie », très en honneur parmi les troupes américaines en 1917). Faut-il voir dans le fait que le Tiger Rag qui suit comporte aussi un certain nombre de citations une preuve, comme l'ont dit certains, de ce que Louis n'était pas très inspiré à la date où il grava ces morceaux ? La grande forme dont il fait preuve dans *On The Sunny Side*, qui date de la même séance, permet d'en douter ; il est plus vraisemblable de croire que Louis, ayant déjà donné plusieurs versions de ces thèmes, désirait se renouveler, tant par honnêteté professionnelle que par respect du public.

Comme la plupart des orchestres de studio de l'époque, la formation qui l'entoure est sans grand relief et plutôt « lourdingue... » mais les chorus de Louis balaient tout sur leur passage.

LOUIS ARMSTRONG AND HIS ORCHESTRA
(Paris octobre 1934)

avec Jack Hamilton, Leslie Thompson (trompettes), L. Guimaraes (trombone), Peter Duconge (clarinette et saxo alto), Henry Tyree (saxo alto), Alfred Pratt (saxo ténor), Herman Chitison (piano), M. Jefferson (guitare), O. Arago (basse), O. Tines (drums).

On notera encore que *On The Sunny Side* fait l'objet de deux plages, la première entièrement chantée, la seconde consacrée aux chorus de trompette ; on se rappelle qu'à l'époque, la technique ne permettait pas l'enregistrement des morceaux d'une durée supérieure à trois minutes environ sur une face de 78 tours normal.

★

FONTANA, série « Géants du Jazz »
2 septembre 1958

COUNT BASIE

Né à Red Bank (N. Jersey) le 21 août 1904, Count Basie fit d'abord des études musicales sous la direction de sa mère ; par la suite, il acquit un embryon d'éducation « jazz » à l'orgue grâce à Fats Waller. Après avoir végété comme professionnel dans divers endroits à New York, il finit par atterrir à Kansas City et se joignit à l'orchestre de Bennie Moten, dont il devait reprendre la direction à la mort de celui-ci.

C'est au cours de l'été 1935 que John Hammond entendit la formation de Basie (10 musiciens) à la radio. En janvier 1937 l'orchestre fit ses premiers enregistrements de grande formation ; certains de ses membres, dont l'illustre Lester Young, avaient déjà gravé quelques faces.

Durant de longues années, Count Basie joua un peu partout et acquit une renommée internationale. L' « usine », comme on l'appelait, possédait un swing et une puissance d'ensemble peu communs ; grâce à divers arrangeurs de grand talent, parmi lesquels ont peut citer Eddie Durham, James Mundy, l'orchestre acquit un son unique, porté par une section rythmique extraordinaire (Freddie Greene, guitare, Jo Jones, batterie, et Walter Page, basse). Des solistes mondiaux se révélèrent dans ses rangs : ne citons que Young, déjà nommé, Buck Clayton (trompette) et Dickie Wells (trombone) sans oublier le bon Don Byas (saxo ténor) figure maintenant familière du jazz européen.

Les présents enregistrements ont été faits aux dates et avec les formations suivantes :

Blues Skies —
Jivin' Joe Jackson —
Queer Street —
Hight Tide — Tous du 9 octobre 1945 avec :
Ed Lewis, Emmett Berry, Snooky Young, Harry Edison (trompettes) ; Dicky Wells, Ted Donnelly, J.J. Johnson, Eli Robinson (trombones) ; Preston Love, George Dorsey (alto saxo) ; Buddy Tate, Illinois Jacquet (tenor sax) ; Rudy Rutherford (clarinette et saxo basse) ; Count Basie (piano) ; Freddy Greene (guitare) ; Rodney Richardson (basse) ; Shadow Wilson (batterie) ; Ann Moore (vocal dans Jivin' Joe).

The Mad Boogie — 9 janvier 1946
Même formation sauf Snooky Young remplacé par Joe Newman, D. Wells par G. Matthews et G. Dorsey par James Powell.

Lazy Lady Blues —
Rambo —
Stay Cool —
The King — Tous du 4 février 1946
Même formation que le précédent, sauf Love remplacé par Earl Warren et S. Wilson par Jo Jones.

I Ain't Got Nobody — 3 novembre 1950
Formation entièrement différente, où l'on entend C. Basie (piano) ; Gus Johnson (drums) ; Freddy Greene (guitare) ; J. Lewis (basse) ; Clark Terry (trompette) ; Buddy De Franco (clarinette) ; Wardell Gray (tenor sax) ; Serge Chaloff (clarinette basse).

★

PHILIPS, « Jazz pour tous », 07.792

SIDNEY BECHET

Sidney Bechet est entré vivant dans la légende du jazz. C'est lui le grand maître du saxo soprano depuis les années 30, époque à laquelle ses cheveux devinrent prématurément gris. C'est un des meilleurs musiciens qui se soient fait connaître aux premiers temps du jazz à la Nouvelle-Orléans. Bien avant d'avoir acquis la renommée dans son propre pays, il avait été reconnu en Europe comme un extraordinaire musicien. Dès 1919, en effet, le chef d'orchestre Ernest Ansermet, dans la « Revue Romande de Suisse », avait souligné les qualités musicales de Bechet en écrivant ceci : « Quelle chose émouvante que la rencontre de ce gros garçon tout noir avec ces dents blanches et ce front étroit, qui est bien content qu'on aime ce qu'il fait, mais ne sait rien dire de son art, sauf qu'il suit son « *own way* », sa propre voie, et quand on pense que ce *own way* c'est peut-être la grande route où le monde s'engouffrera demain. »

Né à la Nouvelle-Orléans, le 14 mai 1897, Sidney Bechet, dès l'âge de quatorze ans, était recherché par les orchestres de Storyville. Bunk Johnson réussit à l'avoir comme clarinettiste dans son Eagle Band en promettant à la mère de Sidney de lui ramener lui-même son fils à la fin de chaque engagement. Avant même d'avoir vingt ans, Sidney avait fait des tournées au Texas avec l'orchestre de Clarence Willams, poussant même une pointe jusqu'à Chicago en qualité d'acteur et de musicien dans la troupe d'Arthur Bruce. Et lorsqu'il fut à New York, il finit même par partir pour une tournée européenne avec les Southern Syncopators de Will Marion Cook.

C'est à Londres que Sidney prit une décision qui allait jouer un rôle important dans sa carrière musicale. « Le saxophone faisait fureur », dit Bechet, « et je me suis rendu compte que je ne pouvais pas me contenter de la clarinette. Je vis un saxo soprano dans la vitrine et je l'achetai. Je m'aperçus alors que presque personne ne jouait du saxo soprano parce que c'est trop difficile, aussi je me suis dit que ce serait intéressant d'essayer d'y arriver ». C'est ainsi que Sidney Bechet devint le meilleur soprano du monde.

A la suite de son succès européen, éclairé par la clairvoyante prédiction d'Ansermet, Sidney revint aux Etats-Unis en 1922, et joua surtout à New York. En 1925, il regagnait l'Europe, cette fois dans un show dirigé par Louis Douglas où il était à nouveau acteur et soliste. Sidney joua un certain temps à Moscou avec l'orchestre de Benny Payton, mais il rentra chez Douglas en 1925 et parcourut l'Allemagne, la Hongrie, la Bulgarie, la Grèce, la Turquie, l'Egypte et l'Italie. Après être resté un an en France dans la formation de Noble Sissle et un an encore avec Douglas en Hollande, Bechet quitta l'Europe en 1930 pour rejoindre Sissle à New York.

A part un engagement au *Savoy Ballroom* en qualité de chef des New Orleans Feetwarmers en 1932 (le regretté Tommy Ladnier y tenait le cornet) Bechet resta chez Sissle jusqu'en 1937.

Depuis, il a dirigé lui-même sa petite formation, tant aux Etats-Unis qu'en Europe. (Il y eut même une période creuse, le premier hiver qui suivit son départ de chez Sissle, pendant laquelle Sidney ouvrit une boutique de tailleur sur Manhattan Avenue, dans le bas Harlem, et son ami Tommy, comme lui sur le pavé, lui donnait à l'occasion un coup de main). Et Bechet est même revenu sur scène en qualité d'acteur musicien pendant le court laps de temps que dura une production de Broadway intitulée *Hear That Trumpet*. Et en France, il a tourné plusieurs films.

Depuis plusieurs années, Sidney s'est, en effet, fixé en France, où il est devenu une étoile de première grandeur, au point que lorsqu'il se maria, en 1953, sur la Côte d'Azur, ce fut également la première fois que Sidney réussit à figurer en première page des journaux de New York. Son premier mariage ne dura pas ; Sidney s'est remarié depuis et il est fier d'un des plus jolis garçons que l'on puisse voir.

J'ai bavardé avec Sidney dans un restaurant de Paris pendant la semaine de Noël 1955, à propos des enregistrements du présent recueil. Sidney se les rappelait avec plaisir. Ils datent tous de 1947, à une époque où Sidney dirigeait un quartette chez Jimmy Ryan, avec Lloyd Phillips au piano, Pops Foster à la basse, Freddie Moore à la batterie. (Freddie ne joue cependant ici que dans Buddy Bolden Stomp, un stomp entraînant dédié au fameux pionnier de la Nouvelle-Orléans.) Dans les autres morceaux, c'est Arthur Herbert qui le remplace. Les autres morceaux ont été enregistrés avec les Wildcats de Bob Wilber, un groupe de musiciens alors âgés de dix-sept à vingt et un ans, dont le chef était élève de Bechet. Bob y joue de la clarinette tandis que Sidney tient le saxo soprano, sauf dans Kansas City Man Blues, où il joue également de la clarinette. On constatera l'excellence de l'élève en tentant de séparer les deux parties de clarinette. Il est vraiment facile de s'imaginer que c'est Bechet qui joue les deux, et cette remarque vaut également pour I Had It et Polka Dot Stomp. Les membres de l'orchestre de Bob Wilber sont : Johnny Glasel, au cornet ; Bob Mielke ; au trombone ; Dick Wellstood, au piano ; Charlie Traeger, à la basse, et Dennis Strong, à la batterie.

Des divers thèmes originaux de Bechet qui figurent ici, I Had It, But It's all Gone Now est le premier qu'il ait jamais écrit, et Polka Dot Stomp a été son morceau de bravoure pendant des années du temps qu'il jouait chez Noble Sissle.

Peu de musiciens ont jamais joué en solo avec autant de talent. Pendant toute la partie américaine de sa carrière, Sidney a été considéré par les amateurs comme un musicien pour spécialistes, mais son succès en Europe indique qu'il peut toucher un public beaucoup plus vaste et beaucoup plus populaire. La qualité de son travail en est la raison vivante.

Traduction de Boris VIAN,
d'après George Avakian.

★

PHILIPS, 07.020

BIX BEIDERBECKE AND HIS ORCHESTRA

« ... Tout le monde aimait Bix. Ce gars-là n'avait pas un ennemi au monde. Mais, la plupart du temps, il était hors de ce monde. Je me souviens qu'un jour, trois d'entre nous partîmes de très bonne heure jouer au golf ; et nous trouvâmes, sur le terrain, Bix endormi sous un arbre. La veille, il avait eu l'idée de faire un peu de « golf de minuit » et il perdit bientôt toutes ses balles. Alors il s'allongea et s'endormit. Nous l'éveillâmes et il termina la partie avec nous... »

C'est une anecdote entre cent, une anecdote que raconte Russ Morgan dans le beau livre composé par Nat Shapiro et Nat Hentoff où l'on peut apprendre l'histoire du jazz de la bouche même des musiciens qui la vécurent. Hear me talkin' to ya... Rinehart, éditeur, page 151). Elle, et les autres, font comprendre comment Bix, de son vivant ou presque, entra dans la légende, et pourquoi ceux qui le connurent parlent encore de lui comme d'un être pas tout à fait réel, d'un être inquiet, qui se cherchait, qui se sentait mal dans sa peau et que le hasard avait fait naître à une époque dangereuse pour les doux et les faibles, l'époque facile et brillante de la prohibition, de la conquête du monde par le jazz, des gangs et de la grande dépression.

Leon « Bix » Beiderbecke naquit le 10 mars 1903 à Davenport dans l'Iowa. Dès son plus jeune âge, il fut conquis par le jazz ; sa ville natale, située sur le Mississippi, était un lieu d'escale pour les bateaux qui remontaient le fleuve et c'est ainsi qu'il prit contact avec les orchestres de la Nouvelle-Orléans lorsque ceux-ci émigrèrent. Il apprit alors à jouer du cornet, dont il devait toujours préférer la sonorité mate et pleine à celle, plus éclatante mais plus aigre de la trompette. En 1919 il forma un orchestre d'étudiants, les « Wolverines », que dirigeait le pianiste Dick Voynow et qui acquit assez vite une certaine renommée locale. Les enregistrements de ce petit groupement connurent un succès immédiat et le nom de Bix fut bientôt sur les lèvres de tous les musiciens de jazz ; c'était la première fois qu'une formation blanche arrivait à posséder un soliste de cette classe ; Bix s'était mis à l'école des Noirs et avait le sens du jazz. Venu à New York en 1924, Bix y fait la connaissance du saxo Frankie Trumbauer, qu'il rejoint peu après à Saint-Louis. Par la suite, tous deux entrent dans la célèbre formation de Jean Goldkette à Detroit, en 1925. Dès cette époque, Bix malheureusement, s'adonne déjà à la boisson : rien n'existe pour lui que la musique, il néglige sa santé, et « marche » à l'alcool, jouant des nuits entières pour le plaisir. Il entre, toujours en compagnie de Frank Trumbauer, chez Paul Whiteman, qui dirige un orchestre célèbre, mais spécialisé dans les arrangements informes et boursouflés et qui fait peu de place au vrai jazz. On assure que l'une des raisons de la mort de Bix qui survient prématurément en 1931, est l'ennui qu'il éprouvait dans cette formation ; il faut ajouter que le jazz subissait alors une crise totale et que la période des « jam-sessions » en compagnie des copains était temporairement révolue. Bref, à vingt-huit ans, Bix mourut unanimement regretté, sans avoir donné toute sa mesure, laissant le souvenir d'un musicien réellement inspiré, mais incapable de s'adapter à une vie que tout contribuait à désordonner.

Le jeu de Bix est si caractéristique qu'on le reconnaît immédiatement même lorsqu'il n'a que quelques mesures à jouer au milieu d'un arrangement sans intérêt. Cela tient à deux éléments essentiels : son timbre d'abord. Celui-ci est unique. Bix a eu toute sa vie une sonorité qui est un régal pour l'oreille ; lorsqu'il joue, on a l'impression d'entendre les notes à l'état pur. Selon ceux qui le fréquentèrent, Bix ignorait le « canard ». Jamais on ne l'entendit rater une attaque ou saboter un trait. Il avait apprit seul à jouer de son instrument, et certaines phrases laissent penser qu'il utilisait des doigtés personnels ; on sait en effet que sur la trompette ou le cornet existent un certain nombre de notes « synonymes » que l'on peut exécuter de plusieurs façons. De là résulte sans doute aussi en partie le second élément dominant du jeu de Bix : un phrasé extrêmement différent du phrasé de trompette comme Armstrong ou Oliver qui servaient de modèles à tous les musiciens de l'époque. Il apparaît à la lecture de tout ce qui le concerne, que Bix avait un goût prononcé pour la musique « sérieuse », en particulier celle de compositeurs comme Debussy ou Stravinsky : « Il y avait, raconte Pee Wee Russell (*op. cit.*), des choses qu'il aimait beaucoup chez les compositeurs modernes ; pourquoi, disait-il par exemple, ne pas utiliser dans le jazz les gammes par tons entiers ? » Bix était né trop tôt ; le jazz ne s'était pas encore développé au point de se lancer dans les recherches de l'heure actuelle — recherches pas toujours très heureuses, on peut l'avouer... mais qui ne manquent pas d'intérêt lorsqu'elles sont effectuées par des gens de goût ; et cela, Bix n'en manquait point. Il possédait une oreille extraordinaire qui lui permit de tenir sa place dans n'importe quel orchestre bien qu'il fut loin d'être un parfait lecteur.

Nous n'avons pas été maître de la composition du présent microsillon et en outre, les morceaux ne se suivent pas dans l'ordre chronologique de leur enregistrement. Voici l'ordre de l'étiquette : *Face* 1 : Sorry - Ol'man River - Somebody stole my gal - Since my best gal turned me down - Way down yonder in New Orleans — I'm coming Virginia.

Face 2 : In a mist - Ostrich walk - Riverboat Shuffle - Borneo - China boy - Oh, miss Hannah.

Et voici le détail du personnel, les plages étant reclassées selon leur date :

FRANKIE TRUMBAUER AND HIS ORCHESTRA

Ostrich walk et *Riverboat shuffe* (9 mai 1927).
I'm coming Virginia et *Way down yonder in New Orleans* (13 mai 1927)
avec Bix Beiderbecke (cornet), Bill Rank (trombone), Don Murray (clarinette), Frankie Trumbauer, Doc Ryker (saxo alto), Itzy Riskin (piano), Eddie Lang (guitare), Chauncey Moorehouse (drums).

BIX BEIDERBECKE (piano solo)

In a mist (9 septembre 1927).

BIX BEIDERBECKE AND HIS GANG

Sorry et *Since my best gal turned me down* (25 octobre 1927). avec Bix Beiderbecke (cornet), Bill Rank (trombone), Don Murray (clarinette), Andrian Rollini (saxo basse), Frank Signorelli (piano), Howdy Quicksell (banjo), Chauncey Moorehouse (drums).

FRANKIE TRUMBAUER AND HIS ORCHESTRA

Borneo (10 avril 1928).
avec Bix Beiderbecke, Harry Goldfield (cornet), Bill Rank (trombone), Izzy Friedman (clarinette), Frankie Trumbauer, Harold Strick Ludden (alto saxo), Min Leibrook (bass sax), Matty Maleck (violon), Lennie Hayton (piano), Eddie Lang (guitare), George Marsh (drums), et Serappy Lambert (vocal, hélas !)

BIX BEIDERBECKE AND HIS GANG

Somebody stole my gal (17 avril 1928)
avec Bix Beiderbecke (cornet, Bill Rank (trombone), Izzy Friedman (clarinette), Min Leibrook (bass sax), Lennie Hayton (piano), Harry Gale (drums).
Ol' man river (7 juillet 1928)
avec les mêmes sauf Lennie Hayton (piano) remplacé par Frank Signorelli.

PAUL WHITEMAN ET SON ORCHESTRE

China boy et *Oh, Miss Hannah* (3 et 4 mai 1929)
avec Bix en solo.

On remarquera dans la liste ci-dessus le fameux morceau que Bix composa et enregistra lui-même au piano. Sans être un virtuose de cet instrument, il avait appris à en jouer suffisamment pour ses recherches harmoniques. Le thème un peu étrange et les harmonies de *In a mist* témoignent de l'esprit avancé de leur auteur qui n'eut dans sa vie que le malheur d'être un simple musicien de jazz prisonnier de son entourage.

On pourra constater également, rien qu'en écoutant *Sorry*

par exemple, qu'au nombre des musiciens sous-estimés de l'époque, on peut citer le remarquable clarinettiste Don Murray qui fut en outre un excellent arrangeur.

Et l'on voudra bien nous pardonner le vocal de Serappy Lambert dans *Borneo,* qui se passe de commentaires, mais dont on ne peut nier la force comique. Celui de *Miss Hannah* est dû à Bing Crosby. Entre nous, il ne vaut guère mieux...

★

PHILIPS, 426023

BUNNY BERIGAN

Né à Fox Lake (Wisconsin) en 1908, Bunny Berigan est un des deux grands trompettes blancs des années qui précédèrent la Seconde Guerre mondiale ; et, chose curieuse, son destin n'est pas sans rappeler celui de l'infortuné Bix Beiderbecke, à qui nous voulions faire allusion.

Bunny se mit à la trompette tout simplement parce que son grand-père venait de lui en offrir une. Il maîtrisa rapidement ce difficile instrument et joua bientôt dans un certain nombre de formations locales. En 1928, il eut son premier engagement dans un orchestre connu, celui d'Hal Kemp. De là, il gagna l'orchestre Paul Whiteman et finit par s'établir à New York. Il travailla beaucoup pour la radio et participa à de multiples enregistrements, sous son nom ou comme sideman. Sa réputation s'étendit à tel point qu'il fut pratiquement forcé de créer son propre orchestre et c'est alors que les choses commencèrent à se gâter pour Bunny. Il haïssait l'aspect commercial de la carrière de chef d'orchestre et n'avait pas le goût de l'autorité à un degré suffisant pour tenir ses hommes. Bunny était un musicien, et voilà tout : rien d'autre ne l'intéressait, que jouer. Résultat : son orchestre, au départ, ne put réussir à constituer un tout vraiment homogène, surtout en ce qui concerne l'esprit. Il abandonna le rôle de chef, en 1940, pour retourner chez Tommy Dorsey, mais Tommy et lui, avaient du mal à s'entendre et leur association dura peu. Bunny reconstitua donc une nouvelle formation. Cependant, comme Bix, il cherchait dans l'alcool un apaisement à ses soucis et de telle façon qu'il ne put résister à l'épuisement qu'entraîne la vie de tournées aux U.S.A. Il mourut d'une cirrhose du foie à l'Hôpital Polyclinique de New

York, le 1er juin 1942. Le monde du jazz perdait un de ses meilleurs représentants.

Les quatre titres que nous avons choisis pour donner une idée de son remarquable talent, ont été gravés en 1936, à un moment où Bunny se trouvait au sommet de ses moyens. Ce sont des thèmes peu souvent interprétés, ce qui ajoute à leur intérêt musical propre. Voici le détail du personnel :

It's been so long et *Let yourself go*
Bunny Berigan (trompette) - Joe Marsala (clarinette et ténor) - Forrest Crawford (ténor) - Joe Bushkin (piano) - Dave Barbour (guitare) - Morton Stuhlmaker (basse) - Dave Tough (drums).

A melody from the sky
Bunny Berigan (trompette) - Forrest Crawford (ténor) - Artie Shaw (clarinette) - Joe Bushkin (piano) - Morton Stuhlmaker (basse) - Stanley King (drums).

I nearly let love go slipping through my fingers
Bunny Berigan (trompette) - Jack Lacy (trombone) - Slats Long (clarinette) - Joe Bushkin (piano) - Eddie Condon (guitare) - Morton Stuhlmaker (basse) - Cozy Cole (drums).

Ecoutez maintenant la trompette d'un grand musicien disparu. Blow, Bunny, Blow !...

★

PHILIPS, « Petits Jazz pour tous », n° 426021

CHU BERRY

1re série

Leon « Chu » Berry est né en 1910 et a gagné ses galons de musicien en entrant vers 1932, dans l'orchestre de Benny Carter, ce qui correspondait à peu près, à l'époque, à être reçu à l'agrégation. Il quitta Carter pour Charlie Johnson et commença à connaître la renommée en passant chez Teddy Hill, au fameux *Savoy Ballroom de* Harlem. En 1938, il rejoint enfin la formation de Cab Calloway, une des plus connues de l'époque. Il y reste jusqu'en 1941 et, âgé de trente et un ans seulement, meurt subitement dans un accident d'auto le 31 octobre.

Consolation légère pour les jazz-fans, Chu a participé à un

nombre considérable d'enregistrements où il a le loisir de manifester ses dons et son exceptionnelle technique. Chu possédait un sens du « swing » extrêmement remarquable et un style très personnel.

Limehouse Blues : enregistré le 23 mars 1937 avec Hot Lips Page (trompette), George Matthews (trombone), Buster Bailey (clarinette), Chu Berry (ténor), Horace Henderson (piano), Lawrence Lucie (guitare), Israel Crosby (basse) et Cozy Cole (drums).

Ebb Tide et *Chu Berry Jam :* enregistrés à New York le 10 septembre 1937 avec : Irving Randolph (trompette), Keg Johnson (trombone), Chu Berry (ténor), Benny Payne (piano), Dave Barbour (guitare), Milton Hinton (basse) et Leroy Maxey (drums).

At the Clam-Bake Carnival : enregistré sous le nom de Cab Calloway et son orchestre, ce morceau met Chu en valeur. L'orchestre comprend : Doc Cheatham, Irving Randolph et Lamar Wright (trompettes), Claude Jones, Keg Johnson et De Priest Wheeler (trombones), Chauncey Haughton et Andrew Brown (alto saxes), Chu Berry et Walter Thomas (ténor saxes), Benny Payne (vibra et piano), Milton Hinton (basse), Leroy Maxey (drums).

★

PHILIPS, « Jazz pour tous », n° 7876

BARNEY BIGARD — JOHNNY HODGES

De tous temps, l'orchestre de Duke Ellington a été une pépinière de virtuoses. On ne compte plus les noms révélés par Duke au monde du jazz. Cette formation a toujours présenté la caractéristique de constituer une équipe d'une rare homogénéité, tout en laissant à chacun de ses éléments son indiscutable personnalité. C'est que Duke Ellington a toujours composé ses arrangements d'orchestre pour ses musiciens, cherchant à mettre en valeur le style de chacun, et constituant ainsi pour chaque soliste un cadre musical faisant ressortir au maximum ses possibilités.

Parmi les grands improvisateurs qui se sont succédé chez Duke, certains ont, à partir de 1936, enregistré sous leur propre nom avec des équipes réduites choisies dans l'orchestre. Ces faces, que l'on peut considérer sans la moindre hésitation comme ce qui s'est fait de mieux en matière de jazz de petite formation à l'époque précitée, sont assez nombreuses pour que nous ayons pu choisir parmi elles les plus réussies, la « crème des crèmes » en quelque sorte.

Outre le musicien sous le nom de qui elles ont été gravées (Barney Bigard, le fameux clarinettiste de la Nouvelle-Orléans, Johnny Hodges, le spécialiste du saxo alto. Rex Stewart, l'homme à la sonorité étrange, et Cootie Williams, sorte d'ange Gabriel de la trompette), elles comportent toutes des éléments aussi extraordinaires que leur signataire : on y trouve en particulier Harry Carney, le plus grand de tous les saxos baryton, Lawrence Brown, Juan Tizol ou Joe « Tricky Sam » Nanton, trois trombones aux talents extrêmement divers. Billy Taylor ou Jimmy Blanton, ce dernier considéré comme l'inventeur du style moderne de basse (Jimmy Blanton mourut, hélas, très jeune, mais il avait donné déjà toute sa mesure) et des « sidemen » qui ne sont autres que Duke lui-même au piano et l'excellent Sonny Greer à la batterie, parfois relayé par Jack Maisel.

Voici l'essence même du swing. En écoutant ces petits chefs-d'œuvre — et en se rappelant que certains ont déjà plus de vingt ans — on mesurera le degré de perfection auquel est arrivé, dès 1936, le style des petites formations de studio. Ajoutons que le report en a été assuré par les moyens les plus modernes, ce qui fait que ces enregistrements n'ont pas une ride aujourd'hui.

*

« Jazz pour Tous »

BARNEY BIGARD — JOHNNY HODGES

1. *Barney Bigard*

Ce musicien, bien connu en France où il joua à plusieurs reprises (tant dans l'orchestre d'Ellington que, plus tard, dans la formation de Louis Armstrong) possède, à la clarinette, une sonorité jamais égalée. D'une pureté et d'une rondeur inimitables, elle est reconnaissable entre toutes. Comme les autres grands vétérans de l'orchestre Ellington, Barney a eu droit à un certain nombre de pièces écrites spécialement pour lui (on se rappellera le « Clarinet Lament » où il donnait la mesure de ses possibilités).

Caravan, la composition de Juan Tizol, ne perd rien de son mystère très oriental à être exécutée en petite formation. Tizol (qui joue du trombone à pistons et non du trombone à coulisse) y prend un solo excellent.

Stompy Jones, avec ses riffs typiques, est également un grand classique de l'orchestre de Duke.

Minuet in Blues, à peu près inconnu en France, de même que *Pilican Drag* et *Tapioca,* méritait de l'être, on en jugera soi-même ; ces trois morceaux mettent admirablement en valeur la sensibilité et les dons d'invention de Bigard.

2. *Johnny Hodges*

En 1928, la même année que Barney Bigard, Johnny Hodges entra dans l'orchestre d'Ellington, et son jeu était si inséparable de celui de la formation de Duke qu'après un bref laps de temps pendant lequel il quitta l'orchestre, il y est maintenant revenu. Personne n'a travaillé comme Duke pour Hodges, et réciproquement. Ce petit homme mince, que l'on a surnommé « Rabbit » (le lapin) possède, lui aussi, un timbre absolument unique. Sa façon d'attaquer, dans les thèmes lents, la note près d'un quart de ton au-dessous, pour y arriver après une inflexion insensible, la vigueur et la douceur combinées de son jeu, la main de fer que l'on sent sous le gant de velours, pour employer une comparaison éculée, mais que l'on dirait faite pour Hodges, sont illustrées à merveille dans les cinq plages qui sont rassemblées ici.

Swingin' on the Campus, d'un rythme entraînant, *Pyramid* (où l'on a un exemple parfait de ce qui est dit plus haut), *The Jeep is Jumpin',* avec son swing discret et irrésistible, *Jitterbug's Lullaby* et *The Rabbit's Jump* ne sont que cinq perles entre cent chefs-d'œuvre de Hodges.

*

« Jazz pour Tous »

BARNEY BIGARD — JOHNNY HODGES

Personnel et dates

Barney Bigard and his Jazzopaters

Caravan. 19 décembre 1936, avec :
Cootie Williams (trompette), Juan Tizol (trombone), Barney Bigard (clarinette), Harry Carney (baryton), Duke Ellington

(piano), Fred Guy (guitare), Billy Taylor (basse), Sonny Greer (drums).

Stompy Jones. Même date, même personnel.

Minuet in Blues. 22 novembre 1939, avec :
Rex Stewart (trompette), Juan Tizol (trombone), Barney Bigard (clarinette), Harry Carney (baryton), Duke Ellington (piano), Fred Guy (guitare), Billy Taylor (basse), Sonny Greer (drums).

Pelican Drag et *Tapioca.* 14 février 1940, même personnel sauf Fred Guy, absent, et Billy Taylor, remplacé par Jimmy Blanton (basse).

Johnny Hodges and his orchestra

Pyramid. 22 juin 1938, avec :
Cootie Williams (trompette), Lawrence Brown (trombone), Johnny Hodges (saxo alto), Harry Carney (saxo baryton), Duke Ellington (piano), Billy Taylor (basse), Sonny Greer (drums).

Jitterbug's Lullaby. 1er août 1938, même personnel.
The Jeep is Jumpin'. 24 août 1934, même personnel.
Swingin' on the Campus. 27 février 1939, même personnel.
The Rabbit's Jump. 1er septembre 1939, même personnel, avec en plus Billy Strayhorn (piano).

★

PHILIPS, n° 07044

EDDIE CONDON. JAMMIN' AT CONDON'S

Eddie Condon est une institution à divers titres, dont l'un des moindres n'est pas ce bar qui a l'avantage de porter son nom. Dans une ville comme New York, où il est de bon ton d'habiter le quartier Est, on peut considérer comme très caractéristique que cette espèce de bohème qu'est M. Condon ait installé son bistrot au bord le plus extrême-oriental de Greenwich Village. A la vérité, il suffirait qu'il se trouve deux portes plus à l'est encore pour que le plus charitable interprète des très vagues limites de ce Saint-Germain-des-Prés de New York se voie contraint de lui refuser l'appellation contrôlée...

Le présent recueil a été préparé dans l'esprit suivant : on a tenté d'imaginer ce qui se produirait si l'orchestre régulier de chez Condon recevait un soir quelques joyeux amis. J'ai moi-même formulé quelques théories quant à la structure de la chose et pour des raisons de qualité technique, d'une part, et de contrôle en général, tout s'est passé dans les studios Columbia de la 30e Rue ; mais pour le reste, la simplicité d'une vraie « jam chez Condon » a prévalu.

Dans les notes relatives aux différentes phases des enregistrements, vous trouverez des allusions à « l'ensemble maison » et à « l'ensemble des visiteurs ». C'est une façon abrégée de distinguer les éléments permanents de l'orchestre de leurs invités. La section rythmique reste la même, mais les mélodiques se groupent comme suit : « Maison » : Wild Bill Davison, Cutty Cutshall et Edmond Hall ; « Visiteurs » : Billy Butterfield, Lou Mc Garity et Peanuts Hucko. Deux solistes additionnels se sont joints à la session : Bud Freeman, dont le saxo ténor se fait entendre en solo et dans les ensembles, et Dick Cary qui prend des solos de cor alto et se joint à certains riffs, dans *How You Do Me Like You Do* et *I Can't Believe.*

There Will Be Some... est un vieux classique des Anciens de Chicago, dont Eddie est, comme Bud Freeman, un des fondateurs. Le traitement du thème est cette fois un peu différent de celui qu'ils lui faisaient subir à Chicago. Les trois premiers chorus sont pris sur tempo lent en dédoublant la mesure, ce qui leur laisse une longueur de seize mesures. Puis Cliff Leeman exécute un break sur tempo normal et les visiteurs « rentrent dedans » tout au long du morceau revenu à trente-deux mesures primitives.

« *How Come,* etc. » nous parut un beau support pour un traitement extensif, grâce surtout aux larges breaks qu'il permet. Sur cette plage, vous entendrez Condon diriger les opérations ; l'allusion au lac Placide (qui se produit au moment où Dick Cary fonctionne) est due au fait que Dick devait, sitôt l'enregistrement terminé, se ruer là-bas pour son boulot. Les « fanas » de Louis Armstrong, incidemment, noteront avec plaisr le solo de Billy Butterfield, qui est une sorte d'hommage au Maître.

Ah !... une chose encore. Le commentaire d'Eddie à la fin du morceau (« Nothing like a strolling group — rien de tel qu'une formation « de tournée ») ne sera peut-être pas compris des non-initiés. C'est une ancienne expression utilisée jadis par les musiciens pour désigner les formations improvisées. La coda de Bud Freeman pendant l'ensemble final est quelque chose d'assez démentiel, du genre de ce qui peut émerger d'une bande de types réunis par hasard. Eddie en resta vert, mais en écoutant le playback, il reconnut que Bud n'était pas tout à fait tombé dans le filet... Il s'en faut de peu...

Blues My Naughts Sweetie Give To Me fut enregistré au début de la seconde des deux séances qui furent nécessaires pour graver ce LP. C'est un thème pour s'échauffer et il a suffi d'une répétition de chronométrage pour réaliser une prise parfaite.

Un des événements singuliers de 1954 a été, en Amérique, l'accession de *Make Love To Me* au rang des succès populaires, et des New Orleans Rhythm Kings au grade d'auteurs à succès... Ce rebaptême masque, en effet, le vieux *Tin Roof Blues* bien connu des amateurs, et que les fidèles à tous crins de King Oliver désignent même par le premier de tous ses noms lorsqu'ils vous jouent *Jazzin' Babies Blues...* Bref, cette célébrité nouvelle nous sembla un prétexte suffisant pour sélectionner ce thème. En l'honneur de George Brunies, le trombone des NORK, dont le solo devait servir de modèle à tous ceux qui suivirent, Lou Mc Garity prend les deux premiers chorus, en évitant de citer Brunies. L'avant-dernier ensemble est un machin que l'on ajoute traditionnellement au thème initial, et personne ne sait qui est à l'origine de cette tradition. La phrase semble cependant dérivée de la même ligne mélodique populaire dont Handy se servit aussi pour composer son *Aunt Hagar's Blues.*

J'avais toujours eu envie d'essayer ce que donnerait la combinaison de deux thèmes rapides liés par un brusque changement de tonalité et heureusement Eddie est toujours prêt à risquer le coup pour ce genre de choses. Outre que ce pot-pourri doit battre le record du nombre de mots pour deux titres seulement, il a laissé aux musiciens la possibilité de tasser pas mal de musique en cinq minutes trent-huit. Six de ces douze chorus sont de l'espèce « chasse », c'est-à-dire de ceux où les musiciens se répartissent les chorus par fractions (on dit, en France, chorus-réponse). Les deux premiers sont pris sur un thème de seize mesures (*Sugar,* etc.) et les solistes alternent toutes les quatre mesures. Ed Hall effectue la modulation, puis viennent deux chorus-réponse de huit mesures, et trois chorus d'affilée où huit hommes se répondent quatre mesures par quatre. Vous consulterez votre journal habituel pour la pression barométrique et l'altitude...

George Avakian,
(traduction de Boris Vian).

*

PHILIPS-JAZZ POUR TOUS, n° 07 872

JOHNNY DODDS ET KID ORY

1° JOHNNY DODDS

« ... Johnny tenait en haute estime la bonne musique et les bons musiciens et il détestait les musiciens qui voulaient faire du jazz avec de la mauvaise musique... »

Celui qui s'exprime ainsi connaissait bien Johnny Dodds, puisque c'est son frère, dont les propos sont rapportés par Hentoff et Shapiro dans leur excellent ouvrage : *Hear me Talkin' to ya.*

Johnny naquit à la Nouvelle-Orélans en 1892 et joua très tôt de la clarinette. A dix-neuf ans, il entra dans le groupement de Kid Ory, avec qui il partage le présent recueil. L'orchestre de Kid Ory était déjà très connu à la Nouvelle-Orléans. L'histoire de Johnny Dodds est celle d'un excellent professionnel : tantôt en tournée, tantôt dans des formations sédentaires, il n'a jamais cessé d'être apprécié des musiciens et n'a connu le chômage que la crise de 1929 venue. Entre-temps, il a fait partie des plus célèbres ensembles et a enregistré une impressionnante quantité de faces, puisqu'on relève son nom sur près de deux cents disques. Il est pratiquement toujours resté dans de petites formations, se consacrant à l'improvisation exclusivement. Il a joué chez King Oliver, chez Louis Armstrong, et il a gravé un certain nombre de cires sous son propre nom. Comme beaucoup de jazzmen de sa génération, il a cessé pratiquement toute activité aux environs de 1930, ne faisant que deux séances entre cette époque et sa mort, survenue en 1940.

Johnny Dodds est considéré par les spécialistes de ce style comme le plus spécifiquement « Nouvelle-Orléans » de tous les clarinettistes. Son jeu a été analysé notamment par Rudi Blesh dans son ouvrage *Shining Trumpets.* Blesh a étudié le vibrato de Dodds en faisant passer ses disques au ralenti et observé que tout en restant parfaitement régulier, il présente deux caractères distincts selon qu'il s'agit d'un breaks ou de blue notes. Il est certain que la sonorité de Dodds est immédiatement reconnaissable et une étude plus approfondie encore permettrait assurément d'en dégager d'autres éléments « mécaniques ».

C'est encore Blesh qui, un peu plus loin, commente ainsi le travail de Dodds à propos des faces gravées pour Columbia en 1927 :

« Au moins cinq de ses enregistrements sont des chefs-d'œuvre. *Perdido street* et *Too tight* présentent Johnny Dodds au sommet de son génie, auquel personne n'a jamais atteint. *Gatemouth* et *Papa Dip* sont pris dans le style marche le plus brillant et le plus fougueux..., et *I can't Say* est un simple air populaire transformé par le jazz en quelque chose d'un phrasé presque classique... »

Et si vous regardez la liste des faces que nous vous présentous ici, vous retrouverez, simplement, ces cinq titres ainsi que quelques autres !...

2° KID ORY

Quant à Kid Ory, c'est du banjo qu'il joua d'abord... et quel banjo ! il se l'était fabriqué lui-même avec de vieilles boîtes à cigares... Kid forme son premier orchestre à treize ans, dans la petite ville de Laplace, où il habite, à cinquante kilomètres de la Nouvelle-Orléans. On est alors en 1902. Les membres de l'orchestre ont tous à peu près le même âge... et des instruments du même genre ; une chaise tient lieu de batterie. Ils « se défendent » aux réunions locales, bals et pique-niques. Peu à peu, Kid Ory économise de quoi se payer un vrai instrument, et il choisit le trombone. Vers 1911, il se fixe à la Nouvelle-Orléans. Il a alors dans sa formation Johnny Dodds à la clarinette et, au cornet, King Oliver. Son orchestre se nomme le Kid Ory's Brownskin Band ; tous des Noirs, et fiers de l'être, car dès alors, ils ont à supporter la concurrence des musiciens blancs qui jouent à l'imitation des créateurs authentiques. (Ce que l'on est généralement convenu d'appeler « musique Dixieland » est le jazz blanc de la Nouvelle-Orléans, et par extension, toute musique créée d'après le style authentique N.O.) En 1917, Louis Armstrong remplace dans la formation d'Ory, King Oliver, qui est parti pour Chicago. Par la suite, Ory monte lui-même à Chicago et retrouve ses collaborateurs devenus, eux aussi, célèbres.

C'est le début de toute une série d'enregistrements aux côtés des plus grands noms du jazz authentique d'alors.

Et cette même année de la dépression où tant d'artistes disparaissent de la scène, Kid Ory semble s'éclipser lui aussi. En 1931, il passe à un autre genre d'exercice et se met, en compagnie de son frère, à l'élevage des poulets...

Orson Welles, alors producteur de radio le redécouvre en 1944, et, plus gaillard que jamais, Kid Ory recommence à jouer et à enregistrer.

Et il continue, puisqu'en 1956 il est venu donner une série de concerts en Europe.

On s'accorde généralement à reconnaître en Kid Ory le maître du trombone « vamp », des longs glissandos, des basses baladeuses et allègres. Il a été le chef de file de toute une école et a marqué d'une empreinte indélébile le jazz de son époque.

Traduction de Boris Vian,
d'après Georges Avakian.

★

PHILIPS, n° 429 210

DUKE ELLINGTON

et son orchestre « Blue Light »

Voici quatre enregistrements réalisés par Duke Ellington en 1938-1939 qui comptent parmi les plus remarquables de cette période particulièrement fructueuse de son activité. On peut en dire qu'ils n'ont pas une ride, et c'est banal, mais la constatation que l'on en peut faire est aussi banale puisqu'il suffit de poser le disque sur son pick-up et de jouer... Ces quatre compositions ont en commun une atmosphère rêveuse et « bleue » typiquement ellingtonienne : méditative, tendre, et en même temps sensuelle et toujours pourvue de ce swing perpétuellement sous-jacent aux exécutions d'Ellington, même sur les tempos les plus calmes et les plus détendus.

A Gyspy without a song. Prelude To a Kis et *Blue Light* ont été enregistrés par la formation suivante :

Wallace Jones, Cootie Williams, Rex Stewart (trompettes) ; Joe Nanton, Juan Tizol, Lawrence Brown (trombones) ; Barney Bigard (clarinette) ; Otto Hardwick, Johnny Hodges (alto saxos) ; Harry Carney (saxo baryton) ; Duke Ellington (piano) ; Billy Taylor (basse) ; Sonny Greer (drums).

Finesse, dont les amateurs français connaissent déjà une remarquable version due à Barney Bigard, est enregistré ici par Duke, Johnny Hodges et Billy Taylor et la présente matrice n'avait jamais été éditée jusqu'ici en France.

★

PHILIPS, PETITS JAZZ POUR TOUS, n° 429 380
(28 février 1958)

DUKE ELLINGTON

Edward Kennedy « Duke » Ellington est né à Washington le 29 avril 1899. Venu à la musique vers 1916, il devait acquérir peu à peu une des premières places sur le marché des orchestres de jazz et la première, indiscutablement dans le domaine de la composition. D'une veine mélodique intarissable, il a su se créer un style d'orchestration extrêmement personnel et reconnaissable entre tous. Les quatre morceaux que nous présentons ici ont été enregistrés en septembre 1932 ; mieux que n'importe quelle étude, ils montrent à quel point Ellington était déjà en avance sur son époque.

Composition de l'orchestre :

Ducky Wucky et *Blue Mood* — 19 septembre 1932.

Duke Ellington and his Famous Orchestra, avec Cootie Williams, Arthur Whetsel, Freddie Jenkins (trompettes) ; Joe Nanton, Lawrence Brown, Juan Tizol (trombones) ; Barney Bigard (clarinette) ; Johnny Hodges, Otto Hardwick, Harry Carney (saxes) ; Duke Ellington (piano) ; Fred Guy (banjo) ; Wellman Braud (basse) ; Soony Greer (drums).

Jazz Cocktail et *Lightnin'* — 21 septembre 1932 :

Même personnel.

★

PHILIPS, PETITS JAZZ POUR TOUS, n° 429 534

DUKE ELLINGTON'S

SPACEMEN

Clark Terry, trompette.
Paul Gonsalves, saxo téno.
Jimmy Hamilton, clarinette.
Sam Woodyard, drums.

John Sanders, trombone.
Quentin Jackson, trombone
Britt Woodman, trombone
Jimmy Woode, basse.
Duke Ellington, piano.

A priori, il semble difficile de faire un choix parmi les meilleurs membres de l'orchestre de Duke Ellington, tant cet orchestre contient de bons musiciens. Néanmoins, Duke a sélectionné huit de ses « all stars » pour une « swinging session ». Pourquoi ce groupe a-t-il pris le nom de « Spacemen » ? Les historiens du jazz auront du mal à en fournir l'explication. Tout ce qu'on peut dire, c'est qu'à ce moment même, le premier satellite américain était placé sur son orbite. Faut-il donc penser que Duke a l'intention de divertir les futurs passagers à destination de la Lune ? Encore ne doit-on pas s'attendre à le voir prendre place à bord d'un vaisseau de l'espace car, à moins qu'il ne change ses habitudes, on peut être certain que Duke se rendra dans la Lune par le chemin de fer.

Bass-Ment. — Cette composition, qui a été créée il y a quelques années par Duke, n'avait jamais été enregistrée auparavant. Elle est interprétée ici par Jimmy Woode et Duke qui nous donne un excellent solo de piano.

Body and Soul. — Ce classique pour saxo ténor, interprété comme il se doit par Paul Gonsalves dans son style propre, est en fait, une re-création. Il se laisse aller à un long chorus inspiré, qu'il fait suivre de trois autres chorus très « enlevés ».

Saint-Louis-Blues. — Duke témoigne de son respect envers Handy en prenant lui-même le premier solo. Terry, Gonsalves et Hamilton font ensuite alterner les chorus.

Les « Spacemen » sont officiellement lancés. Cette formation vive et spontanée, comme toujours, dénote chez Duke Ellington un souci de nouveaux modes d'expression. Nous attendons avec impatience une nouvelle session.

*

FONTANA, n° 462 005

CHICAGO STYLE

BUD FREEMAN ET SON ORCHESTRE

Personnel : Max Kaminsky (trompette) ; Jack Teagarden (trombone) ; Pee Wee Russell (clarinette) ; Bud Freeman (saxo ténor) ; Dave Bowman (piano) ; Eddie Condon (guitare) ; Mort Stuhlmaker (basse) ; Dave Tough (drums).

Entre 1925 et 1930, de jeunes musiciens blancs de Chicago, influencés par les progrès surprenants que de grands pionniers du jazz, tels Armstrong, Oliver, etc., avaient fait faire à leur art, alors sur le point de connaître une consécration mondiale, acquirent un style caractéristique connu depuis sous le nom de « style Chicago ». Se mettant honnêtement à l'école des maîtres, ils n'en finirent pas moins par manifester un certain nombre de qualités originales et par constituer une véritable école musicale. Le caractère le plus intéressant de ce style Chicago est l'enthousiasme collectif de ses représentants. S'exprimant dans l'idiome du jazz noir, mais marqués par l'influence d'autres personnalités musicales telle celle de Bix Beiderbecke, les Chicagoans ont apporté au jazz un certain nombre d'enregistrements de valeur dont on ne peut nier le charme.

Bud Freeman, né à Chicago le 13 avril 1906, fit ses débuts dans le fameux « Austin High School Gang ». Il a joué dans tous les groupements connus d'alors, comme presque tous ses camarades. Son jeu souleva l'enthousiasme des premiers critiques européens et si cet enthousiasme a parfois été renié depuis, c'est tout à fait injustement à notre avis. Avec ses qualités et ses défauts, considéré dans son époque, Bud Freeman reste un excellent musicien, improvisateur original et vivant, plein de « punch » et souvent d'humour, et qui mérite une place dans la galerie des grands jazzmen des années trente.

Les quatre plages que nous vous présentons ici ont toutes été enregistrées en 1940, le 23 juillet, et recréent parfaitement l'atmosphère des séances qui avaient mené leurs auteurs à la célébrité, avec l'avantage d'une meilleure technique de prise de son.

★

PHILIPS, JAZZ POUR TOUS, n° 7 823

ERROLL GARNER

Voici un recueil particulièrement réconfortant du grand pianiste Erroll Garner ; réconfortant parce que, lorsqu'il le grava, il sortait tout juste de l'hôpital et se demandait, non sans inquiétude, s'il allait être aussi en forme que de coutume.

Il était donc, au départ, un peu nerveux, plus silencieux qu'à l'ordinaire, et lorsqu'il commença à jouer, sa nuque et ses épaules présentaient une raideur inhabituelle. Cependant, il se détentit très vite et la séance se déroula de façon typiquement garnérienne ; en trois heures et demie, il exécuta dix-neuf morceaux, soit 97 mn 2 s ; les règles de l'Union Américaine des musiciens voulant que l'on paye le tarif correspondant à 3 heures d'enregistrement pour 15 minutes de musique, nos compères avaient donc gagné le montant de 8 heures et demie supplémentaires...

Séance agréable, amusante, pleine de bonne musique, avec son contingent habituel de serviettes (Erroll les apporte dans une valise pour s'éponger entre deux prises).

J'avais eu, pour la première fois, l'impression que le « retour » d'Erroll serait rapide, en passant à l'hôpital quinze jours auparavant, histoire de voir si l'Homme de Fer (c'est son surnom) était hors de course. J'avais avec moi Michel Legrand, cet extraordinaire arrangeur venu faire une T.V. à New York avec Chevalier ; c'est en se rendant à la Columbia pour rencontrer Michel que Garner avait eu un accident de taxi, et ils se rencontraient enfin.

Michel ne parle pas anglais, Erroll ne parle pas français — mais leurs gestes, leurs yeux et leurs sourcils suffirent à établir entre eux une amitié rapide.

Nous regardâmes sur le petit écran un match de baseball ; malgré mes explications, Michel saisit vite le principe du jeu et commenta la rencontre avec Erroll.

Les Dodgers marquèrent ; Erroll demanda qu'on lui remonte son lit. Puis ce furent les Géants, et au neuvième tour, Willie Mays, au centre-arrière, fit une prise sensationnelle.

— Oh !... grogna Erroll, *that man's too much !...*

— Il est formidable, s'exclama Michel.

Campanella doubla vers la gauche.

— What a shot ; cria Erroll.

— Bien frappé ; cria Michel.

Sur un coup dur, Erroll gémit :

— *No goodnik...*

Tandis que Michel jurait :

— Espèce de salaud !

Cette séance me permit de constater l'excellent état des réactions de Garner ; en le quittant, j'étais sûr qu'Erroll se remettrait vite... Et ce disque en est la preuve.

Girl of My Dreams est typique du « Garner rock ».

But not for me, joli thème de Gershwin, est pris sur un tempo rapide inhabituel.

Full moon and empty arms est devenu beaucoup plus garnérien que rachmaninoffesque...

Ol' man river est du Garner déchaîné, toutes voiles dehors ; la contribution de ses compagnons est particulièrement remarquable.

Passing Through, fluide et léger, plein de délicatesse et de swing.

Time on my Hands, encore un modèle d'interprétation garnérienne typique : exposition du thème « sur la pointe des pieds » suivie d'une série d'inventions éblouissantes.

The way Back Blues, avec Specs qui prend le tambourin au bout d'un petit moment, évoque toute la joie d'une « rent party » en pleine action.

Alexander's ragtime band démontre que Garner n'a pas besoin de quitter son tabouret pour faire à lui seul une parade de rue...

D'après George AVAKIAN,
adapté par Boris Vian.

★

PHILIPS, n° 07 170

ERROLL GARNER... SUR SCENE

A une époque où les artistes de jazz apparaissent de plus en plus souvent sur scène, il peut sembler surprenant qu'il ait fallu attendre 1956 pour voir réalisé un microsillon contenant l'enregistrement d'un récital de Garner. La raison est assez simple : personne n'y avait encore pensé, bien qu'Erroll soit un de ces musiciens propres à créer un contact et une atmosphère entre le public et lui.

Ce fut pourtant l'un des premiers instrumentistes de jazz à donner un récital d'une soirée entière au Music Hall de Cleveland, le 27 mars 1950. Martha Glaser, qui présenta ce concert, fut aussi la productrice et la réalisatrice de celui qui fait l'objet du présent enregistrement, à Carmel en Californie. Jimmy Lyons, disc-jockey (actuellement à la station KDON de Monterey) dont les connaissances en jazz et le soutien qu'il a apporté aux musiciens de la West Coast sont légendaires en Californie Nord, fut l'initiateur du récital.

Erroll a souvent déclaré aux interviewers que sa musique reflète tout ce qui l'entoure : comme il le dit lui-même « je joue tous les bruits que j'entends ». Les conditions préliminaires à cette manifestation furent idéales, et son jeu en témoigne. Il arriva à Carmel au coucher du soleil, venant de San Francisco par la route côtière du Pacifique en compagnie de ses accompagnateurs. C'est une des plus belles routes des Etats-Unis. L'atmosphère de Frisco, de Carmel, l'océan, la promenade et la bonne humeur de ses acolytes durant tout le trajet se reflètent dans le jeu d'Erroll.

Jamais il n'a été dans une forme aussi exceptionnelle. Improvisant avec un sens de la construction que possèdent bien peu de musiciens, il exécuta un programme impeccablement calculé, développé de façon stimulante et pétillant d'enthousiasme. A trente-trois ans, Garner est un géant du piano depuis si longtemps déjà que l'on a tendance à trouver cela tout naturel. Cet album est la meilleure des présentations pour ceux qui n'ont pas encore eu l'occasion de devenir des « fanas » d'Erroll ; et il est encore plus excitant pour les partisans fidèles, ceux qui disent « Erroll, c'est notre homme ; il est toujours formidable », mais qui n'ont pas examiné d'assez près son évolution continuelle à l'intérieur d'un style de structure unique.

Les conditions, disions-nous, furent idéales. La salle, une ancienne église gothique, avait une acoustique parfaite. Le public réagissait totalement à la moindre nuance.

Le contenu de ce microsillon a été essentiellement déterminé par ce qu'Erroll n'avait pas encore enregistré pour Columbia. Tout ce qu'il joua fut d'une qualité musicale extraordinaire, chose habituelle avec lui dès la première prise ; aussi nous nous sommes contentés de laisser de côté les morceaux déjà enregistrés qu'il joua en bis.

I'll Remember April est devenu un thème standard du jazz. Erroll le joue avec son fameux décalage, qui donne l'impression qu'il cueille les notes dans le piano au lieu de les produire en appuyant sur les touches. Les rires et les applaudissements qui fusent au moment où le public reconnaît le thème après une introduction typiquement garnérienne sont devenus une marque caractéristique des concerts de notre homme.

Dans *Teach Me Tonight*, il swingue au maximum. Il s'empare à tel point de ce thème un peu sirupeux qu'un ami qui écoutait le souple dans mon bureau me demanda : « Qu'est-ce que c'est que ça ? un nouvel air ? » Et lorsque je lui dis que c'était un succès populaire, il s'exclama : « Mais alors, ça a sûrement été écrit pour Erroll. »

Avec *Mambo Carmel*, Erroll taquine le Sud-Amérique ; il a un goût assez vif pour ce rythme, tout en ne cessant pas un instant de le traiter de façon jazz. Naturellement, ce morceau ne portait pas de titre au moment où il le joua ; il le mettait au point depuis quelques concerts et le nom adopté colle parfaitement à l'esprit de l'improvisation.

C'est avec une ivresse toute gauloise qu'Erroll caresse *les Feuilles mortes* et un abandon parfaitement garnérien qu'il se rue sur *It's All Right With Me,* lançant çà et là, en fin de phrases, des accords inattendus.

Red Top est un blues bop classique, agrémenté de citations ironiques, M. Garner revient à Paris avec *April in Paris,* qui est à nouveau une combinaison de trendresse et de solide érotisme. Le légendaire « amble garnérien » réapparaît ensuite dans *They Can't Take That Away From Me ;* décidément, Garner et le seul qui puisse mener comme un tambour-major tout en restant assis, et swinguer en même temps.

How Could You Do A Thing Like That To Me est connu du public français sous deux autres titres ; c'est une composition du trombone Tyree Glenn enregistrée déjà par ce dernier sous le nom *Working Eyes* et par Ellington, avec Tyree, sous celui de *Sultry Serenade.* C'est aussi un classique du jazz maintenant. *Where or When* est pris sur un tempo d'une rapidité inaccoutumée et le premier chorus donne fortement l'impression de rythmes binaire et ternaire superposés.

Et la série s'achève avec *Erroll's Theme,* un joli petit morceau buesé qui est son indicatif et, se prolonge par quelque chose d'unique dans les annales des concerts Garner ; le concert avait obtenu un tel succès que pour arriver à récupérer Erroll, Jimmy Lyons dut lui demander un discours de clôture. C'est l'un des plus courts qui aient jamais été prononcés sur une scène et nous n'avons pu nous résoudre à le couper.

Accompagnant Erroll, vous entendez ici Denzil Best à la batterie et Eddie Calhoun à la basse. Et la voix qui résonne parfois comme celle de Toscanini encourageant des hommes, c'est celle de Garner, conduisant activement avec sa tête, ses mains, ses épaules et ses cordes vocales. Comme toujours, Erroll se donne à fond ; il y eut deux entractes et la fin de chaque série le vit pantelant et trempé ; heureusement, il avait eu la présence d'esprit de prendre trois complets de rechange... qu'il utilisa tous les trois.

Tandis que j'écrivais ces notes, Garner préparait une autre apparition en récital au Town Hall de New York, où il passa pour la première fois en 1950. Souhaitons au public français de le voir bientôt en chair et en os et aussi en forme qu'ici. En attendant, voici Erroll Garner... sur scène !

D'après George AVAKIAN,
Traduction de Boris Vian.

★

PHILIPS, n° 07 046

ERROLL GARNER

« GONE-GARNER-GONEST »

Un des attraits de l'industrie du disque, c'est que l'on y a l'occasion de rencontrer Erroll Garner. Non seulement c'est un des plus grands pianistes qui aient jamais reposé leur séant sur un tabouret, mais c'est aussi un garçon avec qui c'est merveilleux de travailler.

Ceux d'entre vous qui ont déjà ses disques précédents et qui se rappellent mes commentaires concernant son extraordinaire aisance au studio, savent que c'est une expérience unique d'enregistrer Garner. Impossible de rêver artiste plus commode. On arrive, on remplit les feuilles d'enregistrement, on s'assure du fonctionnement de l'intercommunication entre le studio et la salle, et à partir de ce moment-là, à moins de voir un micro exploser, la table se désintégrer ou le plafond vous choir sur le crâne, rien ne peut plus aller de travers. De fait, toutes ces éventualités ont un coefficient de probabilité assez réduit — mais il serait encore plus normal de voir arriver quelque chose de ce genre que de voir le surprenant M. Garner rater une face. Il n'y a personne chez Columbia qui puisse se rappeler avoir entendu Erroll se tromper ou ne pas réussir à mettre en boîte une face au premier essai. Et personne ne se souvient non plus d'avoir vu Erroll savoir ce qu'il allait enregistrer avant que la lumière rouge ne s'allume...

Erroll joue réellement d'oreille. Ses séances d'enregistrement sont improvisées au sens fort du terme, et le résultat, c'est qu'il crée vraiment une musique formidable. Visiblement, c'est un exécutant de tempérament unique ; jamais je ne l'ai entendu autrement qu'au voisinage du sommet de sa forme et le sommet de sa forme, c'est quelque chose qu'il est donné à bien peu de pianistes de pouvoir espérer égaler... Garner compris ! Inutile d'ajouter que le Garner des jours moyens est déjà supérieur à la plupart des pianistes.

C'est Garner qui a poussé à sa perfection la conception d'une pulsation retardée utilisée en vue de renforcer la tension d'une interprétation jazz. C'est également un des musiciens qui peuvent se déchaîner sans jamais risquer le mauvais goût ; il peut jouer avec une extrême sentimentalité ou partir comme en 14 et swinguer comme un démon : il est rempli d'imprévu et reconnaît qu'il lui arrive régulièrement de se surprendre lui-même.

Ce qu'il y a peut-être de plus fascinant chez lui, c'est que, visiblement, il adore jouer. Je ne connais pas un musicien qui se divertisse si totalement à travailler, que ce soit dans une boîte ou dans un studio. Et si ce que je dis est faux, alors Garner est un des plus grands acteurs du monde. Il a des sourcils d'une éloquence rare et un sourire qui n'a pu prendre naissance qu'au plus profond d'un cœur affectueux. Erroll est capable de susciter des fanatiques avec une vitesse que Tazio Nuvolari lui eût enviée.

Et ce n'est pas un hasard si je choisis Tazio Nuvolari comme terme de comparaison, car Erroll possède comme lui ce contrôle incroyable, cette audace et ce sens dramatique qui firent du Démon de Mantoue ce géant de la course automobile dont on attendra longtemps le semblable. Si vous voulez bien me pardonner cette petite conférence style coup de rouge et cambouis, Nuvolari fut ce génie qui remporta un jour un Grand Prix, sur les sinueuses routes de France, en fonçant à l'aveugle à travers la nuit et l'orage *toutes lumières éteintes* parce qu'il ne voulait pas avertir de son approche le coureur qui le précédait. Il supposait avec raison que l'autre n'entendrait pas le bruit de son moteur, assourdi par le sien propre — et il le coiffa au poteau...

Le vieux Tazio, il aurait aimé les séances d'enregistrement de Garner.

Le recueil que je vous propose ici est typique du choix de Garner : des chansons classiques en Amérique entremêlées de quelques thèmes que l'on n'avait pas joués depuis un certain temps, le tout interprété avec cette distinction et cette personnalité qui les font immédiatement garnériens cent pour cent. Nous avons essayé de créer une atmosphère particulière dans le choix de l'ordre des thèmes : au lieu de changer de tempo de morceau en morceau, nous voulions suggérer une montée de la tension atteignant peu à peu un maximum, pour retomber d'un coup dans un esprit plus rêveur et terminer par le swing et le tempo medium typiques de Garner. Nous espérons que vous aimerez le résultat.

George AVAKIAN,
(traduction de Boris Vian).

★

PHILIPS, JAZZ POUR TOUS, n° 7 797.

BENNY GOODMAN JOUE FLETCHER HENDERSON

Le jazz et la musique de danse, trop rarement synonymes, mais toujours compatibles entre des mains qualifiées, subirent une perte irréparable quand, à la fin de 1952, Fletcher Henderson, après une longue maladie, mourut âgé de cinquante-quatre ans. Nous préparions à ce moment un recueil des arrangements écrits par Henderson pour Benny Goodman depuis un certain nombre d'années, et nous voudrions qu'on le considère comme un hommage à un grand chef d'orchestre qui fut aussi un grand arrangeur.

C'est pour sa propre formation que Fletcher Henderson écrivit ses premiers arrangements dans le style que Benny Goodman devait rendre fameux. Ils sont invariablement caractérisés par leur clarté et leur transparence, avec une exposition de la mélodie en phrases brèves réparties entre les anches et les cuivres, souvent sous forme de question-réponse. On sent dans chaque phrase l'élan et l'impulsion rythmique, et un usage fréquent y est fait de figures brèves, souvent répétées avec des variations appropriées à mesure que se développent les changements harmoniques. Ces riffs se renouvellent toujours ; l'imagination fertile de Fletcher ne se cantonnait pas dans la répétition constante des mêmes formules, si bien qu'on a peine à les considérer comme de véritables riffs. Ainsi, quoique les arrangements de Fletcher soient tous marqués d'un style qui les rend parfaitement reconnaissables, ils ne deviennent jamais monotones. Chaque arrangement, remarquablement simple, est parfaitement neuf, et on y trouve toujours un petit quelque chose de nouveau ; même dans ceux que l'on a entendus voici des années et que l'on connaît sous toutes les coutures.

Fletcher Henderson, pendant les années vingt et les années trente, eut un des plus grands orchestres noirs de tous les temps ; la liste des musiciens qui travaillèrent chez lui ressemble à un annuaire des grands noms du jazz ; mais c'est Benny Goodman qui rendit ses arrangements véritablement célèbres. Nous avons déjà publié des exemples de ce que l'orchestre Goodman de 1937-1938 pouvait faire des arrangements Henderson. Voici maintenant des interprétations gravées entre 1939 et 1953. Vous trouverez notamment ici une superbe exécution de *Just You Just Me* qui n'avait jamais été publiée. Dans quatre de ces enregistrements, *Stealin' Apples,* une composition originale de Fats Waller, *Night and Day,* de Cole Porter, *Henderson Stomp* et *Somebody Stole my Gal,* c'est Henserson lui-même que l'on entend au piano. Dans le troisième chorus de *Stealin' Apples,* c'est Ziggy Elman qui mène tandis que Benny se joint aux anches pour aboutir à un final violemment rythmique. Visiblement, c'est un de ces arrangements que l'orchestre jouait 15 ou 20 minutes d'affilée, mais malheureusement le microsillon n'existait pas encore à cette époque. Nous ne nous attarderons pas sur le détail des autres plages ; ne négligez pas cependant la présence de Charlie Christian dans certains morceaux, notamment *Honeysuckle Rose,* où ce regretté spécialiste de la guitare prend un remarquable chorus. Et entre autres surprises, écoutez aussi le solo de Cootie dans *Henderson Stomp.*

D'après G. AVAKIAN.

Personnel et dates par ordre chronologique

Stealin' Apples. — 11 août 1939 et

Night and Day. — 16 août 1939, sont enregistrés avec : Chris Griffin, Ziggy Elman, Corky Cornelius (trompettes), Red Ballard, Bruce Squires, Vernon Brown (trombones), Toots Mondello, Buff Estes, Bus Bassey, Jerry Jerome (saxos), Fletcher Henderson (piano), Arnold Covarrubias (guitare), Artie Bernstein (basse), Nick Fatool (drums).

Honeysuckle Rose. — 22 novembre 1939 : avec Jimmy Maxwell, Johnny Martel (trompettes) au lieu de Griffin et Cornelius ; Ted Veseley (trombone) remplace Squires ; Charlie Christian (guitare) remplace Covarrubias.

Can't You Tell. — 16 janvier 1940. Outre les changements ci-dessus, Johnny Guarnieri (piano) remplace Henderson.

Crazy Rhythm. — 16 avril 1940. Nouveau changement : Les Robinson (saxo-alto) remplace Estes.

Henderson Stomp. — 13 novembre 1940 : avec Alec Fila, Jimmy Maxwell, Irving Goodman, Cootie Williams (trompettes), Lou Mc Garity, Red Gingler (trombones), Gus Vivona, Skippy Martin, Bob Snyder, George Auld, Jack Henderson (saxos), Fletcher Henderson (piano), Mike Bryan (guitare), Artie Berntein (basse), Harry Jeager (drums).

Frenesi. — 29 novembre 1940 : Bob Cutshall (trombone) remplave Gingler, Bernie Leighton (piano) remplace Fletcher Henderson.

Somebody Stole my Gal. — 20 décembre 1940 : Henderson remplace Leighton. Williams absent.

Just You, Just Me. — 20 août 1945 : avec Chris Griffin, Vince Badale, Tony Fasulo, Frank Le Pinto (trompettes), Trummy Young, Chauncey Welsh, Eddie Aulino (trombones), Hymie Schertzer, Bill Shine, Gerald Safino, Al Epstein, Dan Bank (saxos), Charlie Queener (piano), Mike Bryan (guitare), Slam Stewart (basse), Morey Feld (drums).

What a Little Moonlight Con Do. — 23 février 1953 : avec Griffin, Maxwell, Billy Butterfield (trompettes), Mc Garity, Cutshall (trombones), Schertzer, Milt Yaner, Boomie Richmond, Al Klin (saxos), Leighton (piano), Barry Galbraith (guitare), Eddie Safranski (basse), Don Lamond (drmus) et Helen Ward (vocal).

★

PHILIPS, n°s 7 000 et 7 001

BENNY GOODMAN
FAMOUS 1938... CARNEGIE HALL... JAZZ CONCERT N° 1

— Eh bien ! murmura l'homme, ébahi, en repoussant l'énorme pile de coupures de presse qu'il venait de parcourir.

Benny Goodman acquiesça :

— Ce n'est pas mal...

— Pas mal ! Il fait un triomphe et il trouve tout juste ça « pas mal » ! Seigneur ! Si seulement quelqu'un avait pensé à enregistrer tout ça !

Goodman sourit.

— Quelqu'un y a pensé, répondit-il.

Quelqu'un y avait pensé, effectivement, en cette nuit du 16 janvier 1938 où pour la première fois l'orchestre de Benny jouait à Carnegie Hall. Et grâce à cette bonne idée, vous allez pouvoir entendre aujourd'hui le concert en question... comme si vous y étiez.

Cela valait la peine d'y être.

Outre la formation régulière, sur les mérites de laquelle nous reviendrons, on avait fait appel au talent d'hommes tels que Johnny Hodges, Harry Carney, Cootie Williams, tous trois solistes chez Duke Ellington. Le maître du saxo-ténor Lester Young était là. Constituant, avec Gene Krupa et Benny lui-même, le « quartette », Teddy Wilson et Lionel Hampton déployaient, qui au piano, qui au vibraphone, leur inégale maîtrise. Enfin le trompette Bobby Hackett, le pianiste Count Basie et trois de ses hommes, Buck Clayton, Walter Page et Freddie Green, complétaient une des plus belles affiches que l'on ait jamais réalisée.

L'équipe de Goodman a toujours été remarquée pour le fini et la précision de son travail. La critique européenne, obligée trop souvent de juger sur des disques enregistrés en studio, a parfois, non sans raison, reproché à l'ensemble quelque froideur... Il est d'autant plus intéressant de pouvoir constater aujourd'hui sur l'enregistrement direct, que la réalité différait singulièrement du studio. Est-ce Carnegie Hall et son ambiance ? Est-ce la présence de musiciens amis ? L'essentiel, c'est qu'il reste une riche moisson de cette soirée fertile en bons moments.

Présentons brièvement le chef avant de passer au détail du programme.

Né le 30 mai 1909 ; Benny Goodman, fils d'un pauvre tailleur de Chicago, commença très tôt l'étude de la musique afin de pouvoir contribuer aux dépenses de la famille. Il était encore en culottes courtes lorsqu'en 1923 il reçut sa première carte professionnelle de l'Union des Musiciens américains et conclut, à la même époque, son premier engagement régulier au « Paradis Guyon », un dancing de sa ville natale. Sa technique se développe et s'assure ; il a peu à peu l'occasion de jouer avec tout ce qui compte dans le domaine du jazz. Fixé à New York, il décroche en 1934 une série d'émissions régulières qui lui permettent de lancer son grand orchestre après plusieurs tentatives infructueuses. A force de travail et de rodage, le gros succès finit par venir d'un coup ; le soir du 21 août 1935, à Palomar en Californie, la foule des danseurs s'arrête pour écouter jouer l'orchestre et Benny sait enfin que sa formule a pris. C'est alors la consolidation patiente de son succès, Hollywood, et le véritable point culminant de la carrière de Benny, le concert présenté ici.

Un des services les plus éminents que Goodman ait rendus à la cause du jazz, c'est l'introduction de musiciens de couleur dans sa formation. A la suite d'une « Party » chez la grande chanteuse que fut Mildred Bailey, le « trio » se constitue et enregistre peu après ; bientôt, le vibraphoniste Lionel Hampton se joint au petit groupe qui comprend ainsi deux musiciens noirs, Hampton et Wilson, et deux Blancs, Benny et le drummer Gene Krupa. D'abord conquis par cette musique entendue sur disques, le public s'habitue à perdre ses préjugés et à rendre aux Noirs vrais créateurs du jazz et pour le talent desquels Benny professe la plus grande admiration, un peu de leur vraie place. Comme on l'a constaté d'ailleurs, Benny, le soir de Carnegie, truffa ainsi certaines exécutions du talent des musiciens que nous avons cités.

Quand ce ne serait que pour cette raison, Benny aurait bien mérité de la cause du jazz ; mais il a d'autres titres à l'éloge de ses contemporains. Il a toujours fait preuve d'un grand discernement dans le choix de ses arrangeurs : le regretté « Smack » Fletcher Henderson, Jimmy Mundy, Benny Carter, Edgar Sampson, etc. Il a toujours exigé de ses hommes des qualités solides et un talent d'improvisation. Au fond mal connu en France, car les disques, dont les fabricants exigent souvent avant tout des qualités « commerciales », ne le présentent pas toujours à son avantage, Benny Goodman méritait que ce concert enfin publié vînt lui rendre justice. Et l'énorme succès rencontré par ce concert de Carnegie lors de sa récente publication aux USA, quatorze ans plus tard, prouve bien que « quelqu'un » savait ce qu'il faisait en enregistrant tout cela, par cette nuit froide et venteuse du 16 janvier 1938.

Programme :

1. *Don't be that way*

Un arrangement d'Edgar Sampson, qui est aussi l'auteur du thème. L'insinuante mélodie se prête à merveille à l'improvisation. Soli de Goodman (clarinette), Russin (tenor sax) et Harry James (trompette) avec un court passage du trombone Vernon Brown.

2. *One o'clock jump*

Ce morceau de Count Basie est devenu un tel succès que tout commentaire est superflu. Au piano, Jess Stacy rend hommage à Count, qui l'écoutait des coulisses. Soli de Russin, Brown et Goodman.

3. *Twenty years of jazz*

Pour les cinq épisodes de cette évocation de vingt années de jazz, Bobby Hackett (cornet), Johnny Hodges (saxo soprano), Harry Carney (saxo baryton) et Cootie Williams (trompette) se sont joints à la formation. La présence des trois derniers, venus de chez Ellington, se justifiait par le fait que Benny n'ignorait nullement la véritable impossibilité de recréer l'atmosphère ellingtonienne, et qu'il entendait rendre un hommage parfait au Duke.

a) *Dixieland one-step*

Le vieux succès de Nick La Rocca est fidèlement reconstitué d'après un ancien enregistrement. Ecoutez Krupa jouer en two-beat... A la trompette, Gordon Griffin.

b) *I'm coming Virginia*

Nul mieux que Bobby Hackett ne pouvait évoquer le légendaire Bix Beiderbecke mort en 1931 à vingt-huit ans.

c) *When my baby smiles at me*

Le clarinettiste « corny » Ted Lewis est ici parodié non à cause de la place quasi-nulle qu'il occupe dans l'histoire du jazz mais plutôt parce qu'il fait partie des souvenirs personnels de Goodman. C'est en l'imitant un jour que Benny gagna ses premiers sous de musicien.

d) *Shine*

Un tribut, justifié cette fois, au grand Louis Armstrong... bien difficile à imiter pourtant. Si les notes que joue James rappellent effectivement celles de Louis, l'esprit est bien celui de James.

e) *Blue Reverie*

Ellington recréé, comme nous l'avons signalé, par une partie de lui-même. Johnny Hodges joue le premier chorus. Un interlude de Stacy aboutit à Carney. Cootie, à la trompette bouchée, évoque l'atmosphère si caractéristique.

4. *Life goes to a party*

L'usine Goodman à son apogée. Les soli sont de Goodman, Russin et Harry James, qui écrivit aussi l'arrangement.

5. *Jam Session sur « Honeysuckle Rose »*

Count Basie au piano, Freddie Green à la guitare, Walter Page à la basse, Krupa, Lester Young, Hodges, Carney, Buck Clayton, Harry James, Goodman et Vernon Brown improvisent sur le thème classique de Fat's Waller. C'est à coup sûr la première fois qu'une jam-session authentique se déroulait à Carnegie Hall. L'accueil du public montre à quel point l'initiative était opportune.

6. *Body and Soul*

Le trio : Benny Goodman, Gene Krupa (drums) et Teddy Wilson (piano). La renommée que possède encore ce groupement nous dispense encore une fois d'insister

7. *Avalon, The man I Love, I got rhythm*

Le quartette ; les mêmes plus Lionel Hampton au vibraphone. Jamais le quartette ne fut enregistré avec la vitalité, la couleur et la fidélité que l'on trouve ici.

8. *Blue Skies*
Un des meilleurs arrangements de Fletcher Henderson. Le premier solo est dû à Brown, suivi du travail de la section de trompettes. Arthur Rollini au ténor sax, James et Goodman, sont également entendus en solo.

9. *Loch Lomond*
La formule de l'interprétation « jazzée » des vieilles chansons écossaises ou irlandaises, lancée par Maxime Sullivan, était encore assez nouvelle en 1938. L'arrangeur est ici Claude Thornhill, la chanteuse la blonde Martha Tilton. Chorus de trompette de James.

10. *Blue Room*
Arrangement écrit spécialement pour le concert par Henderson. Solo de trompette de Griffin.

11. *Swingtime in the Rokies*
Un « killer-diller » de Jimmy Mundy, le grand arrangeur noir. Ziggy Elman prend le solo.

12. *Bei mir bist du schoen*
Début de la grande vogue des vieux thèmes tirés du folklore juif. Ziggy Elman s'adjuge ses insolites incursions dans la « frahlich », la joyeuse danse de mariage du peuple israélite.

13. *China Boy*
Par le trio. Encore un succès trop populaire pour qu'il soit utile d'en reparler.

14. *Stompin' at the Savoy*
Ce bon thème de Sampson, joué par le quartette, a toujours été apprécié des musiciens et des amateurs.

15. *Dizzy spells*
Une des innombrables compositions miniatures, étincelantes et vertigineuses, dont le quartette se fit une spécialité.

16. *Sing, sing, sing*
Le thème de Louis Prima combiné au *Christopher Columbus* de Fletcher Henderson, le tout arrangé par Jimmy Mundy, semble interprété ici avec un plaisir particulier par tout l'orchestre rassuré quant au succès de la soirée et qui sonne très « relax ». Entrecoupé de salves d'applaudissements, il comporte notam-

ment un des soli de piano les plus originaux qu'ait jamais gravés Stacy.

17. *Big John special*

Joué en bis, ce morceau de Horace Henderson, le frère de Fletcher, clôt brillamment cette mémorable séance.

★

PHILIPS, n° 432 054

PIERRE GOSSEZ N° 1

« Doublesaxe » et son quintette

Devinez qui joue du saxo basse à dix heures, du saxo alto à midi, du baryton à 21 heures et du ténor la nuit ?

Que vous le connaissiez ou non, il n'y a qu'un musicien français à réaliser couramment cette performance : c'est Pierre Gossez qui, l'été dernier, passa ainsi de la formation de Claude Bolling à celle de Michel Legrand pour deux enregistrements successifs, avant de se rendre au Daunou accompagner Henri Salvador et de finir la nuit dans l'orchestre de l'Eléphant Blanc.

Ajoutons que Gossez pratique la contrebasse à cordes, qu'il a étudiée trois ans, et qu'en entrant à cinq ans au Conservatoire de Valenciennes, il travailla le piano, dont il joue encore pour composer ses arrangements.

Et que son instrument est en réalité la clarinette.

Ce musicien vraiment complet est né voici vingt-sept ans, à Valenciennes. Le Nord a toujours fourni au jazz quantité de solides musiciens et Gossez ne dépare pas la collection. Comme on a pu le voir, il n'a pas tardé à trouver sa vocation et s'est muni d'une formation artistique complète. Après une enfance sans histoires, il est venu à Paris où il a immédiatement trouvé du travail comme professionnel dans le quintette de Tony Murena. Il y est resté deux ans et Noël Chiboust, en 1949, l'engagea dans sa grande formation de la radio. Gossez y tenait l'emploi de premier saxo ténor.

Léo Chauliac le prend pour une tournée deux ans plus tard, puis Bernard Hilda se l'annexe sans hésiter. Voilà Gossez au Drap d'Or, dans une formation dont le moins qu'on puisse dire est qu'elle ne sacrifie guère au jazz... Cependant, il y perfectionne sa technique et s'adonne personnellement au jazz en compagnie des autres saxes du pupitre. Sollicité un beau soir pour passer à la Grande Nuit du Jazz, au Coliséum, Gossez présente le trio de saxes de chez Hilda... et après un accueil plutôt frais, renverse la situation et se taille une manière de triomphe en jouant des arrangements de Billy Moore et une petite affaire de son cru sur *Early Autumn*...

Le monde du jazz l'adopte désormais et nous n'avons plus à nous soucier de ses engagements extra-jazz. Il a joué, depuis, avec les meilleurs jazzmen français, notamment au Club Saint-Germain, où on le choisit pour succéder à Maurice Meunier, ce qui n'est pas la moindre des références.

La séance que nous sommes heureux de présenter ici a été préparée et arrangée par Pierre Gossez, qui l'a enregistrée avec le concours d'André Jourdan (batterie), Apizella (guitare), Masselier (basse) et Maurice Vander au piano... sans oublier un second Gossez qui ressemble comme un frère au premier. Dès les premières notes, vous pourrez en effet constater que vous l'entendez plutôt deux fois qu'une.

Nous avons conscience de vous révéler, avec ce premier enregistrement, un talent authentique, robuste et original. Sans vouloir tomber dans le dithyrambe, nous nous permettrons de souligner qu'il existe actuellement fort peu de saxophonistes européens qui puissent prétendre à la classe de Pierre Gossez.

★

PHILIPS, JAZZ POUR TOUS, n° 7 837

EARL HINES

Earl Hines est né à Duquesne le 28 décembre 1905. Son père jouait dans le célèbre Eureka brass band et sa mère était organiste. Hines fit ses études normalement et pendant ses années de lycée, se mit à travailler le soir dans les boîtes de nuit et finit, à dix-sept ans, par se trouver accompagnateur professionnel à Chicago. Il fit partie de diverses formations, Carroll Dickerson, Sammy Stewart et Jimmie Noone, et fin 1928, constitua son propre orchestre au Grand Terrace Chicago ; il resta chef d'orchestre jusqu'en 1948, accompagna Louis Armstrong en tournées pendant trois ans et, depuis 1951, a dirigé divers groupements.

Hines s'est rendu célèbre par son travail d'accompagnateur dans les formations de studio de Louis Armstrong. On l'a surnommé le pianiste au style « trompette », car il a mis au point un jeu mélodique détaillé, précis et dynamique, qui évoque irrésistiblement le phrasé linéaire de Louis Armstrong. D'un autre côté, ses conceptions rythmiques extrêmement étonnantes, et son sens exceptionnel du tempo donnent à ses interprétations une qualité dynamique qui le font reconnaître immédiatement. Il a eu une influence considérable sur beaucoup de jeunes pianistes et cette influence est loin d'avoir cessé de s'exercer à l'heure actuelle. Hines possède cette particularité, tout en étant un jazzman de la vieille école, d'avoir donné l'occasion de s'exprimer à tous les tenants du style moderne ; c'est ainsi qu'en 1940, ses principaux musiciens de pupitre se nommaient Dizzy Gillespie, Chalie Parker, Benny Green, Wardell Gray, etc.

Les dates d'enregistrement sont les suivantes :

My monday date, Caution blues : 9 décembre 1928 ; *I ain't got nobody, 57 Varieties :* 12 décembre 1928 ; *Love me tonight :* 14 juillet 1932 ; *You can depend on me, These foolish things, Rosetta, Deed I do,* et *I hadn't anyone till you :* 17 juillet 1950, avec Al McKibbon (basse) et J.C. Heard (drums).

★

FONTANA, série « Géants du Jazz »

JOHNNY HODGES

(*Jeep's Blues, Empty Ballroom Blues, Krum Elbow Blues Dancing on the Stars, Hodge Podge*)

John Cornelieus Hodges, surnommé « Rabbit » (le lapin) par ses collègues, est né à Cambridge (Massachussets) le 25 juillet 1906. C'est un des plus grands spécialistes mondiaux du saxo alto, instrument sur lequel il a acquis une sonorité inimitable et une maîtrise telle qu'il a influencé nombre de musiciens.

Après ses études, Johnny Hodges joua successivement dans les orchestres de Bobby Sawyer (en 1925), de Lloyd Scott (1926), de Chick Webb (1927) et entra, au début de 1928, dans la formation de Duke Ellington avec qui il resta, d'une traite, jusqu'en 1951 pour former ensuite son propre orchestre et réintégrer, ces derniers temps, sa place au sein de la formation du célèbre chef.

Hodges, un des rares à s'exprimer également sur le saxo soprano avec une parfaite maîtrise, fut un swingman sans égal avant d'acquérir en outre la réputation de l'alto le plus « romantique » du monde du jazz ; mondialement connu et apprécié, il fut vraiment un des piliers de l'orchestre Ellington, et son jeu lisse et nerveux, son attaque d'acier souple, sa remarquable maîtrise du glissando, le font reconnaître entre tous.

Doué d'une invention mélodique admirable, il est à l'origine de nombre des compositions du Duke qui les « pensait » vraiment pour lui.

Parmi ses innombrables enregistrements ceux que nous présentons ici méritent une mention toute particulière ; presque tous sont des blues ; on sait que le vrai jazzman se reconnaît à sa façon de jouer le blues... ici, Johnny Hodges fait ses preuves de façon telle que ce disque suffirait à le classer comme un « grand ».

(D'après le manuscrit daté du 17 février 1958.)

★

PHILIPS, n° 7 122

CALVIN JACKSON QUARTET N° 1

Calvin Jackson, piano.
Johnny Elwood, bass.
Peter Appleyard, vibraphone.
Howard Reay, drums.

C'est en juin 1955 que le quartette Calvin Jackson fit ses débuts à New York au Basin Street, une boîte qui est située au-dessus de Times Square. Malgré l'absence totale de publicité, lorsque ce petit groupe regagna son Canada natal, son leader avait en poche un nouvel engagement, un contrat avec une marque de disques et des contrats pour trois importantes télévisions.

C'est à sa musicalité et à ses qualités spectaculaires que la formation dut de produire cet impact. Bob Scobey, dont l'orchestre Dixieland était resté au Basin Street pendant la première moitié des dix jours d'engagement de Jackson, me suggéra d'y passer un soir. Scobey, un vieux copain de San Francisco, me dit que de tous les nouveaux venus sur la scène du jazz qu'il avait pu rencontrer dans ses tournées, c'est Calvin qui l'avait frappé le plus. Telle louange de la part d'un traditionaliste mérite d'être prise en considération, me dis-je. Et je constatai que Bob avait parfaitement raison ; outre la sensibilité manifestée par les musiciens dans une composition comme *Lotus Land* ou *Shadow Waltz*, ils déployaient une ahurissante technique dans les pièces plus visuelles comme *Love Me or leave Me.* Je fus conquis aussi irrésistiblement que les clients habituels du Basin Street... et je leur fis immédiatement enregistrer le recueil que voici.

Lotus Land est absolument fidèle à l'original du compositeur Sir Cyril Scott ; de fait, c'est sa partition originale qui est jouée ici, à l'exception des huit mesures improvisées avant le retour à la conclusion. Le son que Jackson tire de son piano (et il l'en *tire* littéralement, avec un effet de cordes grattées au début) se combine de façon rare à celui du vibraphone, ainsi d'ailleurs que dans divers autres arrangements de Calvin. Le quartette révèle sa joyeuse nature dans *Dream Of You,* un joli thème composé jadis par Sy Oliver pour l'orchestre de Jimmy Lunceford et que voici, rejoué pour la première fois depuis bien longtemps avec un swing léger admirablement adapté à la danse.

Le goût de Jackson pour le contrepoint utilisé pour souligner l'intérêt musical d'un thème se manifeste clairement dans *All the Things You Are,* dans lequel, en compagnie du vibraphoniste Peter Appleyard, il s'en donne à cœur joie d'une manière qui eût réjoui feu grand-papa Bach. *Shadow Waltz* est traité en valse sans rien perdre pour cela de son parfum de jazz. C'est un des arrangements particulièrement caractéristiques du petit groupe — si l'on peut employer ce terme d'arrangement pour le cadre très libre que Calvin se contente de donner aux improvisations des quatre compères.

Quant à *Love Me Or Leave Me,* de tous points de vue, c'est un boulot fantastique. Pris sur un tempo effréné se succèdent une série de collectives et de soli qui aboutissent à un passage de piano à quatre mains, Peter jouant dans l'aigu et Calvin dans le grave ; on reconnaît immédiatement le style mitrailleuse d'Appleyard, qui n'est pas sans rappeler les chorus à deux doigts de Lionel Hampton. Une série de chorus réponses suit alors : Peter reprend le vibra et Calvin et lui se renvoient la balle quatre mesures par quatre mesures ; à la suite de quoi Calvin rejoint Peter au vibraphone. C'est alors à qui enterrera l'autre, puis tous deux s'emparent de baguettes et passent au tom. Howard Reay, cependant, n'a pas lâché sa batterie, et nous nous trouvons en présence de ce groupement unique : trois batteurs et une basse ! Après avoir battu comme plâtre jusqu'au dernier centimètre carré du pauvre tom-tom sans défense, Peter se rue à nouveau au vibra tandis que Calvin shunte ses exercices et rejoint à nouveau Peter au vibra pour un duo fascinant. Ce passage aboutit à une montée de tension terrible, tandis que la basse et la batterie l'augmentent encore par des breaks bien placés. Enfin, Calvin retourne à son piano et fait une rentrée en tourbillon avant le dernier chorus. Tout ceci passe fort bien le micro, grâce aux possibilités du disque longue durée et de la haute fidélité. Mais visuellement parlant, c'est au moins aussi fascinant.

Quelques détails sur le chef et ses hommes. Calvin Jackson, né à Philadelphie, s'est fixé à Toronto, au Canada. Diplômé en 1941 de l'Ecole Juilliard, de New York, où il étudia le piano avec James Friskin, et la composition avec Bernard Wagenaar, il a été assistant au directeur musical de films tels que *Rendez-vous à Saint-Louis, Deux filles et un marin,* et *Anchors Aweigh.* Il a donné des concerts comme soliste au Hollywood Bowl et il a fait deux tournées aux Etats-Unis et en Amérique du Sud avec Paul Draper et Larry Adler. En 1950, il fit une nouvelle tournée au Canada et le pays lui plut tant qu'il s'y fixa.

Le quartette Calvin Jackson a été longtemps le principal ornement du Park Plaza Hotel de Toronto et Calvin est devenu une vedette de la télévision canadienne grâce à son émission hebdomadaire, une demi-heure de musique où il emploie son orchestre complet aussi bien que le quartette.

Ses compagnons sont le vibraphoniste Peter Appleyard et le drimmer Howard Reay, tous deux de Londres — il s'agit du Londres d'Angleterre et non du Londres de l'Ontario — et le bassiste Johnny Elwood, de Toronto. Tous trois sont des musiciens accomplis qui saisissent instantanément les idées de Jackson. L'improvisation joue un rôle si important dans leur interprétation des arrangements de Calvin qu'une compréhension totale et une technique accomplie de la collective libre sont les éléments essentiels de leur succès mérité.

George AVAKIAN,
(Traduction de Boris Vian).

★

PHILIPS, n° 7 077

MAHALIA JACKSON
LA PLUS GRANDE CHANTEUSE
« GOSPEL » DU MONDE

Lorsque je dus chercher un titre pour le présent album, il m'apparut bientôt que je ne pouvais en trouver un meilleur que celui qui figure ci-contre.

Et c'est un des jugements les plus timides qui soient jamais sortis de ma machine à écrire. Cela revient presque à dire que Paganini jouait honnêtement du violon, qu'Einstein était loin d'être bête ou que Léonard de Vinci ne peignait pas mal. Telle est en effet la valeur de Mahalia Jackson, que ce que je viens de vous en dire correspond presque à la sous-estimer...

Vous allez vous demander comment un artiste, quel qu'il soit, peut résister à un coup d'encensoir de ce genre ! Vous cesserez de vous le demander sitôt que vous aurez posé ce disque de Mahalia Jackson sur le plateau de votre pick-up.

□

Née en 1911 à La Nouvelle-Orléans, le berceau du jazz, Mahalia chante la gloire de Dieu depuis son enfance. S'intéressant uniquement au « gospel song » (approximativement « chant évangélique ») elle refuse obstinément de chanter le jazz ou le blues (elle refuse même de se rendre dans un cabaret quelconque ; il n'est donc pas question pour elle, par conséquent, d'y chanter). Elle a pourtant reçu des offres fabuleuses et il est évident que c'est la plus grande voix de jazz que le monde ait connue depuis Bessie Smith. Son père, barbier et débardeur aux docks, servait au temple le dimanche ; Mahalia débuta dans le chœur de l'église de son père dès l'âge de cinq ans. Chez eux, les Jackson n'écoutaient que de la musique religieuse, mais Mahalia eut l'occasion, chez des voisins, d'écouter des blues, parmi les premiers qui furent enregistrés, et des disques d'opéra. « Ma » Rainey, Bessie Smith, Ida Cox et Enrico Caruso, furent ceux qui donnèrent sa forme à son style vocal ; mais elle continua à ne chanter que des chants d'église.

Mahalia dut quitter l'école vers la quatrième et fut employée successivement comme gardienne d'enfants, bonne et blanchisseuse. Dotée d'une âme pleine de compassion, elle aspirait à suivre des cours d'infirmière, mais jamais l'occasion ne s'en présenta ! En 1927, suivant la trace d'autres Néo-Orléanais célèbres comme King Oliver et Louis Armstrong, Mahalia quitta la Nouvelle-Orléans pour le quartier sud de Chicago alors en plein développement. Elle se joignit à l'Eglise Baptiste de Salem et devint bientôt la chanteuse vedette d'un quintette qui se déplaçait en tournée dans les divers temples de la secte. Les chanteurs étaient payés sur la quête par la congrégation ; pour compléter ce maigre revenu, Mahalia acceptait les travaux qu'elle pouvait. Elle économisait cependant, étudiait les soins de beauté et ouvrit un salon de traitement puis, plus tard, une boutique de fleuriste. Elle acheta des terrains et se mit à jouir de revenus plus sérieux;

continuant durant tout ce temps à chanter le dimanche dans divers temples.

Ses premiers disques connurent un succès immédiat, et l'un d'entre eux, « I will move on up a little higher » (« Je veux m'élever encore un peu »), chant religieux qu'elle avait écrit elle-même, se vendit à plus de deux millions d'exemplaires. La renommée de Mahalia grandissant, son public en fit autant. Elle a déjà rempli Carnegie Hall à l'occasion de cinq récitals et elle a connu un succès analogue dans les grandes salles d'Europe. Son émission de radio lui apporte le public le plus considérable qu'elle ait jamais eu. La chanson évangélique (gospel song) est quelque chose d'assez nouveau pour le public des amateurs de disques. Ce genre prend sa source au plus profond des negro-spirituals primitifs qui, eux-mêmes, dérivent du choral protestant. Le répertoire d'un « gospel singer » comporte de nombreux spirituals, mais l'accent se porte surtout sur des chants nouveaux qui conservent les mêmes sujets, mais sont plus voisins des bons morceaux de jazz, du point de vue de leur construction musicale.

Les chanteurs de gospel savent « swinguer ». Mais ils ont une liberté plus grande encore que dans le jazz, non seulement en ce qui concerne le mécanisme des variations sur la mélodie et le rythme, mais aussi du point de vue de la « gradation émotive » d'une interprétation (les fanatiques de Johnnie Ray et de ses imitateurs n'ont jamais reconnu les bases de son style, qui est essentiellement une exagération du « gospel singing »).

Evidemment, il existe un chevauchement partiel des répertoires « gospel » et « populaire », de même qu'il en existe un entre jazz et gospel. Selon Mahalia, par exemple, « I believe » (« Je crois en toi ») et « You'll never walk alone » (« Jamais tu ne marcheras seul ») sont des spirituals modernes. Elle a une façon émouvante d'interpréter « Summertime » de Gershwin, où elle intercale plusieurs phrases de « Sometimes I feel like a motherless child » (« Parfois je me sens comme un enfant sans mère », un célèbre spiritual). Mais ce chevauchement ne va jamais très loin. Mahalia porte sur les chansons à succès faussement émouvantes un jugement cinglant...

La sincérité dans l'émotion est le premier souci de Mahalia ; la communication de cette émotion le second. Lorsqu'elle apparaît en public, elle considère le récital comme un échec si le public n'a pas été transporté avec elle et « imprégné de l'Esprit de Joie ». Peu d'artistes sont capables de l'égaler dans sa façon contagieuse d'entraîner les auditeurs et de leur donner l'impression de participer physiquement et affectivement à son interprétation.

Son attitude vis-à-vis du jazz et du blues est toujours pleine de respect, mais elle reste ferme dans sa dévotion au « gospel ». « Quand j'étais jeune, j'ai lavé les assiettes, gratté les parquets, fait la lessive, rien que pour aider ma famille à vivre ; je connaissais le blues, mais il y a du désespoir dans le blues ; je chantais la musique de Dieu parce qu'elle me donnait l'espérance. J'ai toujours besoin de l'espérance et du bonheur que me donne la musique de Dieu ; pour moi, c'est un triomphe personnel sur chaque difficulté, une solution à chaque problème, un petit sentier vers la paix. » Mahalia a exprimé sa conception encore plus brièvement durant une interview de *Life* : « Tous ceux qui chantent le blues appellent au secours du fond d'une fosse profonde, dit-elle, et simplement, ce n'est pas mon cas. »

Les enregistrements qui font l'objet du présent disque ont été gravés durant deux soirées consécutives au Studio de Columbia, 30e Rue, à New York. Pour les débuts de Mahalia sur l'étiquette Columbia, le directeur, Mitch Miller, lui avait demandé de préparer quelques chants nouveaux afin de les publier sous forme de disques séparés, et j'espérais moi-même pouvoir commencer un album de spirituals et de « gospel sings » de son propre choix. Mahalia nous surprit et nous ravit ; en quelques heures, elle enregistra une douzaine de faces pour Mitch et près d'un album et demi pour moi. La seule raison pour laquelle nous nous arrêtâmes fut qu'il y avait une limite à ce que le marché pouvait absorber en une fois.

Le répertoire que nous présentons est typique de la variété des spirituals et gospel songs authentiques. *I'm going to live the life I sing about in my song* (« Je vais vivre la vie que je chante dans ma chanson ») écrite par le mentor et vieil ami de Mahalia, Thomas A. Dorsey, résume parfaitement la philosophie personnelle de Mahalia vis-à-vis de la religion et de l'art. (Elle est également une des performances vocales les plus sensationnelles que j'aie jamais entendues.) *Walk over God's heaven* (« Marche dans le ciel de Dieu ») est l'arrangement par le Pr Dorsey d'un poème familier, tandis que *When I wake up in glory* (« Quand je m'éveillerai dans la gloire ») et *Keep your hand on the plow* (« Ne lâche pas ta charrue ») sont les versions personnelles imaginées par Mahalia de deux spirituals traditionnels ; le second est aussi dansant que son interprétation pleine de swing de *When the Saints go marching in* (« Lorsque les Saints vont marchant »), autre spiritual qui sert de thème au jazz depuis que Bunk Johnson s'est mêlé d'en faire un stomp. *Jesus, out of the depths* (« Jésus, hors des profondeurs ») et *Oh Lord is it I ?* (« Oh Seigneur, est-ce moi ? ») sont de typiques gospels dont la valeur est éternelle.

Un chant gospel peut devenir un succès dans son domaine

lorsqu'il est chanté par tous les artistes spécialisés dans ce répertoire, et à l'occasion, l'un d'eux peut s'en évader et devenir un vrai succès au sens commercial du terme. *Didn't it rain ?* (« Ne pleuvait-il pas ? »), écrit en 1939, émergea soudain dans la liste des succès du jour en 1954. Comme nombre de chants de ce genre, son texte est directement emprunté à la Bible. *Jesus met the woman at the well* (« Jésus rencontra la femme à la fontaine ») est un autre exemple d'histoire biblique adaptée à la forme du gospel song. L'accompagnement de l'ensemble Falls-Jones swingue durant tout ce recueil, mais ses co-directeurs Mildred Falls (piano) et Ralph Jones (orgue) réussissent une performance particulièrement succulente dans ce dernier titre.

George AVAKIAN.
(Traduction Boris Vian.)

★

FONTANA

MICHEL LEGRAND
sa grande formation et les Fontana

Nobody Knows The Trouble I've Seen
West End Blues
Tiger Rag
When The Saints Go Marchin' in
Bugle Call Rag
Solitude
I'm Beginning To See The Light
Moonlight Serenade
Tommy Dorsey's Boogie Woogie
Oop Pop a Da
The Peanut Vendor

Composition de la grande formation de Michel Legrand

Aux trompettes :
Fred GERARD
Roger GUÉRIN
Fernand VERSTRAETE
Maurice THOMAS
René LÉGER

Percussion :
Serge BONNIN

A la contrebasse :
Guy PEDERSEN

A la batterie :
Gus WALLEZ

Aux saxophones :
Jo HRASKO
Marcel HRASKO
René NICOLAS
William BOUCAYA
Pierre GOSSEZ
Armand MIGIANI

Aux cors :
André FOURNIER
Georges DURAND

Claude GUISE
Pierre RAVAILLE

Aux trombones :
André PAQUINET
Guy DESTANQUE
Gaby VILAIN
R. KATARZYNSKY

Les « Fontana »
Christiane LEGRAND
Rita CASTEL
J.-C. BRIODIN
WARD SWINGLE
Roger BERTHIER
Janine WELLS

Voici, par l'image, si l'on peut dire, une petite histoire abrégée des « sonorités » de la musique de jazz. C'est Michel Legrand qui en est l'auteur, et il s'est inspiré pour l'écrire d'un certain nombre de grands moments du jazz. Avec un bel éclectisme, il a été jusqu'à inclure dans son échantillonnage un arrangement rendu célèbre par la formation de Stan Kenton, qui n'est pas un groupement de jazz à proprement parler... mais l'arrangement est formidable. Vous entendrez donc, dans l'ordre : une évocation du Spiritual (une des fortes influences subies par le jazz avec *Nobody knows the Trouble I 've seen.* Puis l'introduction inoubliable d'Armstrong dans *West End Blues,* dont le thème suit. Ensuite, un retour à cette joyeuse formation que fut l'orchestre dit « de washboard », une planche à laver additionnée d'instruments hétéroclites — Gus Wallez y gratte une authentique planche à laver sur l'air de *Tiger Rag.* Le Dixieland reçoit son coup de chapeau (*When the Saints*), puis c'est le tour de Benny Goodman dont un *Bugle Call rag* arrangé à la Fletcher Henderson évoque les hauts faits. Ellington est maintenant à l'honneur, avec *Solitude* et *I'm beginning to see the light.* Le regretté Glenn Miller, qui dirigeait une bonne formation de danse, a répandu un style que vous reconnaîtrez avec *Moonlight Serenade,* mais l'évocation de Basie, qui suit avec son piano boogie, est nettement plus proche des sources. Enfin, vient Gillespie, un des pères du jazz moderne (Oop pop pa da), et l'on termine sur le *Peanut Vendor* « à la Kenton ». Un drôle de digest !

Eugène MINOUX.

★

PHILIPS, JAZZ POUR TOUS, n° 7871

KING OLIVER

Un soir qu'il jouait, comme d'habitude, dans le cabaret des Frères Aberdeen, Joe Oliver en eut assez. Autour de lui, la Nouvelle-Orléans commençait sa vie nocturne, alcoolique et libertine... les idoles du jour, Buddy Bolden, Freddie Keppard, Emmanuel Perez, semblaient impossibles à détrôner, Joe se pencha vers son pianiste.

— Reste en si bémol, lui dit-il, et joue.

Puis il saisit son cornet et se mit lui-même à jouer, cependant qu'il se dirigeait vers la porte du cabaret. Une fois dans la rue, il braqua le pavillon de son instrument vers l'établissement de Pete Lala. Keppard et l'Olympia Band y régnaient en maîtres. Oliver, déchaîné, exécuta un trait particulièrement difficile, sans cesser de jouer, il se tourna alors vers la maison qui employait Perez et continua ses prouesses.

Cinq minutes après, de tous les bars, de toutes les salles de jeu, des bordels voisins, sortaient des clients intrigués qui s'assemblaient autour de lui. Alors, Joe Oliver se retourna et rentra dans son antre... et comme les rats du vieux conte, la foule, charmée, le suivit.

C'est ainsi, selon la légende, que Joe Oliver gagna sa couronne de roi... Par la suite, on ne le désigna plus que par son titre : King Oliver il est resté.

Il était né en 1885 à la Nouvelle-Orléans. Il avait passé sa jeunesse dans la pauvreté la plus grande, perdant sa mère très tôt, élevé, tant bien que mal, par sa demi-sœur.

Tout jeune, il fut tenté par la musique et joua dans un orchestre d'enfants qui donnait des concerts aux environs. Une sorte de fanfare, à vrai dire, un de ces « marching bands » comme il en existait alors beaucoup. Pour gagner sa vie, il était domestique. Des employeurs compréhensifs lui permettaient de se faire remplacer quand il avait un engagement.

Il peina durement pour gagner ses galons de musicien, il forma son style au hasard des cachets ; il dut écouter les maîtres de l'époque, et prendre de leur jeu ce dont son tempérament personnel pouvait s'accommoder. Il acquit bientôt assez d'autorité professionnelle pour trouver des emplois réguliers dans des orchestres renommés, notamment celui du fameux trombone Kid Ory. Déjà, il avait des disciples et des imitateurs.

Dès avant 1917, date où le quartier réservé de la Nouvelle-Orléans fut frappé d'interdit, de nombreux musiciens avaient déjà quitté la ville pour chercher fortune ailleurs. La mesure ne fit que précipiter un exode déjà bien amorcé. Vers 1918, King Oliver se trouva donc à Chicago. Pendant près de deux ans, Oliver « double » alors chaque soir, passant dans deux boîtes différentes : au « Dreamland » avec Duhé, et au « Royal Gardens », avec les restes de l'Original Creole Band.

En 1920, le Dreamland lui propose une place stable en exclusivité, et c'est la naissance du véritable Creole Jazz Band de King Oliver. Le personnel comprenait alors Honoré Dutrey au trombone, Ed Garland à la basse à cordes, Lilian Hardin au piano et Minor « Ram » Hall aux drums. Le clarinettiste, Jimmie Noone, ne reste pas longtemps dans l'orchestre, il est remplacé par un nouveau venu, Johnny Dodds, que certains considèrent aujourd'hui comme le plus grand de tous les spécialistes, sur son instrument, du style authentique Nouvelle-Orléans. Un an durant, l'orchestre joue au « Dreamland » chaque soir, puis passe au « Pekin Café ». En 1921, pour une brève période, King se trouve en Californie. Johnny Dodds, en remplacement de « Ram », fait entrer, à la batterie, son jeune frère « Baby » Dodds.

Revenu à Chicago après diverses péripéties, l'orchestre de King Oliver, en 1922, compte dans ses rangs, tenant l'emploi de deuxième trompette, un certain Louis Armstrong. C'est alors que se place le long engagement au « Lincoln Gardens », et la période la plus fameuse de l'histoire de l'orchestre. Oliver commence à enregistrer pour Paramount, puis pour Gennett, Okeh et Columbia. Près de quarante faces sont ainsi gravées. King Oliver a, semble-t-il, atteint son apogée.

Son succès continue cependant ; en 1925, il modifie son personnel et les années qui suivent le voient « mettre en boîte » diverses cires de haute qualité. Mais une série de contretemps paraît l'accabler, il a véritablement la guigne ; il perd ses dents des suites d'une pyorrhée, ce qui lui interdit de jouer. On le néglige, on l'oublie ; la crise financière qui bouleversa l'Amérique en 1929 a tout transformé, et Oliver doit, pour vivre, travailler dans une salle de jeux. Il ne peut, faute d'argent, veiller sur une santé de plus en plus compromise. Quelques rares engagements ne réussissent pas à le tirer de la misère. Il n'est plus rien, et lorsqu'il meurt, en 1938 c'est sa sœur qui doit payer l'enterrement. Il ne reste pas même de quoi faire poser une pierre sur sa tombe.

Issu de l'âge du ragtime, King Oliver a marqué une époque de son style et l'on retrouve son influence évidente chez Armstrong. Il a, on s'en rend compte malgré l'ancienneté des enregistrements de sa grande époque, une sonorité claire et pleine et un sens profond de la mélodie. Puissant représentant de la musique populaire noire d'Amérique, il s'exprime dans un langage direct, simple, et souvent d'une gravité et d'une sobriété qui permettent de le tenir comme l'un des grands « anciens » du jazz, digne d'avoir sa place dans la discothèque de tout amateur tant soit peu éclairé.

D'après George AVAKIAN.
(Traduction de Boris VIAN.)

★

PHILIPS, n° 429208

KID ORY

Vétéran de la Nouvelle-Orléans, Kid Ory est connu du monde entier, notamment pour sa participation aux fameux enregistrements des Hot Five et des Hot Seven de Louis Armstrong entre 1923 et 1927. Ce que l'on sait moins, c'est qu'Ory avait été le premier à engager Louis comme professionnel dans son orchestre en 1917 : Louis y remplaçait son idole King Oliver. Lors de la fermeture du quartier réservé de la Nouvelle-Orléans. Ory fut au nombre des musiciens qui se trouvèrent sur le pavé et quitta le Sud pour la Californie. En 1925, King Oliver le fit venir à Chicago et Ory travailla régulièrement jusqu'en 1929, l'année de la grande dépression américaine. A ce moment, Ory repartit pour la Californie et, comme nombre de musiciens durant la crise, il changea de métier, exploitant avec son frère un élevage de volailles assez prospère. Vers la fin de la crise, Ory revint peu à peu à la musique et rencontra enfin la chance en 1944 en la personne du fameux Orson Welles, l'enfant terrible de la radio, qui avait prié Marili Morden, propriétaire d'une boutique de disques renommée, de lui dénicher quelques vrais jazzmen pour son programme. Ory réunit des musiciens de son choix et les émissions eurent tant de succès que bientôt l'orchestre se vit offrir un emploi permanent dans une boîte de nuit d'Hollywood. Depuis, Ory a toujours conservé un orchestre et le nombre de ses admirateurs n'a cessé d'augmenter.

Les quatre morceaux réunis ici ont été enregistrés en 1950 avec une formation comprenant Teddy Buckner (trompette), Joe Darensbourg (clarinette), Kid Ory (trombone), Lloyd Glenn (piano), Morty Corb (contrebasse), Minor Hall (drums) et Julian Davison ou Eddie Scrivanek (guitare).

Savoy Blues est une composition de Kid Ory écrite en 1927, à la demande de Jay Faga, propriétaire du Savoy Ballroom de Chicago.

Blues for Jimmie a été composé le jour même de la mort de Jimmie Noone, le fameux clarinettiste de la Nouvelle-Orléans, à la mémoire de qui il est dédié. Il fut joué le soir même à l'émission d'Orson Welles ; dans le studio, tous les musiciens pleuraient. Ory le récrivit pour le présent enregistrement, pensant que Noone n'aurait pas été totalement satisfait de la première version.

At a Georgia Camp Meeting est dû au compositeur Kerry Mills. C'est sans doute le plus populaire de tous les cake-walks qui aient jamais été écrits.

Yaaka Hula Hickey Dula est un de ces pseudo-morceaux hawaïens dont la vogue fut grande un moment, et qui, dépouillé de ses paroles — que l'on préfère ne pas imaginer — et interprété dans l'esprit voulu, constitue un excellent support pour l'improvisation.

D'après George AVAKIAN.
(Traduction de Boris VIAN.)

★

PHILIPS, JAZZ POUR TOUS, nº 7799

KID ORY

L'histoire de Kid Ory est semblable à celle d'un grand nombre de musiciens de la Nouvelle-Orléans, oubliés pendant les années de la dépression américaine, et qui réapparurent vers 1940 au moment de la résurrection de ce style, pour refaire une nouvelle carrière.

On sait que Kid Ory fut un des premiers trombones dans l'histoire du jazz et qu'il fit partie des Hot Five et des Hot Seven de Louis Armstrong de 1925 à 1927. C'est Kid Ory qui donna à Louis Armstrong, alors âgé de dix-sept ans seulement, son premier travail professionnel en le prenant pour remplacer King Oliver. En 1917, après la fermeture du quartier réservé de Storyville, où se trouvaient les bordels de la Nouvelle-Orléans et où les musiciens travaillaient tous, Kid Ory partit pour la côte ouest, et c'est en Californie qu'il revint en 1929 après avoir travaillé pour Oliver à Chicago en 1925. Mais pendant les années 30 il n'y avait pas beaucoup de travail pour un trombone

Nouvelle-Orléans et à ce moment Ory quitta la musique pour s'occuper d'un élevage de poulets avec son frère. Vers la fin de la dépression, il se remit peu à peu à la musique, et le grand événement de sa vie survint en 1944, lorsque Orson Welles, alors producteur d'une émission de variété à Hollywood, demanda à Marili Morden, propriétaire de la Jazz Men Record Shop, de réunir quelques vieux de la vieille pour un programme de jazz. Elle s'adressa à Ory qui groupa une formation. Les émissions eurent tant de succès que l'orchestre trouva rapidement un emploi régulier dans une boîte de nuit à Hollywood. Depuis, Ory a toujours conservé un orchestre, et il a une clientèle fidèle aux Etats-Unis, où il passe de préférence à Hollywood et à San Francisco.

A part Jimmie Noone qui mourut en avril 1944 et Zutty Singleton, Kid Ory est entouré, dans six des morceaux du présent recueil, par les musiciens qui participèrent à l'émission originale de Welles. Tous sont les vétérans du style Nouvelle-Orléans. Le guitariste Bud Scott et le bassiste Ed Garland partagent avec Ory la distinction d'avoir joué dans les orchestres d'Armstrong et d'Oliver. Mutt Carey, qui avait avec Ory et Garland participé aux premiers enregistrements faits par un orchestre noir dans le style Nouvelle-Orléans (en 1921 à Los Angeles), était resté vingt-trois ans sans faire de disque ; en fait, ayant abandonné la musique quelques années avant Ory, il travaillait comme porteur de bagages à la compagnie Pullman quand Ory constitua son orchestre pour le programme de Welles. Buster Wilson, pianiste ragtime dans la tradition de Jelly Roll Morton, et le drummer Minor Hall, frère cadet de Tubby Hall, étaient pratiquement inconnus jusqu'à la résurrection de l'orchestre Ory, mais tous deux avaient fait un long apprentissage de la musique Nouvelle-Orléans. Barney Bigard, naturellement, n'avait jamais cessé de jouer depuis son départ de la Nouvelle-Orléans et s'était fait une solide réputation internationale grâce à son séjour de dix-sept ans dans l'orchestre de Duke Ellington. Peu de gens savent pourtant qu'il avait déjà joué auparavant avec King Oliver et aussi Morton.

Le répertoire de l'orchestre est un bon échantillonnage des ingrédients de base du jazz Nouvelle-Orléans.

Tiger Rag évoque les orchestres de parade de la Nouvelle-Orléans, qui prenaient un quadrille français et en faisaient un ragtime ou un stomp.

Bucket Got a Hole In It est un de ces morceaux traditionnels qui passent d'une génération de jazzmen à la suivante sous des titres dont la plupart ne pourraient être décemment imprimés.

Eh Là-Bas et *Créole Bo Bo* sont de simples chansons populaires du genre de celles que la population créole de la Nouvelle-

Orléans apportait à la tradition musicale locale. Kid Ory les chante en patois français. *Eh Là-Bas* raconte l'histoire de ces cousins qui mangent du cochon et du ragoût de lapin jusqu'à se rendre malade, et *Créole Bo Bo* raconte l'histoire d'un petit garçon dont le papa et la maman exaspérés enlèvent la culotte pour lui flanquer la fessée.

Farewell to Storyville est la chanson récrite par Spencer Williams pour le film *New Orleans* sur la musique de *Good Time Flat Blues,* et le sujet est la fermeture de Storyville et l'exode de sa faune.

Dans la seconde face, la même formation a enregistré *Bill Bailey,* chanté par Bud Scott, un grand succès de l'année 1902. Les six morceaux ci-dessus ont tous été gravés en 1946.

Quatre ans plus tard, en 1950, Ory enregistra les quatre autres, avec un personnel complètement différent. Seul Ram Hall était encore à la batterie. Entre-temps, Carey, Scott et Wilson étaient morts, et Garland empêché de jouer par une grave maladie. Pour ces quatre morceaux, Teddy Buckner, de Sherman (Texas), un ancien des orchestres de Lionel Hampton, Benny Carter et Horace Henderson, tient le cornet. A la clarinette, Joe Darensbourg. Morty Corb, jadis dans la petite formation de Louis Armstrong, tient la basse avec le talent d'un expert musicien enfin libre de jouer la musique qu'il aime. Le pianiste est Lloyd Glenn, et les guitaristes Julian Davison et Eddie Scrivanek se partagent la besogne.

Mahogany Hall Stomp, de Spencer Williams, évoque la maison de plaisirs de la fabuleuse Lulu White, dont la maison du 235 Basin Street était une des plus célèbres de Storyville.

The Glory of Love met en valeur la belle voix de Lee Sapphire. Son interprétation de ce morceau à succès de Billy Hill, qui date de 1936, montre une fois encore s'il en était besoin qu'un bon orchestre Nouvelle-Orléans peut jouer n'importe quel thème dans ce style.

Creole Song, une autre chanson créole interprétée par Ory, évoque une fameuse commère de la Nouvelle-Orléans, Mme Pedoux. Ses cancans et ses bavardages sont stigmatisés comme il convient en patois créole.

Go Back Where You Stayed Last Night, créé à l'origine par Ethel Waters, est chanté par Lee Sapphire, avec un commentaire improvisé de Joe Darensbourg.

Voici Kid Ory, un authentique représentant du plus pur style Nouvelle-Orléans.

D'après George AVAKIAN.
(Traduction de Boris VIAN.)

★

PHILIPS, PETITS JAZZ POUR TOUS, n° 422349

RITA REYS
(vocal)
avec les
Jazz Messengers

I Cried for you.
That old black magic (enregistré le 25 juin 1956).
Taking a chance on love.
You'd be so nice to come home to (enregistré le 3 mai 1956).

Personnel

Donald Byrd (trompette) Horace Silver (piano)
Hank Mobley (saxo-ténor) Doug Watkins (basse)
Art Blakey (drums)

Née à Rotterdam, Rita Reys commença après la Seconde Guerre mondiale une rapide carrière de chanteuse de jazz, qui la conduisit à travers l'Europe, puis — suprême consécration en 1956, aux Etats-Unis.

George Avakian, le fameux critique américain la présente en ces termes : « Peu de chanteurs, même américains, possèdent un tel swing, autant de goût et de personnalité que Rita telle que nous la révèlent les quatre faces de ce disque. Et son accent même est étonnant, si l'on tient compte du fait qu'elle n'avait jamais été aux Etats-Unis avant cet enregistrement. Dans un domaine où la compétition est rarissime, Rita se montre la meilleure chanteuse de jazz hors des Etats-Unis, et peut-être même, comme le pensent certains, la meilleure chanteuse de jazz du monde. »

Tout autre commentaire serait superflu.

★

PHILIPS, n° 7128

PETE RUGOLO
and his orchestra
Adventures in jazz

Pete Rugolo est un pionnier de l'arrangement jazz moderne et de l'orchestration d'avant-garde. Cinq années de suite, il a été classé « meilleur arrangeur de l'année » par les magazines spécialisés *Down Beat* et *Metronome*. Il a remporté, en outre, un prix décerné, en Amérique du Sud, au meilleur score. Ses harmonisations insolites et ses conceptions musicales ne se traduisent pas seulement par les enregistrements qu'il réalise sous son nom : de nombreuses vedettes de la chanson américaine font appel à lui pour leurs disques.

Ce que les amateurs de jazz connaissent le mieux de lui, en dehors du premier microsillon déjà publié sous l'étiquette Philips, c'est sans doute la série d'arrangements qu'il écrivit pour Stan Kenton, dont il fut l'arrangeur en chef en ses jours les plus déchaînés. Stan et son orchestre ont enregistré plus de cinquante arrangements de Pete. Le morceau intitulé *Early Stan*, qui figure dans le présent recueil, rend hommage à cette époque.

Pete Rugolo a fait ses études au Collège d'Etat de San Francisco et conduit ses diplômes à Mills College. En 1939 et 1940, il fut l'élève du fameux compositeur Darius Milhaud. En 1940, sa Suite pour Cordes remporta le premier prix d'un concours organisé par le collège. A la même époque, il était pianiste dans des orchestres de danse, il jouait du cor d'harmonie dans l'Orchestre Symphonique de Sonoma County, en Californie, et il écrivait des arrangements pour la formation de Johnny Richards.

That old Black Magic, la célèbre chanson d'Arlem, est jouée sur un tempo plus rapide que de coutume et n'en devient que plus « électrique ». On retrouve l'influence de Milhaud dans la façon remarquable dont sont distribuées les diverses parties de l'arrangement. On appréciera tout particulièrement le formidable travail des cuivres.

Early Stan, une composition originale de Rugolo, présente tous les caractères des arrangements qui firent la fortune de l'orchestre de Stan Kenton. Excellents solos de trompette et de saxo ténor.

California Melodies. Ici encore, Rugolo a accéléré le tempo de la jolie composition de David Rose et l'on n'en apprécie que mieux la stupéfiante mise en place de tous les musiciens de l'orchestre. Une courte coda en forme de valse achève l'arrangement de façon originale.

Everything I have is yours. Voici une des plages surprenantes de cette série. La plupart des gens ne se représentent pas le tuba comme un instrument idéal pour le soliste. Et la plupart des gens seront extrêmement surpris de constater qu'entre les mains expertes de John Barber, cet instrument méconnu acquiert un charme moelleux tout à fait inattendu.

You stepped out of a dream. A noter encore la richesse de l'écriture rugolienne, particulièrement perceptible sur une ballade à temps modéré du genre de celle-ci. Intéressant travail de percussion.

360 Special. Autre composition de Pete Rugolo, typique de la manière du grand arrangeur.

Come back, little rocket, paraphrase du titre du film bien connu, est une véritable explosion de toutes les couleurs de la palette orchestrale rugolienne. Les techniciens qui composent ce brillant orchestre sont à la hauteur de l'arrangeur...

In the shade of the old apple tree. Les amateurs de jazz connaissent tous ces vieux classiques, mais surtout par les versions qu'en donnèrent naguère Armstrong ou Ellington. On appréciera ici la façon dont Rugolo a réussi à renouveler complètement l'atmosphère du morceau.

Theme from the Lombardo Ending. A partir d'une phrase musicale de cinq notes, un arrangement complet a été écrit, et les astuces musicales s'y multiplient.

Gone with the wind. Un des thèmes favoris des musiciens de jazz où l'on entend un trompette de talent, Doug Mettome, musicien de la nouvelle école, sur un fond musical excitant.

In a sentimental mood. Ravissante composition d'Ellington, cette mélodie classique du grand pianiste met en valeur une petite formation de l'orchestre qui comporte trombone, tuba, cor, basse à cordes, guitare, hautbois, flûte alto et batterie. C'est le célèbre corniste Johnny Graas que l'on entend ici.

Bobbin' with Bob. Encore une de ces petites pièces originales que Rugolo de la main gauche, jette négligemment sur le papier tout en écrivant, de la main droite, l'arrangement complet d'un standard... C'est le saxo baryton Bob Gordon qui déploie toutes les ressources de son inhabituel talent.

D'après G. AVAKIAN et Gene BECKER.
(Traduction de Boris VIAN.)

★

PHILIPS, JAZZ POUR TOUS, n° 07875

REX STEWART - COOTIE WILLIAMS

1. Rex Stewart.

Déjà révélé par l'orchestre de Fletcher Henderson et la formation des Mc Kinney's Cotton Pickers, c'est chez Duke que

Rex Stewart se fit connaître au grand public. Il entra dans l'orchestre en 1934 et y resta une dizaine d'années. C'est pour lui que Duke écrivit certains de ses plus fameux « concertos » pour trompette et orchestre, notamment *Trumpet in Spades.*

Rexations est la première version du *Rexercise* que Stewart devait réenregistrer huit ans après. Le style de Stewart s'y affirme déjà ; son attaque mordante et cette façon violente, haletante, de « foncer dans le décor » pour produire une musique galvanisante par excellence.

Lazy Man's Shuffle comporte d'amusants effets de guitare très hawaïenne ; il y règne cette atmosphère heureuse et détendue si favorable au bon jazz.

Swing Baby Swing est également connu sous le titre *Love in my heart* et il s'y trouve une délicieuse partie de Duke au piano. C'est un parfait exemple de la façon dont Stewart « pétrit » sa matière sonore ; les attaques à piston demi-baissé, les notes « mordues », etc., sont autant de caractéristiques qui rendent son style inimitable et si reconnaissable.

Fat Stuff et *San Juan Hill,* deux morceaux un peu plus récents, montrent, eux aussi, Rex au meilleur de sa forme.

2. Cootie Williams.

Il est considéré par certains comme l'égal de Louis Armstrong, et il a donné à maintes reprises les mêmes preuves de grandeur. Cootie remplaça Charles Irvis lorsque celui-ci quitta Ellington et fut utilisé par Duke pour les mêmes effets de « growl » qui avaient rendu célèbre le regretté Bubber Miley. Les chorus de Cootie à la sourdine devinrent une sorte d'estampille du « son Ellington » mondialement apprécié.

C'est pour Cootie qu'Ellington écrivit *Echoes of Harlem* dont on trouve ici une version de petite formation aussi impressionnante que celle de l'orchestre au complet.

Mobile Blues et *Delta Mood* sont des exemples du même climat très « blues », dramatique et sombre, où excelle Cootie.

Have a Heart, qui débute la face Cootie, est enlevé sur un tempo allègre, mais Cootie n'y perd pas pour autant sa sécheresse incisive et brutale. Musicien de choc s'il en fut, il a donné à son style des accents inimitables, travaillant à « l'arraché » sans jamais tomber dans la facilité ou l'effet « pour effet ». *Swing Pan Alley,* dans un esprit voisin, swingue sans discontinuer, et on y entend un superbe travail de soutien de Bigard et Carney.

Voici deux très grands trompettes dont le nom fait partie de l'histoire du jazz.

Personnel et dates.

Rex Stewart and his 52nd Street Stompers.

Rexations. 16 décembre 1936 avec : Rex Stewart (trompette), Lawrence Brown (trombone), Johnny Hodges (alto et soprano), Harry Carney (clarinette et baryton), Duke Ellington (piano), Ceele Burke (guitare), Billy Taylor (basse), Sonny Greer (drums).

Lazy Man's Shuffle. Même date, même personnel.

Swing, baby swing. 7 juillet 1937, même personnel.

Fat Stuff Serenade. 20 mars 1939, avec : Rex Stewart, Louis Bacon (trompettes), « Tricky Sam » Nanton (trombone), Barney Bigard (clarinette), Duke Ellington (piano), Brick Fleagle (guitare), Billy Taylor (basse), Jack Maisel (drums).

San Juan Hill. Même date, même personnel.

Cootie Williams and his Rug Cutters.

Have a Heart. 19 janvier 1938, avec Cootie Williams (trompette), Joe Nanton (trombone), Barney Bigard (clarinette), Johnny Hodges (alto et soprano), Harry Carney (saxo basse ou baryton), Duke Ellington (piano), Fred Guy (guitare), Billy Taylor (basse), Sonny Greer (drums).

Echoes of Harlem. Même date, même personnel.

Swing Pan Alley. 2 août 1938, avec Cootie Williams (trompette), Barney Bigard (clarinette, ténor), Otto Hardwick, Johnny Hodges (soprano et alto), Harry Carney (baryton), Duke Ellington (piano), Billy Taylor (basse), Sonny Greer (drums), Scat Powell (vocal).

Delta Mood. 21 décembre 1938, avec le même personnel sauf Scat Powell.

Mobile Blues. Même date, même personnel que Delta Mood.

★

PHILIPS, n° 07131

VILLEGAS

Villegas : piano Milton Hinton : bass,
Cozy Cole : drums

Comme le jazz, la vie vous réserve bien des surprises. Pour moi l'une des plus curieuses fut la rencontre d'un pianiste, fraîchement arrivé d'Argentine, nommé Enrique Villegas, Rickey pour ses amis et Villegas tout court pour son public habituel.

Villegas est un concertiste qui se spécialisait dans l'exécution des œuvres de Brahms, Schumann et Bartok jusqu'au moment où il eut l'occasion d'entendre, en 1933, un enregistrement de Duke Ellington, Rude Interlude. « Je fus littéralement électrisé ! » déclare-t-il aujourd'hui. Le choc persista assez longtemps pour lui permettre de se familiariser rapidement avec les œuvres enregistrées de Coleman Hawkins et de Louis Armstrong, sans oublier celle de Duke. De là, il passa aisément à Fats Waller, Earl Hines et finalement Art Tatum. Le jazz devint sa passion dominante et devait le rester.

Le jeu de Villegas défie absolument toute description ; on ne peut en dire que ceci : il ne ressemble à celui de personne d'autre. Il joue avec une absence totale d'inhibition — et cela s'applique également à son aspect physique lorsqu'il joue. Il lui arrive de se perdre dans un passage genre Bartok, ou dans une phrase style Chopin de telle sorte qu'il semble littéralement noué sur lui-même ; parfois, il bondit de son tabouret et, debout, joue complètement courbé sur le clavier. Il est aussi original qu'Erroll Garner à sa première apparition sur la scène du jazz. Il y a des traces du style de sept ou huit pianistes dans son jeu, mais cela reste du Villegas à 90 %.

Connu en Argentine comme pianiste classique et de jazz, il est arrivé aux Etats-Unis en 1955 avec l'intention de se faire une situation dans le jazz. Ses débuts au cabaret lui apportèrent un succès immédiat ; mais dès avant ceux-ci, il avait réalisé le présent enregistrement.

Les séances d'où l'on a tiré le présent recueil furent un délice. Ayant le choix, Villegas décida de prendre pour accompagnateurs le bassiste Milton Hinton, qui avait déjà joué avec lui en Amérique du Sud, et Cozy Cole, dont il a toujours admiré le jeu de batterie. Les deux soirées durant lesquelles on grava ces faces, au studio Columbia de la 30e Rue, ressemblèrent plus à une réunion amicale qu'autre chose. Les arrangements « de tête » de Villegas furent immédiatement assimilés par Hinton et Cole, après quoi les trois compères s'en donnèrent à cœur joie.

Les thèmes choisis par Villegas pour ce premier microsillon reflètent clairement sa longue familiarité avec le jazz américain enregistré. A l'exception du *Prélude numéro sept* de Chopin — encore se rappellera-t-on que le regretté Jimmy Lunceford en avait donné un très remarquable arrangement — tous les airs choisis sont de bons classiques de la période durant laquelle il apprit à connaître ce phénomène nord-américain nommé jazz. Mais à entendre sa façon de les interpréter, on se rend compte très clairement que ce répertoire n'est pour Villegas qu'un tremplin d'où jaillissent des idées aussi modernes que la mode de la saison prochaine — voire celle des années à venir.

Visiblement, Villegas connaît et apprécie les maîtres du jazz modernes ; mais, ayant assimilé leur œuvre, il a choisi une voie bien à lui.

G. AVAKIAN
(Traduction de Boris VIAN).

★

FONTANA, n° 462004

GEORGE WETTLING'S JAZZ BAND

Originaire du Kansas, où il est né, en 1906, le drummer George Wettling commença sa carrière en jouant dans des orchestres amateurs d'étudiants. Il se fixa bientôt à Chicago où il entendit, à ses débuts dans cette ville, la formation de King Oliver qui jouait aux Lincoln Gardens. Wettling, en compagnie de Condon, Floyd O'Brien, Muggsy Spanier, etc., traînait toujours aux alentours de ce légendaire orchestre qui devait communiquer le virus du jazz à tant de Chicagoans. Il fit partie d'un grand nombre de petits groupements avant de gagner, comme beaucoup d'autres, New York où, vivant de brefs engagements, il attendit longtemps la chance qui le fit enfin entrer dans l'orchestre d'Artie Shaw. L'année suivante, en 1937, il rejoint la formation de Bunny Berigan, puis il joue successivement avec Red Norvo et Paul Whiteman. Par la suite, il se consacre exclusivement aux groupements de style Dixieland. Il a tenu la batterie dans un grand nombre d'enregistrements de qualité, dont plusieurs sont parus sous son nom. Ceux que nous présentons ici mettent en valeur la qualité de son jeu et la parfaite orthodoxie de son style ; en un temps où se multiplient les orchestres « revivalistes », il est bon de revenir aux représentants authentiques d'une tradition plus florissante que jamais.

★

LA VOIX DE SON MAITRE, n° 1031

TRENTE ANS DE JAZZ (II)

L'histoire du jazz, c'est celle des hommes qui l'ont fait. Le choix que nous présentons ici de faces gravées entre 1925 et 1950 tente donc d'éclairer, au moyen des enregistrements de quelques grands musiciens de jazz, l'évolution d'un art né dès le début du siècle actuel, et qui atteignit son adolescence précisément vers l'époque où les procédés de reproduction se perfectionnaient suffisamment pour que l'art en question connût bientôt une renommée mondiale. Quelques figures dominent de haut le panorama du jazz ; lorsqu'il s'agissait de créateurs comme Duke Ellington ou Armstrong, on n'a pas hésité à les représenter par plusieurs de leurs œuvres. Certains grands talents sont illustrés par la même occasion, tel celui du saxophoniste Johnny Hodges ou du trompette Bubber Miley chez Duke, du pianiste Earl Hines chez Louis ; de cette façon, nous avons tenté de couvrir une période très fructueuse sans « trous » trop énormes. On déplorera évidemment l'absence d'hommes comme Teddy Wilson, Art Tatum, ou Charlie Parker ; mais on voudra bien se souvenir que le choix était limité par les matrices disponibles en France et devait satisfaire à certaines conditions d'étiquette.

Got everything but you — *Duke Ellington.*

Edward-Kennedy Ellington est né en avril 1899. C'est un peu par raccroc qu'il commence à dix-sept ans une carrière de pianiste professionnel. Il se forme au métier de pianiste en jouant dans divers orchestres, notamment celui d'Elmer Snowden, avec qui il arrive à New York en 1923. L'année suivante, il dirigera son propre groupement. En 1927, c'est avec une formation plus importante qu'il rentre au Cotton Club de New York. Depuis, sa réputation n'a cessé de croître et il continue d'être aux tout premiers rangs.

Excellent pianiste, Ellington est avant tout, il l'a dit lui-même, un compositeur qui écrit pour un orchestre et des solistes donnés. L'admirable homogénéité de sa formation montre toujours, malgré d'inévitables changements de personnel, avec quelle acuité il a conscience des possibilités de chacun de ses hommes. Depuis plus de vingt ans, Ellington domine le monde du jazz.

Got everything but you date de juin 1928 et fut enregistré avec la formation suivante : Arthur Whetsel, Bubber Miley (trompettes), Joe Nanton (trombone), Otto Hardwick (alto), Barney Bigard (clarinette), Harry Carney (saxo baryton), Ellington (piano), Fred Guy (banjo), Wellman Braud (basse), Sonny Greer (drums).

Maple leaf rag — *Sydney Bechet.*

Né en mai 1897 à la Nouvelle-Orléans, Sydney Bechet joua de la clarinette dès l'âge de huit ans comme professionnel dans les orchestres locaux. En 1918 à Chicago, il fait en 1919 une tournée européenne ; de retour aux U.S.A., il enregistre à New York et reprend une vie de longues tournées, avec quelques brèves interruptions. Redécouvert assez tard, Bechet, adopté par la France, recommence sa carrière et acquiert un renom international, multipliant les enregistrements et les concerts. Il se partage actuellement entre l'Europe et les U.S.A.

Le style lyrique de Bechet, sa spécialisation dans un instrument difficile comme le soprano, la chaleur et la véhémence de son phrasé, lui confèrent une sonorité et une personnalité immédiatement reconnaissables. Le *Maple leaf rag* qu'il enregistra en 1932 entouré de Tommy Ladnier (trompette), Teddy Nixon (trombone), Hank Duncan (piano), Wilson Myers (basse) et Morris Morand (drums), est un des plus vivants exemples de son talent.

Original Jelly Roll Blues — *Jelly Roll Morton.*

Ferdinand « Jelly Roll » Morton, né en décembre 1885, passe sa première jeunesse à Grilport, en Louisiane ; il apprend d'abord la guitare, puis le piano. A la fin de 1915, c'est l'un des pianistes les plus populaires de Storyville, le quartier des plaisirs de la Nouvelle-Orléans et il remporte de gros succès en tournées. Il joue à Chicago, à New York, y enregistrant de nombreux disques. La crise l'atteint comme tant d'autres vers 1930 et il subit une éclipse ; retrouvant une certaine popularité vers 1938, il enregistre à nouveau et meurt en Californie le 10 juillet 1941.

Jelly Roll, un des premiers grands pianistes de jazz, est aussi un de ceux qui ont le mieux utilisé l'orchestre en un temps où l'on n'avait pas pris conscience de toutes ses possibilités en matière de jazz. Compositeur de talent, il a joué un rôle considérable dans la formation de l'école moderne.

Original Jelly Roll Blues, enregistré en décembre 1926, comporte les musiciens suivants : George Mitchell (cornet), Kid Ory (trombone), Omer Siméon (clarinette), Jelly Roll (piano), John Saint-Cyr (guitare), John Lindsey (basse), Andrew Hillaire (drums).

Truckin' — *Fats Waller.*

Né le 21 mai 1904 à New York, mort prématurément à Kansas-City le 15 décembre 1943, Fats Waller apprit à jouer du piano dès l'âge de six ans. Une solide formation classique reçu de Carl Bohm et Léopold Godowsky ne l'empêcha pas de se tourner résolument vers le jazz ; Fats Waller avait le démon du « swing ». Dans le cours de sa brève carrière, ce gargantua de cent trente kilos grava plus de cinq cents faces dont les trois quarts n'ont pas vieilli d'un jour. Un des plus grands humoristes du jazz mourut avec lui, et comme tous les vrais humoristes, il cachait sous son rembourrage de chair une profonde sensibilité.

Le style de Fats Waller est un des plus « chauds » qui soient et son jeu l'un des plus solides de l'histoire du jazz. Doué d'une profonde inspiration, Fats savait transfigurer un thème banal et insuffler la vie aux groupements les plus hétéroclites. Sa main gauche est restée légendaire et la fluidité de sa dextre frappe d'étonnement lorsque l'on voit la photo de ce bon gros père. Fats Waller, mort, reste l'un des musiciens les plus aimés.

Truckin', 2 août 1935 : Herman Autrey (trompette), Rudy Powell (clarinette ou alto), James Smith (guitare), Charles Turner (basse), Harry Dial (drums).

Buzzin' around with the bee — *Lionel Hampton.*

Né à Louisville en 1913, Hampton fait ses études à Chicago. Ses dons rythmiques se révèlent dès son plus jeune âge. En 1930, il réside en Californie et commence à jouer comme professionnel. Il connaît la grande gloire lorsque Benny Goodman, dont c'est l'apogée, l'entend et l'engage dans son trio, puis dans son quartette en 1936. De 1936 à 1949, il grave de nombreux disques, sous son nom, à la tête de formations de studio et avec Benny Goodman. En 1940, il forme son propre orchestre d'une vingtaine de musiciens qui n'a cessé de connaître le succès.

Lionel Hampton possède le don remarquable de pouvoir, à volonté, se mettre « en transe ». Tempérament exceptionnel, il pratique avec une virtuosité surprenante le vibraphone, la batterie et le piano.

Le présent enregistrement a été gravé en 1937 avec un certain nombre de très grands musiciens, dont Cootie Williams (trompette), Lawrence Brown (trombone), Johnny Hodges (alto saxo), Jess Stacy (piano), Allan Reuss (guitare), John Kirby (basse), Cozy Cole (drums), Hampton (vibra et vocal). Le clarinettiste Milton Mezzrow participait également à la séance.

Sunday — *Benny Carter.*

Né à New York en août 1907, Benny Carter s'intéresse de bonne heure à la musique et commence sa carrière de professionnel en 1924. Il joue pendant de nombreuses années dans divers orchestres et ne forme le sien propre que vers 1932. Il ne le garde pas et fait surtout un gros travail d'arrangeur pour diverses formations de premier plan. Souvent en tournée à l'étranger, il enregistre avec des groupements variés et continue à se consacrer surtout à l'arrangement.

Le style de Benny Carter est remarquable, surtout pour l'aisance de son phrasé et son agréable sonorité. Le contour sinueux de ses improvisations, le côté logique de leur développement se retrouvent dans les excellents arrangements qu'il a multipliés tout au long de sa carrière.

Enregistré le 16 octobre 1941, *Sunday* comporte : Nathaniel Williams, Emmet Berry, Rostelle Reese (trompettes), James Archey, Henry Morton, John Mac Connell (trombones), Benny Carter (alto saxo), Ernie Purce, George James, Alfred Gibson, Ernie Powell (saxos), Sonny White (piano), William Lewis (guitare), Charles Drayton (basse), Bérisford Shepherd (drums).

Body and Soul — *Coleman Hawkins.*

Né comme Benny Carter en 1907, Coleman Hawkins, surnommé « The Bean », commença très tôt ses études musicales et apprit le saxo vers l'âge de neuf ans. En 1923, il a terminé ses études et débute dans sa carrière de musicien professionnel. Engagé la même année par Fletcher Henderson, il y reste jusqu'en 1934 et marque de son influence le style de l'orchestre. Il part longtemps en tournée et, revenu à New York vers 1939, forme un grand orchestre éphémère et se borne surtout aux petits groupements. Il est venu en Europe à plusieurs reprises.

Le style de Coleman Hawkins a influencé toute une génération de saxo-ténors. A l'opposé de celui de Lester Young qui a formé l'école moderne et qui a un jeu très dépouillé, très « intérieur », Hawkins joue avec une puissance, un lyrisme, une véhémence remarquables, et son phrasé n'est pas sans évoquer celui de Carter. Cependant, il a parfaitement su s'adapter aux tendances modernes.

Body and Soul est sans doute son enregistrement le plus fameux. Enregistré en 1939, il réunit les noms de Tommy Lindsay, Joe Guy (trompettes), Jackie Fields, Eustis Moore (alto saxes), Hawkins (ténor-sax), Gene Rodgers (piano), William Smith (basse), Arthur Herbert (drums).

When Lights are low — *Lionel Hampton.*

Nous donnons ailleurs une brève biographie de Hampton. Le présent enregistrement groupait une pléiade de vedettes réunies pour l'occasion, notamment le fameux trompette Gillespie, alors à ses débuts, et quatre des meilleurs spécialistes du saxo : Coleman Hawkins, Chu Berry et Ben Webster au ténor, Benny Carter à l'alto. En outre, le guitariste Charlie Christian, le pianiste Clyde Hart, Milton Hinton (basse) et le grand drummer Cozy Cole, fournissaient une des plus parfaites sections rythmiques jamais enregistrées. Hampton lui-même, en grande forme, était au vibraphone. L'enregistrement est de septembre 1939.

Main Stem — *Duke Ellington.*

Voir ci-dessus la biographie d'Ellington. *Main Stem,* gravé fin 1942, est un des plus formidables enregistrements du grand compositeur. Le drummer Sonny Greer, souvent injustement décrié, s'y révèle en grande forme ; on ne peut manquer d'être impressionné par le swing massif qui se dégage de l'ensemble.

Le personnel à cette époque était le suivant : Wallace Jones, Ray Nance, Rex Stewart (trompettes), Joe Nanton, Juan Tizol, Lawrence Brown (trombones), Barney Bigard (clarinette), Otto Hardwick, Johnny Hodges, Ben Webster, Harry Carney (saxes),

Ellington (piano), Fred Guy (guitare), Junior Raglin (basse), Sonny Greer (drums).

Lover, come back to me — *Dizzy Gillespie.*

Né en octobre 1917 à Cheetaw, puis venu à Philadelphie, Gillespie commence sa carrière professionnelle dans cette même ville en 1934. Venu à New York en 1937 avec l'orchestre de Chick Webb, il se rend en Europe cette même année avec celui de Teddy Hill. Il joue ensuite dans de nombreuses formations avant de diriger avec Pettiford, fin 1943, un quintette qui fait connaître pour la première fois, ce que l'on baptisera par la suite « musique bop ». En juin 1946, il a un grand orchestre et le présente en 1948 à Paris notamment, mais faute d'argent, doit le dissoudre en mai 1950, et se borne désormais à diriger un petit groupement et à enregistrer.

Doué d'une technique extraordinaire, Dizzy Gillepsie a marqué très profondément son époque et, malgré des difficultés financières inévitables, car il s'agissait d'imposer une musique relativement avancée, le bop a imprégné tout le jazz actuel. Plus que l'autre grand créateur du bop, Charlie Parker, Dizzy reste cependant tout près de la tradition du jazz. Son inspiration recherchée, sa vitalité et son étrange talent de chanteur font de lui un des tout premiers musiciens de l'heure. On lui doit également l'utilisation du bongo à titre d'instrument régulier de l'orchestre de jazz.

Lover, come back to me a été enregistré en décembre 1948 par Gillespie, Dave Burns, Willie Cook, Elmon Wright (trompettes), Andy Duryea, Sam Thirt, Jesse Tarrant (trombones), John Brown, Ernie Henry, Joe Gayles, Albert Johnson, Cecil Payne (saxes), James Forman (piano), Teddy Stewart (drums), Luciano Martinez, Joe Harris (bongos).

★

INÉDITS

INEDITS

Lettre du 8 juillet 1946 à M. Roland Castelnau à propos de l'article sur Hubert Rostaing paru dans le n° 7, mai/juin 1946, de JAZZ-HOT.

« Le jazz et sa critique », texte demandé à Vian par Charles Delaunay pour la revue JAZZ-HOT. *Ecrit le 20 décembre 1946 et non publié. D'après une copie dactylographiée avec corrections.*

« Présentation du trio Jacques Diéval ». Texte écrit pour la radio suisse le 3 janvier 1947.

Notes pour un article sur le jazz destiné aux TEMPS MODERNES. *Vraisemblablement écrit en 1948. D'après le manuscrit.*

« Note à Roger Vincent ». 1949. D'après dactylographie.

« Têtu comme une mule ». Texte écrit pour un programme Tony Proteau à la salle Pleyel. D'après dactylographie.

Lettre du 14 octobre 1950. Nous ignorons le nom du destinataire.

« Vague projet de scénario ». Sous ce titre général Boris Vian avait regroupé une page de notes et deux scénarii : « Le plus cher des bruits » et « La collection ».

Notes pour TOUT POUR LE JAZZ, *livre demandé à Boris Vian par les éditions Amiot-Dumont. Il existe un contrat qui fut signé le 22 avril 1952.*

« Emission W.N.E.W. ». Dans une chemise portant cette mentions, nous avons retrouvé le texte manuscrit de quarante-cinq émissions hebdomadaires d'un quart d'heure. Cette série d'émissions porte les titres suivants : « Hot Club de Paris » puis « Hot Music from Paris », enfin « Hot Music from France » ; les manus-

crits sont datés d'avril 1948 à juillet 1949. Ils sont rédigés directement en anglais à l'exception des deux premiers, ceux que nous donnons ici. Chacune des émissions est consacrée à un musicien ou à un groupe français ou, occasionnellement, à un musicien noir résidant en France (Don Byas, Bechet, Freddie Johnson, Bill Coleman...).

« Jazz et verbalisme ». Nous n'avons aucun renseignement sur ce texte quant à sa date et sa destination.

Texte non daté [1951-1952] consacré à la chanson « leste ». A rapprocher de la chronique parue dans ARTS *du 30 novembre 1951.*

Texte non titré, non daté, signé Michel Delaroche et vraisemblablement destiné à JAZZ-HOT *à propos de la parution du livre de Louis Armstrong* MA NOUVELLE-ORLÉANS.

C.R.

★

M. Roland CASTELNAU 8 juillet 1946

Monsieur,

Charles Delaunay m'ayant communiqué votre lettre, je m'empresse d'y répondre, voulant dissiper le malentendu qui me semble s'être emparé de votre esprit.

Tout d'abord, que je vous rassure. Je n'ignore point que Art Tatum est pianiste, aveugle par surcroît, et presque complètement édenté. Quant à (et non tant qu'à, s'il vous plaît) Teddy Wilson, les horreurs qu'il a naguère perpétrées avec l'aide des dénommés Goodman, Hampton et Krupa, dont je sais qu'ils sont, respectivement clarinettiste, vibraphoniste et drummer, m'ont permis, procédant par élimination, de le classer également parmi les pianistes.

Votre lettre appelle donc quelques commentaires. Tout d'abord, vous semblez ignorer ce que cela peut être qu'une *comparaison.* Je vous signale que l'on peut comparer, sans être fou, un pianiste et un clarinettiste. Vous le dites vous-même : « N'est-ce pas le musicien qu'il faut juger plutôt que l'instrument ? »

Votre complète ignorance de la langue française est d'ailleurs corroborée par la suite de votre lettre, dont je vous remercie, car du point de vue du collectionneur, il est rare de tomber sur des... choseries de ce calibre. En effet, vous semblez croire qu'un instrument est plus *puissant* qu'un autre (en l'occurrence, la clarinette serait plus *puissante* que l'alto) lorsqu'il dispose d'un *registre plus étendu.*

Je n'insiste pas car il y a là une différence qui ne doit échapper à personne, même vous. A ce compte, le piano serait plus puissant que le trombone.

Maintenant, dire que la clarinette est plus difficile (techniquement parlant) que l'alto me paraît contestable. Je n'ignore pas, rassurez-vous, la différence entre ces deux instruments, mais il est un fait : il y a *peu* de bons altos, il y a *beaucoup* de bons clarinettistes (nous parlons technique). Avoir une belle sonorité à l'alto est beaucoup plus difficile qu'à la clarinette.

La facilité des « effets » à la clarinette est justement la raison pour laquelle je m'étais permis de parler des ornières dans lesquelles s'engagèrent Tatum, etc., il s'agissait (d'ailleurs tout le monde l'a compris en général) des ornières techniques si j'ose dire.

J'ajoute qu'écrivant pour une revue de connaisseurs, je n'aurais jamais pensé qu'un lecteur de JAZZ-HOT puisse s'imaginer que Delaunay confierait à un profane le soin d'y écrire. Je vous signale donc, pour terminer que je suis membre du H.C.F. depuis 1935 et que depuis 1940 je joue en qualité de trompette amateur dans l'orchestre de Claude Abadie, champion international de Bruxelles 1945, et champion de France 1946. Par ailleurs, je vous prie de croire que, malgré André Hodeir, je n'aime pas Benny Goodman. Je suppose que vous êtes clarinettiste amateur. Je vous conseille donc de tâcher d'imiter Bechet ou Noone plutôt que Goodman, car, pour arriver à la place qu'occupe ce dernier, avec *la technique* et *rien d'autre,* il faut se lever matin.

Je suis, monsieur, votre serviteur.

*

LE JAZZ ET SA CRITIQUE

Le jazz, musique du XXe siècle.

Les recherches récentes effectuées par les observateurs les plus impartiaux, tel Robert Goffin dans son ouvrage LA NOUVELLE-ORLÉANS, CAPITALE DU JAZZ, ou les auteurs de JAZZMEN, ce livre inégal et enthousiasmant paru voici quelques années aux Etats-Unis, convergent dans l'ensemble vers un résultat commun ; que ce soit une coïncidence, nul ne saurait en douter : mais cette coïncidence est commode qui relie la naissance du jazz aux environs de l'année 1900. Tournant d'une époque ? Solution de continuité réelle d'un siècle à l'autre ? Il faudrait être un de ces fanatiques de l'an mille qui se suicidaient dans l'attente d'une catastrophe, pour attacher à une telle date une importance autre que celle d'un repère. Ce n'est une coupure dans le temps que si l'on choisit l'origine chrétienne du calendrier. Prenons donc cette date telle qu'elle est : un millésime d'écriture simple et ne nous égarons pas dans un romantisme très « fin de siècle ».

Développement du jazz.

Née vers 1900, galvanisée dès l'enfance par la personnalité puissante de Buddy Bolden et de ses émules, la musique de jazz a suivi le développement que nous résumons brièvement dans ses grandes lignes : épanouie dans le quartier réservé de la Nouvelle-Orléans, elle remonte le Mississippi dès la chute de Storyville en 1917. Elle gagne Chicago, conquiert définitivement à sa cause la poignée de musiciens blancs qui devaient contribuer puissamment à sa diffusion dans toute l'Amérique. Enfin New York et la côte de Californie sont investies à leur tour, et le jazz se commercialise partiellement sous l'influence de la publicité, mais réussit, malgré la crise et les inégalités raciales à maintenir merveilleusement haute la flamme de l'inspiration noire originelle, et c'est la période d'aujourd'hui, où New York et Los-Angeles-Hollywood restent les deux pôles principaux de l'événement musical qu'est le jazz.

Premiers défenseurs.

Le jazz ne doit sa qualité qu'à lui-même, qu'à son essence propre. Mais nous n'aurions garde de méconnaître, en face des chausse-trappes qu'il a su éviter sur son chemin, l'influence favorable et salvatrice de quelques défenseurs enthousiastes, au premier rang desquels il faut citer — l'honneur lui en revient de plein droit — Ernest Ansermet, le chef d'orchestre suisse dont le nom est familier à tous les hot-fans, puis Robert Goffin et Hugues Panassié. On n'insistera jamais assez sur l'œuvre de ces hommes, on ne rappellera jamais assez que les premiers hot-clubs ne sont pas une création des Etats-Unis, mais de l'Europe. Encore une de ces vérités souvent amères pour les citoyens de la grande démocratie, qu'un côté un peu germanique de leur caractère porte trop souvent à considérer qu'ils ont tout trouvé tout seuls.

Que l'on se reporte, si l'on veut s'en rendre compte, à des ouvrages didactiques sur le cinéma, l'automobile, etc., récemment parus, où l'on apprend, avec une certaine surprise que les Américains ne doivent qu'à leurs facultés géniales les Buick et les Packard qui sillonnent leurs autostrades. Nous nous garderons de tomber dans l'excès contraire et n'attribuerons pas à Hugues Panassié ou Robert Goffin le développement de notre musique ; nous nous efforcerons, au contraire, de les situer dans cet article — eux et quelques autres — à la place qu'ils nous paraissent occuper dans cet univers mobile du jazz.

La parution d'un livre comme LE JAZZ-HOT en 1934 eut la portée d'un manifeste. Pour la première fois, un homme osait faire intervenir un classement selon lequel certains Noirs étaient jugés sur le même plan que les Blancs, sans autre considération que celle de leur valeur musicale. Les critiques musicaux américains, encroûtés dans l'opéra italien, le sirop (non dénué d'agrément) des Européens Gershwin, Kern, Berlin, les extrapolations de Toscanini et Stokowsky, réagirent diversement — JAZZMEN nous en donne, dans un des chapitres finaux, le savoureux souvenir. Des hommes compréhensifs crurent suivre la voie amorcée par Panassié. Mais que s'est-il passé ? Ils l'ont élargie, sans aller plus loin.

Carence de la critique.

Il est en effet remarquable de constater que le jazz se développait, se propageait, devenait une musique complexe, riche d'idées et d'inventions, poussant l'utilisation des possibilités instrumentales jusqu'à des limites que n'avaient jamais rêvées les géniaux artisans que furent Adolphe Sax et Bluemel et Stoezel, pour ne citer que ceux-là, tendants à devenir, selon l'expression de Robert Goffin, « l'art démocratique d'une grande nation [1] ». Il est encore plus remarquable de se rendre compte, sans faux-fuyant que la critique n'a pas suivi le même développement.

Obligé de réagir contre les fossiles émigrés d'Europe et désireux d'imposer au nouveau monde leurs conceptions stérilisantes de l'art, le jazz demandait à s'étayer sur une documentation solide, sérieuse, technique. Or, que s'est-il passé ? Revenons sur le cas de Panassié et du JAZZ-HOT.

La critique de Panassié a converti bon nombre d'incrédules. Elle a amené au jazz bien des fanatiques, et ceux-ci lui sont sincèrement et profondément reconnaissants des joies qu'il leur

1. « La Nouvelle-Orléans, Capitale du Jazz », chap. I, p. 8.

a fait découvrir, mais cette critique était l'œuvre d'un homme sensible, d'un enthousiaste. Elle a le mérite d'être plaisante et facile à suivre — c'est aussi son défaut, et son caractère superficiel. Le style de Panassié, cursif et clair, pêche souvent par son laisser-aller. (C'est le reproche grave que l'on peut également faire à Goffin.) Qui plus est, son caractère impulsif le pousse trop souvent à s'écrier à tout bout de champ : « Celui-ci est le meilleur... C'est le meilleur après Louis Armstrong !... C'est le plus formidable !... » Quitte à s'exclamer deux ans plus tard, que c'était une erreur, que c'était Machin le meilleur et non pas Chose comme il le pensait tout d'abord.

Ce côté un peu enfantin de la critique de Panassié n'a pas échappé à ses détracteurs. L'envie ou la mesquinerie, voire la calomnie, jouaient leur rôle dans ces attaques. Il n'en reste pas moins que les changements de position d'un Panassié, pour sympathique qu'ils rendent l'homme, dont nul ne saurait mettre en doute la sincérité, n'ont fait qu'accentuer les divergences d'opinion entre les amateurs de jazz et ses détracteurs, souvent honnêtes et sincères aussi, mais qui demandaient, pour être convaincus, d'autres arguments que ceux qui s'adressent au cœur.

Il est hors de doute, par exemple, que ce qu'écrivait récemment Panassié sur Bix contraste trop avec ce qu'il écrivait en 1934. Panassié a changé, d'accord. Mais Bix n'a pas changé. Les motifs pour lesquels Panassié — et bien d'autres — admiraient Bix en 1934 restent les mêmes : que Panassié n'ait pas su les expliciter à cette époque n'empêchent en rien qu'ils existent profondément. Même si Panassié aime moins Bix maintenant.

A vous, les hommes de laboratoire.

Ainsi, des ouvrages de cet ordre, peut-être suffisants à cette époque — où le jazz luttait encore pour sa vie, et pouvait faire plus de cas des muscles que de la cervelle — paraissent aujourd'hui inférieurs à la tâche que les amateurs sont en droit d'attendre de leur part. Le jazz n'est pas moins en danger maintenant qu'en 1934 : si son audience est considérablement plus vaste le nombre de ses ennemis s'est accru d'autant. Il faut faire appel à toutes les compétences, à toutes les bonnes volontés ; et pas seulement aux bataillons de choc, mais aux sapeurs et aux troupes du génie, et aux chercheurs des laboratoires atomiques. Panassié reste l'homme du commando — ce qui n'est d'ailleurs pas à la portée de tout le monde, et pas plus facile que de « décortiquer des atomes », selon l'expression de Jean Rigaux.

Etats-Unis, terre des préjugés.

Le reproche que l'on peut, en l'occurrence adresser à l'Amérique est grave. Les Etats-Unis qui ont vu naître cette musique, qui en tirent, chaque année, un budget de plusieurs milliards, ont commis la faute impardonnable de ne pas s'attaquer au problème du jazz de la même façon qu'ils ont traité le problème de la bombe. Nous vilipendions plus haut les émigrés d'Europe, responsables d'un certain état d'infériorité dans lequel est tenu le jazz aux Etats-Unis. Saluons ici les Européens qui ont, de ce côté de l'eau, tenté l'œuvre contraire. Mais devrions-nous ne compter que sur nous ?

Les William Russell, Stephen Smith, Hammond, etc., ne sont pas sans qualités : ils restent des critiques amateurs, des Georges Lenôtre du jazz. Ils épluchent quelques pages musicales de leur choix, mais sont incapables d'imposer autour d'eux une esthétique du jazz. L'Amérique et le jazz en souffrent cruellement ; ce n'est plus d'analystes que le jazz manque c'est de constructeurs. L'Amérique semble, jusqu'ici, ne posséder que des critiques d'occasion, ou des parasites du genre Leonard Feather qui ont compris qu'en utilisant la presse à bon escient, on peut se faire de jolis revenus sur le dos des Blancs ou des Noirs, car Feather, reconnaissons-le, est éclectique.

Rudi Blesh, dans *Shining Trumpets,* qui vient de paraître, a tenté un effort sérieux ; mais, encore une fois, son essai se révèle incomplet et même partiel. Il contraste, néanmoins avec les reconstitutions historiques ou les appréciations anecdotiques de ses prédécesseurs. Malgré tout, force nous est de reconnaître que pas un critique n'a embrassé le problème sous son aspect total et n'a tenté de dégager la vérité à travers les explications purement sensibles des quelques enthousiastes dont l'activité non coordonnée paraît sur le point de nuire au jazz, bien plus qu'elle ne lui profitera.

Défendre le jazz avec un esprit étroit, c'est le tuer.

Le jazz a suivi une évolution analogue à celle de la musique classique. Il est passé par sa période héroïque, il a connu la haine et l'indifférence des conservateurs — car il en est en musique autant qu'en politique. Robert Goffin a raison de rappeler que « même quand le nouvel art eut donné la réalité d'un génie comme Jean-Sébastien Bach, il y avait encore des conservateurs impénitents qui ne juraient que par Roland de Lassus ». Loin de nous l'idée de méconnaître Roland de Lassus, ou Sidney Bechet, ou Bunk Johnson. Faut-il, pour cela, écarter les merveilleuses et surprenantes inventions de Gillespie ? Faut-il condamner *Black, Brown and Beige* parce qu'il y a eu *Echos of Harlem, Sepia Panorama* ou *Bert Williams ?*

Faut-il, en un mot, continuer à parler du jazz en l'opposant à lui-même ?

Le jazz, art complet, s'est développé dans un temps incomparablement plus court que la musique classique : il profitait du bagage technique et instrumental de celle-ci, et de la mécanisation de la musique. 1917, date de la fermeture de Storyville est aussi la date de la naissance du pick-up électronique, et précède de bien peu celle des premières émissions radiophoniques. Mais en quatre cents ans, la musique classique a trouvé ses exégètes, ses historiens, ses théoriciens, ses esthètes. En quarante ans, le jazz n'en est qu'aux premiers balbutiements.

Nous voudrions que l'on cessât de discuter le contre-fa d'Armstrong à la fin de tel disque, pour l'opposer au contre-contre-ré de Killian dans tel autre : ce sont deux instants d'un même phénomène, le jazz. Nous voudrions que ceux qui ne jurent que par Bunk Johnson comprissent que même si *l'Homme en gris* du Titien est un tableau merveilleux, *la Nature à l'aurore* de Max Ernst n'est pas mal non plus, et vice versa.

Nous voudrions que les hommes s'aperçussent enfin que le jazz se défend contre lui-même comme l'homme se défend contre lui-même : le monde, de jour en jour, se courbe sous la peur, et l'homme se charge de chaînes dans sa propre inconscience : cloisonnez le jazz, réduisez-le à vingt musiques différentes, et vous l'aurez privé du bien le plus précieux qu'il soit donné de posséder, et qui le caractérise au premier chef, sa liberté. Il naît ; sur toute la terre, de mystérieux courants et de fausses mystiques ; il court des mots d'ordre de part et d'autre ; il se crée des barrières entre les mêmes éléments d'un monde disloqué, quelques-uns s'en aperçoivent, ils doivent avoir à cœur d'éclairer leurs semblables et de créer le climat sans lequel cette floraison merveilleuse qu'est la musique noire, restera, à jamais, vouée à la stérilité.

★

PRESENTATION DU TRIO JACQUES DIEVAL

Jacques Diéval est né à Douai, le 21 décembre 1920. Dix jours de patience et il aurait eu un an de moins. Il fit ses études musicales avec les meilleurs maîtres et remporta son premier prix au Conservatoire de Douai à quatorze ans. A dix-sept ans, il était déjà musicien professionnel de jazz et jouait à Lille avec le batteur Jourdan. A vingt-deux ans, il remplace, par hasard, un pianiste au Jimmy's, avec Simoens, Combelle, Gérardot, les vedettes en somme. Depuis ce moment, il n'a pas quitté le firmament des étoiles, et il a maintenant son propre trio avec Simoens et Georges Marion. Quant à son talent, c'est à vous d'en juger. Vous allez pouvoir constater que la réputation dont jouit en France ce jeune musicien n'a rien d'usurpée.

Simoens, c'est le costaud du trio. Il faut ça pour manipuler la basse avec la légèreté qui le caractérise, car on ne se figure pas l'effort physique que représente l'activité du bassiste. Il est né à Carvin, dans le Pas-de-Calais et a commencé la musique à dix ans. Il joua de la basse à quinze ans sur un instrument si horrible à voir que sa mère n'acceptait pas de le laisser jouer ailleurs qu'au grenier. Il eut le droit de redescendre quand il fut reçu à l'examen du Conservatoire de Lille, et, plus tard, il sortit de celui de Paris, avec un second prix seulement, car il n'était pas sérieux : il faisait du jazz. Il en fait toujours d'ailleurs et du bon. Ecoutez-le plutôt.

Georges Marion incarne le type du musicien chevronné. Depuis 1922 il est sur la brèche et les meilleurs orchestres n'ont eu qu'à se louer de son implacable tempo, depuis Carter et Hawkins jusqu'à Ekyan et Django Reinhardt. Son accompagnement à la charleston, souple, léger et d'une régularité parfaite est une base idéale pour les accords de son coéquipier Diéval. Georges Marion avait deux amours : Cozy Cole et Chick Webb. Quand Chick est mort, Marion a bien pleuré. Mais, rassurez-vous, il n'en a pas perdu une demi-mesure pour cela.

★

[1948]

ARTICLE SUR LE JAZZ POUR *LES TEMPS MODERNES*

Lorsqu'on nous parle de la naissance du jazz à la N.O. on nous dit toujours : « La musique était dans l'air, sous forme de quadrilles, marches, etc. » On admet implicitement (ce qui est évident à tout auditeur sans idées préconçues) que la musique N.O. est valable malgré ça — et pour qui la connaît un peu, le rapprochement avec la musique militaire s'impose. Les mêmes qui poussent aux nues cette forme dérivée des marches couvrent d'injures Gillespie et ses tenants, et tous les musiciens modernes, parce que leur musique est paraît-il, voisine de la musique moderne. D'abord je prétends qu'elle en est moins voisine que celle de la N.O. ne l'était des marches (penser à High Society, expliquez ce que c'est) — et que quand bien même elle s'en inspirerait dans la même mesure où le N.O. s'en inspirait (ce qui je le répète, est exagéré et faux) elle n'en serait que plus appréciable : j'aimerais mieux pour ma part voir un musicien puiser son inspiration dans Ravel, Stravinsky ou Alban Berg que dans les pas redoublés et fanfares qui constituent le répertoire de l'orphéon de Sucy-en-Brie : la matière puisée est tout de même susceptible d'autres développements.

Beaucoup se plaisent à dire : Kenton a tort, Herman aussi, Goodman n'est qu'un charcutier. D'accord. Presque tout ce que fait Kenton est horrible, Herman a eu de bons moments mais reste presque toujours grotesque, quant à Goodman, il a tout de même fait assez pour le jazz (volontairement ou non) pour qu'on passe sur pas mal de turpitudes (musicales s'entend). Et ce sont les mêmes qui répètent : seuls les Noirs savent ce que c'est que le jazz. Mais naturellement tout ce qui a été fait après Oliver ou Jelly Roll Morton, ce n'est plus du jazz : c'est un écho noir de ce qu'ont fait les Blancs. Encore ici, je me bornerai à leur rappeler l'existence d'un certain Fletcher Henderson (expliquer — orchestre très en avance — Queer Notions, etc.). Un fait est curieux à constater : toute cette résurgence du style N.O. est l'œuvre de jeunes Blancs, les trois quarts du temps sans culture musicale aucune, et aussi fanatiques (intolérants) que peuvent l'être des jeunes illettrés. Alors que *tous les Noirs* sans exception autre que celle de certains vieux musiciens (trop imprégnés d'un jeu qu'ils se sont employés à polir pendant des années pour songer à changer) sont à l'heure actuelle derrière Parker, Gillespie et les « modernes ». Faut-il admettre que tous les Noirs avaient raison avant 1940 et que depuis 1940, ils ont tous tort ? Faut-il admettre que les persécutions raciales s'adoucissant, ils se laissent pervertir par le milieu blanc ? Sornettes. D'abord les persécutions raciales sont toujours bien vivantes : il n'y a pas de semaine où Down Beat ne nous raconte... etc.

★

LETTRE A ROGER VINCENT

Mon cher Roger Vincent,

Je vous retourne ci-joint : 1) le questionnaire rempli ; 2) un chèque de 500 F (ma cotisation 49) ; 3) une petite note que vous pouvez lire, détruire ou enterrer, *ad libitum* (mais ça me fera de la peine).

Note :

Le service des disques aux critiques pourrait ne plus être une charge pour les éditeurs de disques si l'on essayait d'aborder le problème sous un angle différent. La critique de disques telle qu'elle est faite aboutit à une chronique plus ou moins régulière.

Cette chronique doit pratiquement guider l'acheteur.

A notre avis, elle devrait *surtout* guider le disquaire.

Un libraire consciencieux se base en général : *a*) sur la biblio de la France ; *b*) sur les critiques ; *c*) sur ses propres lectures pour commander des livres.

Un disquaire consciencieux devrait se baser : *a*) sur une discographie mensuelle (à créer) ; *b*) sur les critiques ; *c*) sur ses propres impressions d'audition pour commander des disques.

L'un et l'autre peuvent également se baser sur les demandes des clients, mais c'est tout de même une activité complémentaire et qui résulte : 1) de l'audition des disques à la radio par les clients en question ; 2) de la lecture que les clients ont pu faire des critiques publiées.

Esquisse d'un régime idéal.

1er temps : L'éditeur prépare tel ou tel disque. Il soumet ses épreuves aux principaux critiques.

2e temps : Avant la sortie du disque, les critiques paraissent dans un bulletin équivalent à la biblio mais plus perfectionné, et permettent au disquaire de se guider.

3e temps : En même temps que sort le disque, il est accompagné au catalogue par des extraits de presse que l'association fournit automatiquement aux éditeurs.

Il est entendu que c'est un régime limite, idéal pour l'association — à aménager suivant les objections que l'on peut faire : cas des chansons à la mode, enregistrées de toute façon, etc. (Il dépend de l'association d'instaurer une critique honnête, objective, scrupuleuse et qualifiée. En aucun cas le contrôle de l'association sur les disques ne doit devenir une censure comme la censure cinématographique. Il peut y avoir des disques « hors critique », etc.)

Le tout serait financé par une taxe (1 ou 2 F par disque par exemple) perçue sur le râble de l'acheteur qui se contrefiche de payer 1 F de plus ou de moins pour un disque de 250 balles prix moyen. *Il faudrait que l'approbation d'un disque par l'association devienne un label de qualité* analogue à l'estampille NF.ATG de l'association technique du gaz et de l'AFNOR. L'association aurait sa discographie mensuelle, adressée à tous les disquaires, et ça serait fameux. On deviendrait des grands personnages au lieu d'être des minables tolérés.

Il est également évident que tout ceci devrait être complété par une action auprès de la radiodiffusion française en vue d'obtenir des émissions régulières de l'Association, où se relaieraient ses membres, émissions divisées en sections : Grande musique classique, musique moderne, musique légère, danse et cabaret, chansons ; jazz, etc. Notez qu'il existe déjà des émissions de cet ordre et qu'il n'est nullement question de les supprimer (celles de Panigel, ou de Delaunay, par exemple), mais d'étendre à l'association le bénéfice de leur qualité incontestable.

Voilà. Tout ça est à ordonner et à développer... pardonnez-moi de vous importuner si longtemps mais je rêve d'un gros fascicule mensuel *Discographie de l'Association française de la Presse phonographique* tiré à cinq mille exemplaires (ou plus, allons-y) et à des bureaux de porphyre et de marbre où, à tous les étages, on pourrait lire les attestations reconnaissantes de Pathé-Marconi, Decca et la suite, en écoutant les pressages SAPP (sélectionné par l'association de la Presse phonographique).

★

TETU COMME UNE MULE

Il y a des gens qui empêchent vingt-cinq personnes, y compris eux-mêmes, de travailler. D'autres à qui vingt-cinq personnes qui travaillent ne peuvent faire faire quoi que ce soit. D'autres enfin à qui cela ne fait pas peur d'en amener vingt-cinq à s'employer à fond. Tony Proteau est plutôt un levier du troisième genre. Il s'est dit un jour qu'il aurait un grand orchestre de jazz — il lui a fallu des années — mais il y est arrivé. Il y est arrivé jeune parce qu'il a commencé tôt. Parce qu'il est têtu comme une mule.

Je ne connais guère qu'un exemple de persévérance analogue : celle du Major les jours où il a décidé de boire sans dépenser un doublezon. Encore sa peine est-elle moins longue que celle de Tony : les bistrots et les poires sont plus nombreux dans l'ensemble, que les musiciens fidèles.

On aime ou l'on aime point la formule de l'arrangement écrit. On sait ce qu'en tire Duke Ellington — on sait aussi ce qu'en tire Guy Lombardo. Il y a place entre les deux. Il y a en Amérique Stan Kenton, Boyd Raeburn, Woody Herman. En dehors de quelques formations scandinaves ou suisses, nous ne pouvons guère, en Europe et en France en tout cas, comparer à ceux-ci que Tony. Entouré de jeunes arrangeurs comme Jean Gruyer, venu par quels chemins bizarres de la médecine au jazz, René Leroux ou Jean-Pierre Landreau, Tony joue des choses « à lui » et pas les arrangements standard mutilés et ressassés dans les bastringues. Tony est lui-même un merveilleux saxo alto quand il veut s'en donner la peine.

Les Blancs sont trop cérébraux : le micro les impressionne, les glace, et ne leur laisse pas la faculté de se détendre (*to relax*). Mais je suis de ceux qui pensent que le swing d'un orchestre blanc en chair et en os peut être réel, même s'il passe mal la barrière de l'enregistrement. Ecoutez Tony à Pleyel le 30 novembre et dites-moi si je me suis trompé.

★

14.10.1950.

Cher monsieur,

Comme suite à notre conversation de ce matin et à titre de président de l'association Jazz Rive Gauche, je me permets de résumer ci-dessous les points essentiels de la position de l'association en ce qui concerne les réunions du jeudi au dimanche après-midi au Club Saint-Germain, 13 rue Saint-Benoît.

Il ne nous paraît pas exact d'assimiler ces séances à des spectacles ou à des divertissements, et ceci pour les raisons suivantes :

a) Le jazz, suivi en France par un nombre réduit d'amateurs, est au sens propre la musique d'improvisation créée à l'inspiration des Noirs. Les Noirs ont développé sur les divers instruments de l'orchestre un style et un mode d'expression particuliers et très différents du style et mode d'expression classiques.

b) Pour s'entraîner en vue d'acquérir l'aisance technique *d'ensemble* indispensable à la qualité de l'interprétation, il est nécessaire aux jeunes orchestres de répéter fréquemment, et ceci devant un public d'amateurs qui créent l'ambiance et la chaleur nécessaires, et dont les gestes et les danses occasionnelles renforcent cette ambiance *collective*.

c) Il est malheureusement impossible aux jeunes chefs d'orchestre amateurs de répéter chez eux, et ceci pour des raisons évidentes : le bruit, et l'espace disponible.

d) C'est pourquoi les Clubs du VIe et Saint-Germain en général pratiquent fréquemment le genre de réunions que nous pouvons appeler *répétitions publiques* où l'on demande aux assistants une participation toujours réduite et servant uniquement à couvrir les frais : électricité et entretien de la salle, contrôle de la bonne tenue intérieure, et frais de salle s'il y a lieu (en effet il arrive même souvent que les propriétaires de salle prêtent gracieusement cette dernière à seule fin d'encourager les jeunes à monter de bons orchestres que ces propriétaires trouveront, sans nul doute, un intérêt ultérieur à utiliser commercialement).

En conséquence, nous sollicitons de votre bienveillance l'autorisation de classer ces séances dans une rubrique un peu particulière, *celle des répétitions publiques,* au cours desquelles la danse occasionnelle ne peut être considérée que comme un entraînement des danseurs par l'orchestre et vice versa. (Nous signalons à ce propos que très fréquemment, les engagements d'orchestres comportent l'engagement de danseurs dont la présence sert à faire naître la tension indispensable aux bonnes exécutions de jazz).

Cependant il ne nous échappe pas qu'il serait parfaitement injuste que sous ce prétexte, toute réunion de ce genre échappât à l'impôt. Nous demandons s'il serait possible de limiter celui-ci au pourcentage exigible lors des concerts, afin de permettre à ces associations dont les finances sont réellement *toujours précaires* de poursuivre leur effort dans le but d'améliorer une musique dont l'importance culturelle est reconnue par des centaines d'experts internationaux. A titre documentaire, signalons qu'il paraît en France plusieurs revues de jazz dont l'une (*Jazz Hot*) tire à plus de dix mille exemplaires ; quel que soit le goût que l'on ait ou non pour cette musique, on ne peut manquer d'admettre que les opinions formulées sur elle par des musiciens classiques tels que Stokowski, Ansermet, etc. lui accordent des titres à une certaine considération.

En résumé :

Etant donné le caractère d'*entraînement collectif* des séances de jazz de l'après-midi organisées par l'association Jazz Rive Gauche et leur aspect non commercial nous sollicitons l'application à leur endroit du régime des concerts en ce qui concerne la perception de l'impôt, ceci malgré les danses occasionnelles qui peuvent y prendre place et qui participent de la musique.

Naturellement, nous insistons sur le fait qu'il n'est jamais servi à ces occasions *aucune boisson,* ce qui garantit leur caractère non-commercial et justifie, nous semble-t-il, la possibilité de leur accorder le régime des concerts.

★

VAGUE PROJET DE SCENARIO

Images.

Générique.

Sous-titre :

Faire un film sur le jazz, ce n'est vraiment pas sérieux.

Trucage : image naissant en spirale d'une étiquette qui tourne.

Prendre les R.C. chez Charles.
tél. *au labo, sauf vendredi*
Voir si Charles a « *The Cat* »

Raconter l'histoire d'un jeune homme de province captivé par le jazz à sa façon

---

d'un chicago digest

---

film sur le *principe de la collection.*
appliqué à la collection de disques de jazz.
Le collectionneur est un genre de maniaque.
Montrer aux gens de quoi se compose un disque. La cire et l'étiquette.

3 parties : un trou central indispensable
une masse de cire
une étiquette.

Comment se procure-t-on des disques ou d'autres objets.

Vol. Don. Achat.
Le don se caractérise par sa rareté. Parallèle à faire : ce que le disque représente pour le fabricant pour l'amateur.

★

LE PLUS CHER DES BRUITS

(cf. Valéry) Faire un film sur le jazz, ce n'est vraiment pas sérieux. (L'opinion publique.)
Thème : le collectionneur.
Portrait à la manière de La Bruyère.
Parents : En tout cas il a rompu toute attache avec sa famille du jour qu'il s'est intéressé au jazz.
Existence : Sa prime jeunesse n'a pas une grande importance car en général il ne réagit pas spécialement aux sons musicaux.

Evénements.

1. On devient collectionneur de disques de jazz sous l'effet d'*un choc.*

Le choc.

2. Chose remarquable, il est à peu près constant que la cause du choc n'a jamais rien à voir avec le jazz véritable.

Le choc peut être : visuel	magasin d'articles de musique Revue d'anthropologie Films
Le choc peut être musical ou tenir des *deux*	bruits des pieds et musique à l'étage au-dessus la petite voisine qui va danser le jitter bug belle paire de jambes avec musique ad hoc

3. Le choc produit des effets variables.

— Dépression profonde. Photos au mur. Type effondré sur son lit, mâchant du chewing-gum.
— Enthousiasme délirant ce que les non-initiés appellent zazou les spécialistes parkinsoniens.
— Intérêt pour tout ce qui a trait de près ou de loin à la musique : achat de la méthode Danhauser. Recherche des programmes à la radio (pointage sur radio 51).

— Sympathie pour le jazz symphonique.
— Charlie Kunz. Yvonne Blanc. Peter Kreuder. Les trois grands.

4. Toutes ces manifestations aboutissent à l'achat du premier disque. (Il est foutu.)
Deux cas possibles.
1) Un disque imposé par le vendeur (généralement un disque des trois grands, Jacques Hélian à la rigueur).
2) Le hasard aidant, ou une prédestination mystérieuse, un disque de vrai faux jazz blanc.

5. Modifications profondes du comportement social de l'individu atteint.
Il réduit sa conversation à un seul sujet, le jazz, qu'il croit avoir inventé.
Il amène *son* disque à la surprise-party...
... et prend conscience avec un frisson subit de l'existence d'autres versions du même thème.

6. Premier contact avec le *Connaisseur* qui s'est fourvoyé là pour les sandwiches. (Etre impassible avec pipe et regard lourd de mépris.)

7. *Initiation aux textes sacrés.*

revues *Jazz Hot.*
livres
achat de la discographie.

Charlie Kunz n'y est pas. Il écrit à la rédaction.

8. Achat d'une batterie. Il accompagne des disques chez lui. Se met accessoirement sa famille à dos. Il commence à se sentir méconnu, ce qui le renforce dans ses convictions.

9. Premiers élans de prosélytisme.

10. Devient intime avec un marchand de disques — qui le considère bientôt comme un client sérieux. (Il lui vend au début tous les saucissons, puis, comme à un ami, lui déconseille certains achats.)

11. Il commence à passer lui-même pour le Connaisseur et refuse de danser (quand on a vu danser les Noirs... dit-il en ricane-t-il. Surimpression des Noirs).

11 bis. Il prend conscience de l'importance de la langue anglaise.

12. Son domaine s'étend. Il cherche une méthode pour classer sa collection qui commence à devenir encombrante.

voir

record changer.

13. Il fréquente maintenant régulièrement le *Hot Club.* Sorte de chapelle païenne fréquentée exclusivement par ses semblables.

13 bis. Il y apprend qu'indubitablement le jazz est un art noir. Il abandonne la batterie et maudit le sort.
14. Il en retire une abondante documentation et se découvre des correspondants à l'étranger.
15. Il se rend compte qu'il faut se spécialiser et commence à s'interroger sérieusement sur ses goûts. Depuis qu'il collectionne, il n'a plus guère eu le temps de jouer ses disques. A l'audition, il s'aperçoit que tout ça s'est décanté.
16. Il revend en bloc à des collectionneurs moins évolués. Deux méthodes : 1) l'honnêteté : vente au poids ; 2) le style arabe : vente à la persuasion. Le bénéfice n'est pas exclu. Importance de l'étiquette.

(Petit topo.)

17. Première réponse à sa lettre. Son correspondant d'Australie le met en rapport avec son voisin de palier.
18. Les recommandations d'emballage. Le premier envoi. Déclaration de douane : cadeau, etc.
19. Le premier colis. Tous les disques sont cassés.
20. Le contact international qui préside aux échanges.
21. Suite de l'évolution du goût du collectionneur. Remontée dans le temps. Importance des sources. Finit par préférer une mauvaise copie blanche de la musique N.O. plutôt que du jazz authentique contemporain.
22. Il prend connaissance des études anthropologiques de M. Borneman.
23. Il réorganise son classement.
24. Bernard lui raconte comment il a constitué sa collection de Okeh rouges.
25. Résultat : le marché aux puces.
26. Tenue idéale du chasseur de disques. La banane. (Citez sources.) Le record changer. Variante française : la pomme. Inconvénient : le trognon. Sac à dos, etc.

(Depuis le début.)
(Serviette à la main en permanence.)

*

LA COLLECTION

a) Tout collectionneur est une espèce de maniaque, qu'il s'agisse de tabatières, de galères romaines, de locomotives Pacific ou de ces gastéropodes vulgairement appelés escargots. Cependant une catégorie de collectionneurs nous paraissent devoir mériter l'épithète de super-maniaques : ce sont ceux qui joignant la musique à l'action, s'intitulent eux-mêmes discophiles : il s'agit en l'espèce des collectionneurs de disques de jazz.

b) Etudions brièvement l'objet de leur passion. Alors que pour le commun des mortels le disque constitue une espèce de bruit pétrifié, pour le collectionneur, il prend l'aspect suivant :

1) Un plateau de cire de diamètre à peu près constant.
2) Un trou central mécaniquement nécessaire mais cependant regrettable car il perce l'étiquette.
3) L'étiquette elle-même essentiel de la valeur du disque, ornée généreusement d'un hiéroglyphe définissant la marque, plus ou moins complexe, et suivi d'un texte de longueur variable, le tout sujet à exégèse.

c) Du point de vue du collectionneur, remarquons tout de suite qu'un disque ne doit jamais être joué, de même que pour le bibliophile un livre ne doit pas être coupé. Un disque joué perd immédiatement une partie de sa valeur. C'est un des rares domaines où la virginité soit d'un rapport assuré.

d) Le collectionneur de disques s'attache donc à rassembler le plus grand nombre possible de ces objets circulaires. Immédiatement se pose à lui le problème du classement. Pour fixer les idées, étudions en détail le cas d'Anatole Dupont, collectionneur moyen.

Carte de visite avec :

Anatole « Dizzy » DUPONT

1. Comme tant d'autres, Anatole est venu au jazz sous l'effet d'un choc. (Disque tournant, un poing sort de l'étiquette et vient boxer Anatole.) Surimposer un plan de boxeur noir, avec une bonne giclée de trompette.

2. Le choc peut être visuel	magasin de musique ou *film*
Le choc peut être musical	bruits de pieds de la surprise-party du dessus
ou tenir des deux	il va ouvrir la porte et voit la jolie petite voisine qui va danser le jitterbug. Anatole la lorgne lubriquement

3) Le choc produit des effets variables qui vont de la dépression profonde à l'enthousiasme délirant pouvant devenir pathologique	avachi sur son lit zazou effréné plan entrée de Sainte-Anne
et se traduit finalement par la naissance d'un nouveau collectionneur... qui n'est pas encore préoccupé par les problèmes du classement...	discothèque vide.
4) Anatole Dupont achète généralement son premier disque au marchand d'appareils de radio en face de chez lui.	il demande au vendeur
Un disque de jazz ? Oh ! Innocence du débutant ! dans quelle voie t'es-tu engagé !	
5) Dès cette date, on peut constater une surprenante modification du comportement social d'Anatole.	modification de sa tenue. Chapeau. Cravate papillon. Serviette à la main. Lui faire acheter une serviette avec un disque spécimen.
Rejetant loin de lui toute littérature pernicieuse, il s'initie aux textes sacrés.	Revues *Jazz Hot,* etc. discographie, livres Pana.
et commence à se sentir méconnu.	ennuis avec la famille.
Ce qui l'incite à passer à l'action directe, tout en le renforçant dans ses convictions.	achat d'une batterie.

*

TOUT LE JAZZ

A propos de Mezz

On a les moyens d'expression que l'on mérite

« la technique ——— »

procédé de Panassié consiste à décrire sa propre jubilation à l'audition d'un disque.

A croire chacun des critiques qui ont écrit sur le jazz, le jazz est mort ; mais chacun d'eux en donne une définition différente, ce qui rassure.

Pr *préface tout à Tout le jazz* rappel première impression jazz : trompette bouchée Ellington vers 1934-1935.

Il y a à peine dix-sept ans que j'écoute presque exclusivement du jazz et j'aurais aimé attendre encore un peu avant de commencer à en parler « pour de vrai », mais on ne vous laisse guère le temps d'approfondir un sujet, de nos jours, et l'on se presse de sauter aux conclusions.

Comme presque toutes les choses faciles à comprendre, ça a des chances solides d'être incomplet.

A Kleber Haedens — qui en est la cause —

Le jazz c'est la musique que font certaines personnes — Histoire de ces personnes.

Jazz.

pauvreté d'imagination la plupart des chefs inventent *un* truc : le son slurpé de Billy man, etc. Se doutent donc pas qu'un disque ça se rejoue ? Ce qu'ils créent, ce sont des *éléments* qu'un autre — un Ellington pourra organiser — mais Ell. crée aussi les *siens.*

★

TRANSE

cf Goffin

Elle doit vous être communiquée, mais peu importe qu'elle le soit par *un* des musiciens ou par tout l'orchestre (à preuve, les enregistrements d'Armstrong) avec ces ignobles formations de 1930-1935, ou les enregistrements de Parker avec ces formations à cordes). Il vaut mieux évidemment dans le cas où un seul des musiciens de l'orchestre soit à même de vous y mettre, que l'orchestre lui-même soit du type le moins nocif c'est-à-dire ou joue très en place et soit mis lui-même en transe par le gars (*yes indeed* T. Dorsey) ou reste indifférent au gars mais joue parfaitement en place (Parker *with strings*) mais surtout ne vous tire pas l'oreille par des horreurs (formations Armstrong).

Le style noir loin de partir de qqch de très dépouillé, de très primitif (ainsi qu'à tort on qualifie le style N.O., le plus hybride qui soit) a fait dans le détail un formidable chemin vers le primitif : Lester Young a une attaque beaucoup plus proche que celle de Hawk de ce que serait celle d'un Noir AOF saisissant un saxo pour la première fois. Au contraire, les styles à vibratos : le vib est qqch de très occidental. (Pas trop sur la tpette ? voir... dans le cas d'Armstrong). Le bop est tout de même la manifestation d'une race bop plus libérée qu'elle ne l'était en 1920 et chose étrange, le bop est plus près de l'AF. Ecoutez L.Y. paraît — sophist. que Hawk.

*

IMPROVISATION

Au fond, peu, très peu d'auditeurs apprécient réellement l'improvisation. Généralement celle-ci ne peut être approuvée que lorsqu'il préexiste des conditions diverses chez l'écoutant : 1°) il doit connaître le thème ; 2°) il doit connaître s'il en existe déjà, les improvisations précédentes (qui lui seront transmises par le disque, p. ex.) du même musicien sur le même thème ;

3°) si possible, il connaîtra celles d'autres musiciens du même instrument sur le même thème. Si ces conditions ne sont pas remplies, le plus généralement, le chorus de l'improvisateur passe par-dessus la tête de l'auditeur. D'où l'impression de déception bien souvent ressentie par les auditeurs de concerts devant un orchestre ou un musicien qu'ils connaissent peu. Ils ne peuvent assimiler le cadeau que leur fait le « choriste ». Par contre, allant écouter Armstrong à Pleyel, on est écœuré de l'entendre jouer note pour note son chorus enregistré de *West-end Blues* que l'on sait également note pour note. C'est pour cet ensemble de raisons que l'on peut difficilement porter jugement sur les premiers disques de Parker Gillespie : musiciens neufs interprétant des thèmes neufs, ou tout au moins « reconditionnés » par l'introduction de nouvelles conventions sur des harmonies classiques. C'est pour ces raisons encore que le disque est un si merveilleux moyen d'appréciation. Et le processus d'appréciation lui-même est assez curieux en ce sens que l'on commence par tenter, à partir du chorus, de dégager le thème afin de mieux pouvoir juger le disque. Au bout de plusieurs auditions, on arrive à le situer. Je me rappelle ainsi l'exemple de ce disque Commodore *Linger awhile,* où Ben Webster construit une ligne mélodique assez éloignée de ce joli petit thème populaire et banal. L'ayant entendu une dizaine de fois, aidé de l'ironique rappel du thème langoureusement posé à la fin par Webster, je reconstituai en esprit un thème qui me permit d'apprécier les variations introduites par Webster. Je n'en pris que plus de plaisir par la suite à le découvrir tel qu'il était exposé par Rex. Mais j'ajoute qu'au contraire de ces remarques, bien des gens n'apprécient que ce qu'ils ont déjà entendu expressément, alors que l'amateur, lui, ne cherche qu'un guide, un fil conducteur qui lui permette de découvrir une à une les merveilles sécrétées par l'improvisateur.

Pour ces raisons aussi on eût mieux jugé Parker en recevant d'office un de ses disques *P. with Strings.*

⋆

Il me paraît que l'inconvénient majeur des ouvrages parus jusqu'ici sur le jazz est qu'ils mélangent Histoire et analyse, critique et biographie, brouillent les idées plutôt qu'ils ne les clarifient et manquent en somme à leur dessein toujours plus ou moins didactique. Il faut décomposer les mots en alphabet avant que d'enseigner la lecture aux petits enfants, et s'il est permis d'apprendre directement au linguaphone une langue étrangère lorsque l'on connaît déjà la sienne, il est toujours plus sage de repasser par la grammaire qui vous en donne une connaissance plus approfondie ; qui ne sait que le vocabulaire se perdra dans Shakespeare ; mais qui sait à fond la grammaire n'y verra qu'un problème de mots. Entre l'impropriété et le barbarisme, le choix est rapidement fait.

Ainsi, nous avons cru utile de diviser ce livre en sections, et de ne donner de définition du jazz qu'une fois les éléments acquis. De tous les écrits sur le jazz se dégagent quelques traits permanents ; et ceci est particulièrement vrai pour l'historique (encore que les points incertains soient nombreux, vu le fréquent « vague » des sources, et l'abondance de celles-ci. Un motif de ce fait nous paraît résider dans ceci que les critiques, les historiens, veulent à tout prix établir des filiations, retrouver des influences, où il n'y a bien souvent que coïncidence et simultanéité, et liberté en somme. J'ai imaginé un jour un archéologue qui cassait en menus morceaux toutes ses découvertes afin de les amener à la dimension de ses boîtes ou de ses classeurs normalisés. Ce personnage existe, en tous cas parmi les critiques de jazz : l'usage de la citation tronquée, le goût de l'insuffisance de renseignements, la partialité née d'une volonté de la croyance aveugle, sont ses armes et ses caractéristiques usuelles.

Musique = véhicule estimé le plus propre par certains pour convoyer leurs émotions — leur être affectif — à d'autres. Pourquoi la musique suivrait-elle des règles ? Parce qu'il faut que l'objet table soit créé pour que puisse naître le concept table et que la création d'un objet suppose un moule (un modèle) c'est-à-dire le découpage d'un espace afin de le rendre appréhensible. Du chaos, tout peut sortir et rien ne sort seul. Créer, c'est limiter d'abord ; d'où sort ensuite le concept de création permettant de reculer ces limites, le concept de table, épurée de sa matière et réduite à une définition permettant la possibilité d'infinités de tables, car il y a une infinité de définitions d'un concept c'est-à-dire une infinité de réductions possibles d'un concept à une formule, chacun étant source d'œuvres possibles — de créations possibles. De sorte que pour en arriver à ce temps que je vois s'étendre devant moi, celui des hommes pour qui peu importera que soient superposées quelques notes que ce soit pour qui toute combinaison sonore est licite ; il a fallu les règles et les lois dont l'armature s'oppose à chaque instant aux forces nouvelles que leur présence a libérées.

Il reste quelques permanences de la nature physique du corps humain — la musique n'existera que dans la mesure où les organes percepteurs de la musique seront ou non (physiquement ou intellectuellement) atrophiés (un barrage cérébral mental pouvant céder là où ne le pourrait un barrage externe (physique). Ainsi l'amplitude du chaos retrouvé sera-t-elle fonction des effets destructeurs produits par l'action temporaire de la limitation créatrice.

Et le « faire autrement », impératif du créateur, se heurte obligatoirement à une opposition, née chez l'amateur de son acceptation d'une armature précédente avec le décalage qui sépare l'œuvre de sa diffusion, cette armature précédente s'étant heurtée en son temps à celle (l'opposition) de la génération précédente d'amateurs.

★

EMISSION W.N.E.W.

(Indicatif)

La radiodiffusion française présente « Hot Club de Paris », un programme hebdomadaire retraçant l'histoire et les moments importants du jazz français, avec le concours des musiciens français les plus célèbres. Ce programme est composé pour vous par l'écrivain musicien de jazz Boris Vian

(indicatif en fond ; et mélanger avec *The man in the moon* de Grégor)

Né à la Nouvelle-Orléans, le jazz gagna peu à peu une place de premier plan aux Etats-Unis vers le début des années 20... et comme l'océan Atlantique est très large, il fallut attendre 1930 avant que ses échos ne réveillent l'Europe, et Paris...

(*Man in the moon* en fond sonore)

Des orchestres de danse existaient déjà, naturellement, en Europe et tout d'abord, ils s'efforcèrent d'imiter la musique straiht de Paul Whiteman et de Jack Hilton. Un des plus connus de ces groupements, le premier à jouer réellement « jazz » fut Grégor et ses Grégoriens : voici ce que cela donnait...

(fin de *Man in the moon*)

Bien que le jazz de Grégor ne nous paraisse plus très orthodoxe, il contenait les éléments qui feraient le jazz du lendemain. On pouvait y entendre de temps en temps, par exemple, un jeune trompette, Philippe Brun, dont le jeu rappelait étrangement celui, assez sophistiqué, de Bix Beiderbecke. Ecoutez-les tous deux pour faire la comparaison. Tout d'abord, un chorus par le célèbre Bix

(Chorus de Bix de *Humphy Dumphy*)

Et maintenant, voici comment Philippe Brun s'inspirait de Bix

(Phil Brun, *Doin' the raccoon*)

A côté des Grégoriens, de jeunes chefs d'orchestre, comme Ray Ventura, cherchaient également leur voie et des petits groupes de musiciens s'essayaient au jazz pour leur propre compte... et ils chantaient même en anglais

(*Some of these days*)

L'influence noire,, à cette époque, n'était pas si considérable qu'à l'heure actuelle : des musiciens comme Eddie Lang et Joe Venuti étaient bien plus connus que Armstrong et Coleman Hawkins. Un jour, un jeune Tzigane, entendant Eddie Lang saisit sa guitare

(*Le jour où je te vis,* fond)

son nom était Django Reinhardt... et voici le résultat. Vous allez écouter, immédiatement après le vocal d'un jeune chanteur dont vous essaierez de deviner le nom, un des premiers chorus enregistrés par le fameux guitariste

(*Le jour où je te vis,* fin)

Le chanteur en question était... votre ami Jean Sablon, qui débutait alors. Ainsi donc, nous voilà en 1935... Si Django avait entendu Eddie Lang, Stéphane Grappelly avait écouté Venuti... et le public, à son tour, obtint ceci...

(*Shine*)

1935. Le vrai jazz commence à s'imposer en France... Les critiques s'intéressent à lui et la première revue de jazz, *Jazz Hot*, vient de paraître. Le public paraît s'y intéresser... Louis Armstrong a joué à Paris, Duke Ellington aussi...

(Music in behind. *Sheik of Araby*)

Au moment où Django commence à se faire connaître, un autre jeune enregistre avec le quintette du HCF nouvellement créé : Alix Combelle, ténor sax et clarinette. Ecoutez comme Combelle change rapidement son saxo pour sa clarinette. Au piano, Stéphane Grappelly

(*Sheik of Araby,* fin)

Et maintenant, vous avez entendu tous les grands noms du jazz français de l'époque : Philippe Brun, Combelle, Ekyan et Dango. Les trois derniers se retrouvèrent en 1936 devant un micro avec Coleman Hawkins et Benny Carter et ce fut l'occasion d'une séance d'enregistrement qui fit date dans l'histoire... quatre saxos... écoutez ça

(*Crazy Rhythm*)

André Ekyan
Alix Combelle
Benny Carter
Coleman Hawkins

Django y était aussi... et après cette première grande « jam session », mêlant les talents des Français et des Américains, les critiques et le public se rendirent enfin compte que le jazz était là pour longtemps... mais la suite sera pour la semaine prochaine... à la même heure... Chers auditeurs, Boris Vian vous dit à bientôt

(Music. *Crazy Rhythm,* fin. Mélanger avec indicatif et passer en fond...)

Vous venez d'entendre « Hot Club de Paris », la première d'une série d'émissions consacrées à l'histoire du jazz en France, qui vous est présentée par Boris Vian

(Indicatif, *Chalerston*)

Cette émission a été écrite pour vous par Boris Vian et mise en ondes par Pierre Grimblat.

(Indicatif, fin)

★

PHILIPPE BRUN

Ici Boris Vian (etc.). Aujourd'hui, nous essaierons de suivre l'évolution de celui qui fut le premier trompette hot de Paris, Philippe Brun. Vous vous rappelez peut-être qu'il joua dans l'orchestre de Grégor

(fond sonore, *Doing the Racoon*).

Quand il quitta Grégor, Philippe Brun entra dans l'orchestre de Ray Ventura et enregistra plusieurs cires au cours desquelles il ne joue que quelques chorus. Les voici. Vous pourrez entendre dans *After you've gone* une bonne partie de trombone par Josse Breyere qui précède immédiatement Philippe

(*After You've Gone,* après le vocal).

Dans *Bugle call Rag,* il ne joue que l'introduction et un demi-chorus

(*Bugle call Rag*).

Mais dans *Melody in brown,* dont le titre rappelle intentionnellement son nom, la partie de trompette s'augmente déjà. Sa tonalité est plaisante et l'inspiration si elle n'est pas exceptionnelle, est du moins de bonne qualité

(*Melody in Brown*).

A l'époque où il travaillait avec Ventura, Philippe enregistra plusieurs faces pour « Swing » la nouvelle marque qui était à ce moment en plein essor. Il réunit un grand orchestre comprenant entre autres Django Reinhardt et Stéphane Grappelly au piano. Voici un échantillon de leur savoir-faire.

(*Riding along the Moskowa*).

L'orchestre comptait aussi Alix Combelle qui donne toute sa mesure dans

(*Gotta date in Louisiana*).

Mais l'un des meilleurs disques jamais enregistré par Philippe est *When you're smiling* couplé avec *If I had you.* La formation est la suivante : Alix Combelle, Philippe Brun, Joseph Reinhardt et Louis Vola

(*If I Had You*).

Quand vint la guerre, Philippe quitta la France où il lui était impossible de jouer. Il partit en tournée avec Ray Ventura et s'établit en Suisse où il enregistra avec Ernst Hollerhagen et Eddie Brunner, plusieurs disques comme :

(*Study in G.*).

Mais sa meilleure période était passée... Et parce qu'il était obligé de gagner sa vie, il se commercialisa plus ou moins. Quand vous l'écoutez maintenant, vous reconnaissez à peine celui qui jouait dans

(*When You're Smiling,* en entier).

Je vous dis au revoir, à la semaine prochaine, où je vous donne rendez-vous avec le quintette du Hot-Club de France...

★

JAZZ ET VERBALISME

La difficulté essentielle que l'on rencontre lorsque l'on veut parler de jazz, c'est l'ensemble d'idées toutes faites qui tiennent lieu d'opinion aux gens à qui l'on s'adresse. Que l'on prononce le mot et l'on s'aperçoit que ce dernier, trop galvaudé par la presse et les ignares, correspond dans les cervelles à toute une série d'abstractions de degré plus ou moins élevé, de jugements a priori, généralement truffés de détails abracadabrants glanés au hasard des lectures ou de l'écoute et même, chez certains gâteux, de réflexes conditionnés propres à faire la joie de feu Pavlov s'il pouvait en constater la perfection.

Une chose est pourtant bien simple ; cette espèce de musique qu'est le jazz se présente généralement, du moins en Europe, sous l'apparence de ces objets parfaitement concrets que sont les disques. A l'origine musique improvisée, le jazz a perdu son caractère immatériel depuis qu'on sait le recueillir et le reproduire à volonté. Et c'est un bon moyen d'éviter les marécages du verbalisme que de poser un disque sur son pick-up et de l'écouter. Ainsi, l'on se retrouve devant le fait et l'on peut dire : « j'aime ce disque » ou « je n'aime pas ce disque ».

Mais l'étiquette ? Bien sûr, tout ce qui est étiqueté jazz n'est pas jazz, et d'ailleurs c'est un principe très général que l'étiquette n'est pas la chose... c'est une des raisons pour lesquelles, en matière de jazz, on en est venu très rapidement à faire passer le musicien avant le titre, ce qui est un pas de plus vers le fait. On achète, en jazz, une interprétation ; on achète Armstrong, qu'il joue ou non *Stardust*, et l'on se soucie plus ou moins du thème. Telle est la différence essentielle de la « variété » et du jazz ; en variété, on demande une chanson, en jazz, on demande un interprète. En variété comme en jazz, d'ailleurs, il y a l'amateur éclairé et la brute sans discernement, mais le domaine plus commercial est moins sujet à polémique et l'amateur de variété ne noircit pas les tonnes de papier que l'amateur de jazz couvre, à l'occasion, d'une écriture furieuse.

Ainsi, plus importante encore que la définition du jazz — il faudrait approfondir et développer tout cela, mais la place nous manque — se pose celle de la personne qui l'écoute et de sa culture musicale. L'observateur épris de logique ne peut constater qu'une chose : il y a un certain nombre de disques qui, lorsqu'on les « joue », donnent lieu à une série, organisée dans le continuum espace-temps, de vibrations ; certaines de ces séries semblent présenter des caractères communs qui ont amené divers auditeurs, baptisés par eux-mêmes critiques pour l'occasion, à leur attribuer un qualificatif commun, « jazz ». Les auditeurs n'étant pas d'accord sur les critères d'attribution de ce qualificatif, le sens du terme jazz varie énormément d'un auditeur à l'autre. Cependant, les musiciens qui sont eux-mêmes à l'origine de ces vibrations ont également leur échelle de valeurs. Il en résulte une superbe confusion que ce texte fumeux ne saurait d'ailleurs qu'aggraver, mais qui oblige tout individu désireux de s'exprimer clairement à constituer pour lui-même, parmi tout ce qu'il entend, la liste de ce qu'il dénomme jazz. La confrontation des diverses listes permet de dégager un certain nombre de disques, ou plus exactement d'interprétations, que tout le monde (plus exactement tous les critiques ayant constitué leur liste) dénomme jazz. C'est actuellement la seule chose que l'on puisse affirmer ; il est évident que toute nouvelle liste remet exactement tout en question. Que faire, donc ? ce que l'on fait chaque fois que l'on veut s'évader de la funeste abstraction ; on mesurera le degré de connaissance ou de « sens critique » de l'auditeur au degré d'abstraction de ses exigences. Celui qui entre chez son disquaire et dit : « je veux du jazz » n'y connaît rien. Celui qui spécifie : « je veux du Dixieland », sans être très exigeant, est un peu plus renseigné. Celui qui précise : « donnez-moi tel enregistrement de Miles Davis, fait à telle date, publié par telle marque », n'a absolument pas besoin de savoir ce qu'est le jazz et c'est pourtant, du point de vue du jazz, le client le plus intéressant. Chose amusante, c'est dans le monde du jazz qu'est née cette espèce de client, le lecteur des « jazz discographies » créées par Charles Delaunay il y a vingt ans, le client non-aristotélicien, l'homme sain qui place le fait avant le verbe, l'homme de l'avenir...

★

Voici déjà une dizaine d'années, le regretté Fat's Waller, un des plus grands pianistes de jazz et à coup sûr le plus joyeux de tous les pianistes, enregistra un morceau intitulé en toute simplicité *Rump Steak Serenade*. Les paroles en étaient à peu près les suivantes :

Rumpsteak is sure a sender
Rumpsteak like mama made
Big, juicy, nice and tender
The rumpsteak serenade
Rumpsteak is fine in A.M., etc.
.. ..
Now I could jump alla over the world
I could even join the navy
But the rumpsteak melody lingers on
Let me stick my fork in the gravy...

Ceci est apparemment une anodine ritournelle : le bifteck, c'est épatant (a sender, c'est quelque chose qui vous « envoie »), le bifteck comme le faisait ma maman, gros, juteux, doux et tendre, etc. Bref, une œuvre sur laquelle il n'est guère besoin d'épiloguer.

Cependant, il se trouve que cette chanson est en réalité une des plus grivoises du répertoire de ce bon Fat's, qui s'y connaissait pourtant. Je ne préciserai que ceci : rumpsteak y a exactement le sens que prend en argot français l'astucieuse combinaison : bifteck à charnières. Ainsi, le dernier vers, « plantons notre fourchette dans la sauce », prend un... relief inattendu.

Cette joviale et saine obscénité est d'ailleurs un attribut assez fréquent d'un grand nombre de chansons ou de blues, dans lesquelles l'argot joue le rôle d'agent double : ainsi, ici, mama veut aussi bien dire « maman » que « ma femme » au sens charnel du mot. Depuis quelques mois, la marque française Vogue édite des enregistrements du chanteur noir Wynonie Harris, surnommé « Mr. Blues ». Deux sur trois de ces enregistrements sont positivement intraduisibles, non qu'ils soient difficiles à comprendre, mais bien parce qu'on vous poursuit assez volontiers en France pour outrages aux mœurs par la voie du livre, alors qu'il est relativement sans danger de massacrer ses enfants. Il semble que la censure américaine ne s'exerce qu'au cinéma ; pourtant, on connaît des cas d'interdiction à la radio, la chanson *Hold Tight*, par exemple, du même Fat's ; mais c'est alors, nous l'avons signalé ailleurs, que les pratiques évoquées par ces chansons n'entrent pas dans l'orthodoxie amoureuse américaine, laquelle paraît n'admettre qu'une façon et une seule de courtiser son épouse.

Les Noirs n'ont pas l'apanage de la chanson leste. Justement, ce mois-ci, Vogue publie deux gravures de la même chanson, *Lovin' machine,* dont l'une est due à l'orchestre blanc d'Elliot Lawrence et l'autre à Wynonie Harris, déjà nommé. Cette chanson est intéressante en notre époque de science-fiction : car on y voit poindre l'avènement de l'amour mécanisé. Voici quelques extraits de la version femme (Ell. Lawrence).

I'm an ugly ducklin'
Could never get a man
Tried beauty treatments, etc.

.. ..

Got so disgusted I built me a lovin'machine

.. ..

Don't need a man
Got something you've never seen
I'm so dignifield since I built me a lovin'machine.

Ce qui signifie en substance : J'étais moche comme un pou, pas moyen de trouver un homme, j'ai essayé les traitements esthétiques, etc. J'étais si dégoûtée que je me suis fabriqué une machine à faire l'amour... Plus besoin d'homme, j'ai un truc que vous n'avez jamais vu : je suis si *dignified* depuis que j'ai ma machine à faire l'amour.

Tandis que j'écoutais cette chanson, des souvenirs du temps du lycée sont venus crever la peau de ma mémoire, et j'ai revu ce camarade un peu agité qui s'était fabriqué, en méccano, un appareil précisément conçu dans le but de remplacer la femelle encore inaccessible. Cette chanson m'inquiète de la même façon que m'inquiétait ce camarade. Et elle doit troubler aussi ce bon Wynonie Harris, l'amateur de belles grosses « mamas », car sa version de *Lovin'machine* paraît un peu forcée. C'est ce *dignified* puritain de la fin qui me tourmente. Qu'y a-t-il de *dignified* à se satisfaire au moyen d'une mécanique ? La libération du partenaire serait en somme souhaitable ? Tout de même on doit être bien ridicule, seul chez soi devant une lovin'machine...

Inquiétude... Provient-elle de la teneur de la chanson ? de l'emploi de l'argot ? (Parenthèse à propos de l'argot : curieux qu'une des onomatopées bop, « ool-ya-koo », dérive de l'adjectif « cool » caractéristique du jazz de ces dernières années de la même façon que « campagne » donne « lampagne du cam » en bigorne ; hasard ?) Un autre disque, paru cette fois chez Capitol-Telefunken, nous en fait douter. Il est intitulé *Capitolizing* et enregistré par une formation moderne sous la direction du chanteur noir Babs Gonzales. Est-ce déjà, sur l'étiquette, cette façon d'abréger « trombones » en « bones », qui signifie « ossements », qui vous met un peu mal à l'aise ? Ou peut-être les chorus de cor d'harmonie de Julius Watkins, qui a le timbre d'un trombone atteint de mastoïdite et qui jouerait enveloppé de coton ? Surtout le vocal pendant lequel, à l'unisson, des voix enfilent avec une netteté maniaque, des syllabes incohérentes, mais parfaitement articulées, sur le conducteur d'une mélodie bizarre. C'est cette parfaite articulation du dénué de sens qui m'a gêné pour la journée. Isou et ses lettristes ont là une bonne leçon d'exécution à prendre : ce qui surprend, ce n'est pas l'insolite, c'est sa précision.

Discographie

Fat's Waller and his orchestra :	Rump Steak Serenade. Disque His Master's Voice (anglais) n° B 9582. Hold Tight id. n° BD 5469.
Wynonie Harris :	Série parue en Jazz-Sélection et disque Vogue V 3086.
Elliott Lawrence :	Lovin'machine disque Vogue V 3089, malheureusement couplé à un affreux navet.
Three bips and a bop :	Capitolizing, disque Telefunken Capitol n A 57-60999 C.

★

Cette année, à l'issue du concert que le grand trompettiste de jazz Louis Armstrong va donner à Paris, les innombrables amateurs qui se presseront dans le hall du théâtre des Champs-Elysées seront nombreux sans doute à se munir d'un exemplaire, frais sorti des presses, du dernier ouvrage de l'auteur Louis Armstrong, *Ma Nouvelle-Orléans*. Pour la première fois, en effet, Louis, qui avait déjà écrit, vers 1936, un intéressant documentaire, *Swing that Music*, va se voir publier en France, et cette publication coïncidant avec son apparition sur scène risque de donner lieu à une chasse aux autographes plus sévère que jamais.

Né le 4 juillet 1900 dans l'ancienne capitale de la Louisiane, le jeune Armstrong montra dès l'âge le plus tendre des dispositions frappantes pour la musique. Chose curieuse, c'est une incartade de sa vie de garçonnet qui devait lui donner, vers l'âge de treize ans, l'occasion d'apprendre à jouer du cornet à pistons... dans l'orchestre de la maison de redressement où l'avait conduit un malencontreux tir au pistolet sur la voie publique. Dès sa sortie de cet établissement, il se mit à fréquenter les musiciens de jazz, ce jazz qui commençait à prendre forme avec les pionniers de l'époque héroïque, Bunk Johnson, Bechet, Ory, Oliver et tant d'autres, bien connus des amateurs. Bientôt, il obtient ses premiers engagements et, peu après, se met à jouer sur un de ces grands « riverboats » qui circulaient le long du Mississipi. De retour à la ville, il continue à jouer en professionnel.

Et c'est la grande chance de sa vie : vers le milieu de l'année 1922, King Oliver, le roi de la trompette, l'engage. Louis file sur Chicago, et reste deux ans chez King, avec qui il enregistre ses premiers disques.

De 1924 à 1925, Louis, qui a abandonné Oliver, joue dans la grande formation de Fletcher Henderson. Son style a déjà acquis d'admirables qualités ; il joue avec une flamme et une imagination dont les cires de l'époque, malgré une gravure imparfaite, donnent une idée précise. Louis est maintenant à New York, et enregistre de plus en plus fréquemment.

Chicago de nouveau ; l'étoile de Louis ne cesse de monter. En 1927, enfin, il dirige son propre groupement. Il a, sur scène, un succès prodigieux. Ses dons de comédien et d'interprète font affluer les foules. Dès lors, c'est une ascension ininterrompue vers la célébrité. Londres en 1932, l'Europe en 1934, où il fait sa première apparition à Paris. On l'engage pour des films. Son nom, dans le monde entier, est connu et révéré des musiciens de jazz et des amateurs.

La guerre passe, des noms surgissent, d'autres disparaissent, mais Louis est toujours là, roi incontesté de la musique de jazz. Récemment, l'hebdomadaire *Time* lui consacrait même une couverture. Depuis la fin des hostilités, Louis a traversé plusieurs fois l'Atlantique pour venir jeter son talent en pâture aux foules parisienne. Son style semble avoir atteint sa forme définitive ; si techniquement de jeunes trompettes ont pris le pas sur Armstrong, il en est peu qui, comme lui, possèdent le don de transformer une banale rengaine en une œuvre digne d'être écoutée et retenue. Certes, à cinquante-deux ans, il n'a plus l'irrésistible flamme qui emportait tout sur son passage ; son inspiration s'est calmée, trop au gré de certains. Mais dans le domaine de la musique populaire noire, il reste un des tout premiers, et si l'on ne peut lui demander d'éternellement se renouveler, du moins doit-on reconnaître la place que son œuvre lui assigne au firmament des étoiles du jazz.

Parallèlement à son talent de musicien, Louis possède d'autre part une étonnante virtuosité dans le domaine de la littérature. Son style écrit est à juste tire renommé : savoureux, plein de verve, doté d'une ponctuation bien personnelle, il fait depuis longtemps la joie de ceux qui le connaissent. A n'en pas douter, *Ma Nouvelle-Orléans* vaudra la peine d'être lu. Gageons que ces pages porteront un rude coup à ceux qui, (il y en a encore) continuent à considérer le jazz comme une « musique de sauvages »...

Michel DELAROCHE.

★

INDEX

E

F

I

J

T

Y

TABLE DES MATIÈRES

SPECTACLES

JAZZ NEWS

RADIO 49 RADIO 50

ARTS

CAHIERS DU DISQUE

AUTRES PUBLICATIONS

CHOIX DE POCHETTES DE DISQUES

INEDITS

ACHEVÉ D'IMPRIMER LE
14 MAI 1982, SUR LES
PRESSES DE LA SIMPED A
ÉVREUX, POUR CHRISTIAN
BOURGOIS ÉDITEUR, A
PARIS

Numéro d'édition : 581
Numéro d'impression : 7 092
Dépôt légal : mai 1982